O MENINO DO BOSQUE

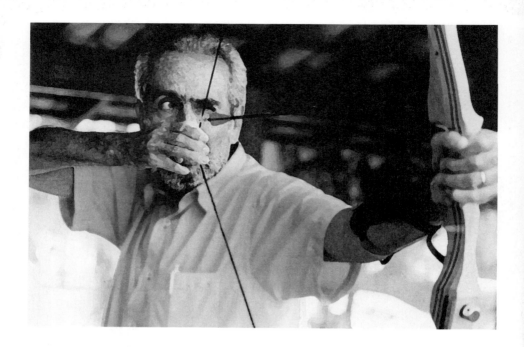

O Arqueiro

GERALDO JORDÃO PEREIRA (1938-2008) começou sua carreira aos 17 anos, quando foi trabalhar com seu pai, o célebre editor José Olympio, publicando obras marcantes como *O menino do dedo verde*, de Maurice Druon, e *Minha vida*, de Charles Chaplin.

Em 1976, fundou a Editora Salamandra com o propósito de formar uma nova geração de leitores e acabou criando um dos catálogos infantis mais premiados do Brasil. Em 1992, fugindo de sua linha editorial, lançou *Muitas vidas, muitos mestres*, de Brian Weiss, livro que deu origem à Editora Sextante.

Fã de histórias de suspense, Geraldo descobriu *O Código Da Vinci* antes mesmo de ele ser lançado nos Estados Unidos. A aposta em ficção, que não era o foco da Sextante, foi certeira: o título se transformou em um dos maiores fenômenos editoriais de todos os tempos.

Mas não foi só aos livros que se dedicou. Com seu desejo de ajudar o próximo, Geraldo desenvolveu diversos projetos sociais que se tornaram sua grande paixão.

Com a missão de publicar histórias empolgantes, tornar os livros cada vez mais acessíveis e despertar o amor pela leitura, a Editora Arqueiro é uma homenagem a esta figura extraordinária, capaz de enxergar mais além, mirar nas coisas verdadeiramente importantes e não perder o idealismo e a esperança diante dos desafios e contratempos da vida.

HARLAN COBEN

O MENINO DO BOSQUE

Título original: *The Boy from the Woods*
Copyright © 2020 por Harlan Coben
Copyright da tradução © 2021 por Editora Arqueiro Ltda.

Todos os direitos reservados. Nenhuma parte deste livro pode ser utilizada ou
reproduzida sob quaisquer meios existentes sem autorização por escrito dos editores.

coordenação editorial: Taís Monteiro

produção editorial: Guilherme Bernardo

tradução: Ivanir Calado

preparo de originais: Melissa Lopes

revisão: Luis Américo Costa e Tereza da Rocha

diagramação: Abreu's System

capa: Elmo Rosa

impressão e acabamento: LIS gráfica e Editora Ltda.

CIP-BRASIL. CATALOGAÇÃO NA PUBLICAÇÃO
SINDICATO NACIONAL DOS EDITORES DE LIVROS, RJ

C586m

    Coben, Harlan, 1962-
    O menino do bosque / Harlan Coben ; [tradução Ivanir Calado]. – 1. ed.
– São Paulo : Arqueiro, 2021.
    336 p. ; 23 cm.

    Tradução de: The boy from the woods
    ISBN 978-65-5565-096-9

    1. Ficção americana. I. Calado, Ivanir. II. Título.

21-68637

CDD: 813
CDU: 82-3(73)

Camila Donis Hartmann - Bibliotecária - CRB-7/6472

Todos os direitos reservados, no Brasil, por
Editora Arqueiro Ltda.
Rua Artur de Azevedo, 1.767 – Conj. 177 – Pinheiros
05404-014 – São Paulo – SP
Tel.: (11) 2894-4987
E-mail: atendimento@editoraarqueiro.com.br
www.editoraarqueiro.com.br

Para Ben Sevier,
editor e amigo.
Doze livros e outros que ainda virão.

North Jersey Gazette
18 de abril de 1986

"MENINO SELVAGEM" ENCONTRADO NA FLORESTA

Grande mistério cerca a descoberta do "Mogli da Vida Real"

WESTVILLE (NOVA JERSEY) – Num dos casos mais bizarros de nossa história recente, um menino de cabelos desgrenhados, com idade entre 6 e 8 anos, foi encontrado vivendo sozinho na Floresta Estadual das Montanhas Ramapo, perto do subúrbio de Westville. O mais estranho é que as autoridades não fazem ideia de quem ele é nem de há quanto tempo estaria por lá.

"É como Mogli, o personagem do filme", disse o delegado de polícia de Westville, Oren Carmichael.

O menino fala e entende inglês, mas não sabe o próprio nome. Ele foi visto pela primeira vez por Don e Leslie Katz, moradores da cidade de Clifton. "Estávamos limpando as coisas depois de um piquenique quando percebemos um movimento no mato", disse o Sr. Katz. "A princípio fiquei preocupado imaginando que seria um urso, mas então vimos uma criança correndo."

Três horas depois alguns guardas do parque, junto com a polícia local, encontraram o menino num acampamento improvisado. Estava magro e vestia roupas maltrapilhas. "Até agora não sabemos quanto tempo ele passou na floresta nem como chegou lá", disse o chefe da polícia estadual de parques de Nova Jersey, Tony Aurigemma. "Ele não se lembra dos pais nem de nenhum adulto. No momento estamos verificando os registros de crianças desaparecidas, mas não há ninguém com a idade e as características dele na lista."

Ao longo do ano passado, frequentadores da área das montanhas Ramapo informaram ter visto um "menino selvagem" ou um "pequeno Tarzan" com descrição semelhante à do menino encontrado, mas a maioria das pessoas achava que não passasse de lenda urbana.

James Mignone, da cidade de Morristown, disse: "É como se alguém tivesse dado à luz o garoto e o tivesse largado na floresta."

"É o caso de sobrevivência mais estranho que qualquer um de nós já viu", disse o chefe de polícia Aurigemma. "Não sabemos se o menino estava na mata há dias, semanas, meses ou... sei lá, até mesmo anos."

Quem tiver alguma informação sobre ele deve contatar o Departamento de Polícia de Westville.

"Alguém deve saber de alguma coisa", disse o delegado Carmichael. "O menino não apareceu lá por magia."

Primeira parte

capítulo um

23 de abril de 2020*

Como ela sobrevive?

Como consegue suportar esse tormento todo dia?

Dia após dia. Semana após semana. Ano após ano.

Ela fica sentada no auditório da escola, o olhar fixo, sem piscar. Seu rosto é de pedra, uma máscara. Não olha para a esquerda nem para a direita. Não se move.

Só continua olhando para a frente.

Está cercada de colegas de turma, inclusive Matthew, mas não olha para nenhum deles. Também não fala com nenhum deles, ainda que isso não os impeça de falar com ela. Os garotos – Ryan, Crash (sim, esse é o nome verdadeiro dele), Trevor, Carter – ficam xingando, sussurrando coisas horríveis, zombando, rindo com desprezo. Jogam coisas nela. Clipes. Elásticos. Atiram meleca. Colocam pedacinhos de papel na boca, fazem bolinhas babadas com eles e jogam em cima da garota. Quando o papel gruda no cabelo dela, eles riem ainda mais.

Naomi não se mexe. Não tenta tirar as bolinhas de papel do cabelo. Só continua fitando o vazio à sua frente. Seus olhos estão secos. Matthew consegue se lembrar de uma época, dois ou três anos atrás, em que os olhos dela marejavam durante essas provocações incessantes, implacáveis, diárias.

Agora não mais.

Matthew observa. Não faz nada.

Os professores, a essa altura indiferentes, mal notam. Um deles grita, cansado: "Está bem, Crash, já chega!" Mas nem Crash nem qualquer dos outros liga a mínima para a advertência.

Enquanto isso, Naomi apenas suporta.

---

* O livro foi escrito antes da pandemia do novo coronavírus. Por isso, apesar de a história se situar em 2020, ela não reflete a realidade atual nem as medidas de isolamento social. (N. da E.)

Matthew deveria fazer alguma coisa para impedir as provocações. Mas não faz. Não mais. Tentou uma vez.

Não deu certo.

Ele tenta se recordar de quando tudo começou a dar errado para Naomi. Nos primeiros anos do ensino fundamental, ela era uma criança feliz. Ele se lembra de vê-la sempre sorrindo. É, as roupas eram de segunda mão e ela não lavava o cabelo com frequência. Algumas meninas zombavam um pouco dela por causa disso. Mas tudo corria bem até o dia em que ela passou muito mal na aula da Sra. Walsh, no quarto ano, vomitando em jato, as lascas marrons molhadas espirrando em Kim Rogers e Taylor Russell. O cheiro era tão ruim, tão rançoso, que a Sra. Walsh teve que esvaziar a sala com o nariz tapado e mandar todas as crianças – Matthew era uma delas – para o campo de futebol.

Depois disso, tudo mudou para Naomi.

Matthew sempre pensava nisso. Será que ela já tinha se sentido mal de manhã cedo? Será que o pai dela – nessa época a mãe já estava fora de cena – a havia obrigado a ir à escola? Se Naomi simplesmente tivesse ficado em casa naquele dia, será que tudo teria sido diferente? Será que o vômito foi o ponto da virada ou seria inevitável que ela tomasse esse rumo brutal, sombrio e torturante?

Outra bolinha de papel com cuspe gruda no cabelo dela. Mais xingamentos. Mais piadas cruéis.

Naomi fica sentada esperando que aquilo acabe.

Pelo menos por enquanto. Por hoje, quem sabe. Ela deve saber que isso não vai acabar de vez. Não hoje. Nem amanhã. O tormento nunca para por muito tempo. É seu companheiro constante.

Como ela sobrevive?

Alguns dias, como hoje, Matthew realmente presta atenção e sente vontade de fazer alguma coisa.

Na maior parte dos dias, não. Nesses dias, o bullying também acontece, claro, mas é tão frequente, tão costumeiro, que se transformou numa espécie de ruído de fundo. Matthew aprendeu uma verdade terrível: a gente fica imune à crueldade. Ela vira o padrão. A gente aceita. Vida que segue.

Será que Naomi também aceitou? Será que ficou imune?

Matthew não sabe. Mas ela fica ali, todo dia, sentada na última fileira da sala de aula, ou na primeira fila do auditório, ou a uma mesa de canto no refeitório, sozinha.

Até que um dia – uma semana depois dessa reunião no auditório – ela não está lá.

Um dia, Naomi desaparece.

E Matthew precisa saber por quê.

capítulo dois

O COMENTARISTA HIPSTER DISSE:

– Esse cara deveria estar na prisão, sem dúvida.

No programa de TV ao vivo, Hester Crimstein já ia contra-atacar quando percebeu, pela visão periférica, alguém que lembrava o seu neto. Era difícil enxergar por causa das luzes do estúdio, mas parecia muito o Matthew.

– São palavras muito fortes – rebateu o apresentador do programa, um sujeito todo engomadinho que tinha sido bonito um dia e cuja principal técnica de debate era congelar uma expressão perplexa no rosto, como se os convidados fossem idiotas, mesmo quando o que diziam fazia todo o sentido. – Algum comentário, Hester?

A presença de Matthew – só podia ser ele – a havia desconcentrado.

– Hester?

Não é um bom momento para deixar a mente divagar, pensou ela. *Foco.*

– Você é nojento – disse.

– Como é?

– Você me ouviu. – Ela dirigiu seu famoso olhar intimidador para o Comentarista Hipster. – Nojento.

Por que Matthew está aqui?

O neto nunca tinha ido ao seu trabalho sem avisar – nem ao seu escritório de advocacia, nem ao tribunal, nem ao estúdio.

– Poderia ser mais específica? – perguntou o Apresentador Engomadinho.

– Claro – respondeu Hester, o olhar feroz cravado no Comentarista Hipster. – Você odeia os Estados Unidos.

– O quê?

– Falando sério – continuou Hester, levantando as mãos –, por que deveríamos ter um sistema jurídico, afinal? Quem precisa disso? Nada de julgamentos, nem de júri, nem de juiz. Vamos simplesmente deixar a turma do Twitter decidir.

O Comentarista Hipster se empertigou um pouco mais.

– Não foi isso que eu disse.

– Foi exatamente isso que você disse.

– Existem provas, Hester. Um vídeo muito explícito.

– Uuuu, um vídeo. – Ela sacudiu os dedos como se estivessem falando de um fantasma. – Então, de novo: não precisamos de um juiz nem de um júri. Teremos apenas você como líder benevolente da turma do...

– Eu não sou...

– Quieto, estou falando. Ah, desculpe, esqueci seu nome. Dentro da cabeça fico chamando você de Comentarista Hipster... então... posso chamar você de Chad? – Ele abriu a boca, mas Hester continuou: – Ótimo. Diga, Chad, que castigo você acha adequado para o meu cliente? Quero dizer, já que você vai decidir se ele é inocente ou culpado, por que não determina a sentença também?

– Meu nome – ele empurrou os óculos hipster para o topo do nariz – é Rick. E todos vimos o vídeo. O seu cliente deu um soco no rosto de um homem.

– Obrigada pela análise. Sabe o que ajudaria, Chad?

– É Rick.

– Rick, Chad, tanto faz. O que ajudaria, ajudaria demais, seria você e sua galerinha simplesmente tomarem todas as decisões por nós. Pense no tempo que iríamos economizar. Bastaria postar um vídeo numa rede social e decidir culpa ou inocência com base nas reações. Polegares para cima ou para baixo. Não haveria necessidade de testemunhas nem de provas. Só o juiz Rick Chad, bem aqui.

O rosto do Comentarista Hipster foi ficando vermelho.

– Todos vimos o que seu cliente rico fez com aquele homem pobre.

O Apresentador Engomadinho interveio:

– Antes de continuarmos, vamos mostrar de novo o vídeo para quem está ligando a TV agora.

Hester ia protestar, mas eles já tinham mostrado o vídeo inúmeras vezes, iriam mostrá-lo outras inúmeras vezes, e sua oposição seria ineficaz e só faria com que seu cliente, um próspero consultor financeiro chamado Simon Greene, parecesse mais culpado.

O mais importante, Hester poderia usar os poucos segundos com a câmera afastada do seu rosto para dar uma olhada em Matthew.

O vídeo que viralizou – com quatro milhões de visualizações que aumentavam – tinha sido gravado com um iPhone por um turista no Central Park. Na tela, o cliente de Hester, Simon Greene, usando um terno de corte perfeito e uma gravata Hermès com nó Windsor perfeito, fechava o punho e acertava o rosto de um rapaz maltrapilho e desgrenhado que, Hester sabia, era um viciado em drogas chamado Aaron Corval.

O sangue jorrava do nariz de Corval.

A imagem parecia saída de um livro de Dickens: o Sr. Rico Privilegiado dá um soco totalmente gratuito no Pobre Morador de Rua.

Hester esticou rapidamente o pescoço na direção de Matthew e tentou encontrar seu olhar através do brilho dos refletores do estúdio. Ela era convidada frequentemente para comentar questões jurídicas nos noticiários de TV a cabo e, duas noites por semana, a famosa advogada Hester Crimstein tinha o próprio segmento nessa mesma rede, chamado *Crimstein contra o Crime*, um título cheio de aliterações que alguém achou que ficaria interessante na grade de programação.

Seu neto estava na sombra. Hester podia ver Matthew torcendo as mãos, como o pai dele costumava fazer, e sentiu uma pontada tão funda no peito que, por um momento, não conseguiu respirar. Considerou por um instante atravessar o estúdio e perguntar ao garoto por que estava ali, mas o vídeo do soco já havia terminado e Rick Chad Hipster espumava.

– Viu? – O cuspe voou de sua boca e encontrou um lar na barba. – É claro como o dia. Seu cliente rico atacou um sem-teto sem motivo.

– Você não sabe o que aconteceu antes da gravação.

– Não faz diferença.

– Claro que faz. É por isso que temos um sistema de justiça, para que justiceiros como você não invoquem irresponsavelmente a violência da multidão contra um homem inocente.

– Calma aí, ninguém disse nada sobre violência da multidão.

– Claro que disse. Assuma. Você quer que meu cliente, pai de três filhos, sem antecedentes criminais, vá para a prisão agora mesmo. Sem julgamento, sem nada. Qual é, Rick Chad, ponha para fora o seu fascista interior. – Hester bateu na mesa, dando um susto no Apresentador Engomadinho, e começou a entoar: – Cadeia nele, cadeia nele!

– Pare com isso!

– Cadeia nele!

Aquilo estava irritando o Comentarista Hipster, seu rosto ficando vermelho.

– Não foi isso que eu quis dizer. Você está exagerando intencionalmente.

– Cadeia nele!

– Pode parar. Ninguém está dizendo isso.

Hester tinha certo dom para a imitação. Costumava usá-lo no tribunal para desmoralizar sutilmente algum promotor. Fazendo sua melhor imitação de Rick Chad, repetiu as palavras dele:

– *Esse cara deveria estar na prisão, sem dúvida.*

– Isso será decidido por um tribunal – declarou Rick Chad Hipster. – Mas se um homem age assim, se dá socos na cara das pessoas em plena luz do dia, talvez mereça ser condenado e perder o emprego.

– Por quê? Porque você e sua galerinha do Twitter dizem isso? Você não conhece a situação. Nem sabe se a gravação é verdadeira.

O Apresentador Engomadinho ergueu as sobrancelhas.

– A senhora está dizendo que o vídeo é falso?

– Pode ser. Uma cliente minha passou por isso. Alguém usou o Photoshop para colocar o rosto dela sorrindo junto de uma girafa morta e disse que ela havia caçado o bicho. Um ex-marido fez isso, por vingança. Consegue imaginar o ódio e o bullying que ela enfrentou?

A história não era verdadeira – Hester tinha inventado –, mas *poderia* ser, e às vezes isso bastava.

– Onde seu cliente Simon Greene está agora? – perguntou Rick Chad Hipster.

– O que isso tem a ver?

– Ele está em casa, não é? Se livrou pagando fiança?

– Ele é inocente, é um homem decente, preocupado com a família...

– E rico.

– Agora você quer eliminar nosso sistema financeiro?

– Um homem rico e *branco.*

– Escute, Rick Chad, eu sei que você é todo engajado e tal, com essa barba descolada e o gorro hipster... mas o modo como usa a questão da raça e suas respostas fáceis é tão ruim quanto o modo como o pessoal do outro lado usa a raça e as respostas fáceis deles.

– Uau, usando "ambos os lados" para desviar a questão!

– Não, meu caro, não falei ambos os lados, portanto preste atenção. O que você não vê é que está ficando igualzinho às pessoas que você odeia.

– Imagine o inverso – disse Rick Chad. – Que Simon Greene fosse pobre e preto e Aaron Corval fosse rico e branco...

– Os dois são brancos. Não transforme isso numa questão racial.

– É sempre uma questão racial, mas tudo bem. Se o cara que vestia trapos desse um soco num homem de terno, não seria defendido por Hester Crimstein. Estaria na cadeia agora mesmo.

Hum, pensou Hester. Era preciso admitir que Rick Chad tinha um bom argumento.

O Apresentador Engomadinho perguntou:

– Hester?

O tempo do segmento estava terminando, então Hester ergueu as mãos e disse:

– Se Rick Chad afirma que eu sou uma ótima advogada, quem sou eu para discordar?

Isso provocou risos.

– Infelizmente, nosso tempo está acabando. Após os comerciais, a última controvérsia sobre Rusty Eggers, o candidato à presidência que vem subindo nas pesquisas. Rusty é pragmático ou cruel? É de fato o homem mais perigoso dos Estados Unidos? Fique conosco.

Hester tirou o ponto eletrônico do ouvido e soltou o microfone. O intervalo comercial já estava no ar quando ela se levantou e atravessou o estúdio na direção de Matthew. Ele estava tão alto... de novo, parecido com o pai, e outra pontada a atingiu com força.

– Sua mãe...? – perguntou Hester.

– Está bem. Todo mundo está bem – disse Matthew.

Hester não conseguiu se segurar. Envolveu o garoto provavelmente envergonhado num abraço de urso, apesar de ela medir apenas 1,57 metro e ele ser 30 centímetros mais alto. Cada vez mais ela via traços do pai no filho. Quando era pequeno, Matthew não se parecia tanto com David, mas agora lembrava muito – a postura, o jeito de andar, o costume de torcer as mãos, o franzido na testa –, e tudo isso partia seu coração de novo.

Não deveria partir, é claro. Na verdade, deveria lhe dar algum conforto ver vestígios do filho morto naquele menino, como se alguma pequena parte de David tivesse sobrevivido ao acidente e continuasse vivendo. Mas, em vez disso, aqueles vislumbres fantasmagóricos a dilaceravam, escancaravam as feridas, mesmo depois de todos esses anos, e Hester se perguntou se a dor valia a pena, se era melhor sentir isso do que não sentir nada. A pergunta era retórica, claro. Ela não tinha escolha e não desejava que fosse diferente – não sentir nada ou algum dia "superar" seria a pior traição de todas.

Por isso segurou o neto e fechou os olhos com força. O adolescente lhe deu um tapinha nas costas, quase como se estivesse tentando agradá-la.

– Vó?

Era como ele a chamava. Vó.

– Você está bem? De verdade? – indagou ela.

– Estou.

A pele de Matthew era mais escura que a do pai. Sua mãe, Laila, era negra. A idade não era desculpa, no entanto Hester, que tinha 70 e poucos anos mas dizia a todo mundo que havia parado de contar aos 69, achava difícil acompanhar a evolução da terminologia.

– Cadê sua mãe? – perguntou.

– No trabalho, eu acho.

– Qual é o problema?

– Tem uma menina da escola.

– E?

– Ela está desaparecida, Vó. Quero que você a ajude.

capítulo três

— O NOME DELA É NAOMI PINE — disse Matthew.

Estavam no banco de trás do Cadillac Escalade de Hester. Matthew tinha viajado uma hora de trem desde Westville, fazendo baldeação na estação Frank Lautenberg, em Secaucus, mas Hester achou que seria mais prático levá-lo de carro de volta a Westville. Fazia um mês que não visitava os dois, muito tempo, por isso podia ajudar o neto preocupado e passar alguns minutos com ele e a mãe, matando os dois coelhos alegóricos com uma cajadada só, o que, pensando bem, era uma imagem realmente violenta e esquisita. Você dá uma cajadada e mata dois coelhos e isso é uma coisa *boa*?

– Vó?

– Essa tal de Naomi... – disse Hester, afastando as digressões idiotas. – É sua amiga?

Matthew deu de ombros como só um adolescente é capaz de fazer.

– Eu conheço ela desde que a gente tinha... tipo... 6 anos.

Não era uma resposta direta, mas Hester deixaria passar.

– Há quanto tempo ela está desaparecida?

– Tipo uma semana.

Tipo 6 anos. Tipo uma semana. Esse jeito de falar deixava Hester louca, mas essa não era hora para reclamar.

– Tentou ligar para ela?

– Não tenho o número.

– A polícia está procurando por ela?

Uma encolhida de ombros de adolescente.

– Você falou com os pais dela?

– Ela mora com o pai.

– Falou com o pai dela?

Ele fez uma cara de que essa era a ideia mais ridícula.

– Então como sabe que ela não está doente? Ou que não foi viajar, sei lá?

Não houve resposta.

– Por que acha que ela está desaparecida?

Matthew apenas olhou pela janela. Tim, motorista de Hester havia muito tempo, guiou o Escalade saindo da Rota 17 para o coração de Westville, Nova Jersey, a menos de 50 quilômetros de Manhattan. As montanhas Ramapo, que na verdade fazem parte dos Apalaches, surgiram. As lembranças, como de costume, vieram num enxame e lhe deram uma ferroada.

Um dia alguém disse a Hester que as lembranças doíam, principalmente as boas. À medida que envelhecia, Hester percebia que era verdade.

Ela e seu falecido marido, Ira – que partira sete anos antes –, tinham criado três meninos no "subúrbio montanhoso" de Westville, em Nova Jersey. O filho mais velho, Jeffrey, era cirurgião-dentista em Los Angeles e estava em seu quarto casamento, com uma corretora de imóveis chamada Sandy. Essa era a primeira esposa de Jeffrey que não tinha trabalhado como técnica em saúde bucal no consultório dele. Hester esperava que isso fosse um progresso.

O filho do meio, Eric, como o pai, atuava no nebuloso mundo das finanças – Hester jamais conseguira entender o que qualquer dos dois, seu marido e seu filho, fazia, algo que tinha a ver com movimentar pilhas e pilhas de dinheiro de A a B para facilitar C. Eric e a esposa, Stacey, tinham três filhos com intervalos de dois anos entre eles, como Hester e Ira tiveram. Recentemente a família havia se mudado para Raleigh, na Carolina do Norte, cidade que parece estar bem na moda.

O filho mais novo – e, para dizer a verdade, o predileto de Hester – tinha sido David, o pai de Matthew.

Ela perguntou ao neto:

– Que horas sua mãe chega em casa?

A mãe dele, Laila, como a avó Hester, trabalhava numa importante firma de advocacia, mas era especializada em direito de família. Tinha começado a carreira fazendo estágio na firma de Hester nos verões enquanto cursava a faculdade de direito de Columbia. E foi assim que Laila conheceu o filho de Hester.

Laila e David se apaixonaram quase imediatamente. Casaram-se. Tiveram um filho chamado Matthew.

– Não sei – respondeu Matthew. – Quer que eu mande uma mensagem para ela?

– Claro.

– Vó?

– O que foi, querido?

– Não conte à mamãe sobre isso.

– Sobre...?

– Sobre Naomi.

– Por quê?

– Só não conte, está bem?

– Está bem.

– Promete?

– Pare com isso – reagiu Hester, com uma leve irritação por ele precisar disso. Depois, mais gentil: – Prometo. Claro, prometo.

Matthew mexeu no telefone enquanto Tim fazia a familiar curva para a direita, depois para a esquerda, e então mais duas para a direita. Estavam numa rua sem saída chamada Downing Lane. Adiante ficava a grandiosa casa em estilo chalé que Hester e Ira haviam construído 42 anos antes. Era o lar onde ela e Ira tinham criado Jeffrey, Eric e David. Depois, quinze anos atrás, com os filhos crescidos, decidiram que era hora de sair de Westville. Os dois adoravam a casa ao pé das montanhas Ramapo – Ira mais do que Hester, porque Ira adorava estar ao ar livre, fazendo caminhadas, pescarias, etc. Mas estava na hora de partirem.

As cidades como Westville são feitas para criar filhos. A gente se casa, sai da cidade grande, tem alguns bebês, vai aos jogos de futebol e às apresentações de dança deles e fica emocionada demais nas formaturas. Eles vão para a faculdade, vêm visitar a gente e dormem uma noite, depois param de fazer até isso. A gente fica sozinha e então, como em qualquer ciclo da vida, é hora de deixar isso para trás, vender a casa para outro casal jovem que se muda da cidade para ter alguns bebês e começar tudo de novo.

Não há nada para pessoas maduras em cidades como Westville – e não há nada de errado nisso.

Assim, Hester e Ira se mudaram. Encontraram um apartamento na Riverside Drive, no Upper West Side de Manhattan, de frente para o rio Hudson. Adoraram. Durante quase trinta anos tinham ido para o trabalho naquele mesmo trem que Matthew havia pegado hoje, fazendo baldeação em Hoboken. E agora, numa idade mais avançada, poder acordar e caminhar ou ir rapidamente de metrô para o trabalho era o paraíso.

Hester e Ira amavam morar em Nova York.

Quanto à velha casa de montanha na Downing Lane, acabaram vendendo-a para David e sua esposa maravilhosa, Laila, que tinham acabado de ter o primeiro filho – Matthew. Hester achava que, para David, poderia ser estranho morar na mesma casa onde havia crescido, mas ele acreditava que seria o lugar perfeito para criar uma família. Ele e Laila fizeram uma reforma completa, deixando a casa com a cara deles e tornando o interior quase irreconhecível para Hester e Ira quando iam visitá-los.

Matthew ainda estava olhando para o telefone. Ela pôs a mão no joelho dele. Ele levantou os olhos.

– Você fez alguma coisa? – perguntou Hester.

– Oi?

– Com Naomi?

Ele balançou a cabeça.

– Não fiz nada. Esse é o problema.

Tim parou na antiga entrada de veículos da antiga casa de Hester. As lembranças vinham, vorazes, em sua direção. O motorista desligou o carro e se virou para olhá-la. Fazia quase duas décadas que Tim estava com Hester, desde que havia emigrado dos Bálcãs. Então ele sabia. Encarou-a. Ela assentiu ligeiramente para dizer que ficaria bem.

Matthew já havia agradecido a Tim e saído. Hester estendeu a mão para a maçaneta, mas Tim a impediu, pigarreando. Hester revirou os olhos e esperou enquanto Tim, um sujeito enorme, deslizava para fora do banco até ficar de pé e abrir a porta para ela. Era um gesto totalmente desnecessário, mas Tim sentia-se insultado quando Hester abria a porta. E, aliás, ela já travava batalhas suficientes todo dia, então, muito obrigada.

– Não sei quanto tempo vamos demorar – disse a Tim.

– Estarei aqui.

Matthew tinha aberto a porta da frente da casa, deixando-a escancarada. Hester trocou mais um olhar com Tim antes de subir pelo caminho de paralelepípedos – o mesmo que ela e Ira tinham construído pessoalmente num fim de semana 33 anos antes – e entrar na casa. Em seguida, fechou a porta.

– Matthew?

– Estou na cozinha.

Ela foi para os fundos da casa. A porta da enorme geladeira estava aberta e de novo ela visualizou o pai de Matthew naquela idade, visualizou seus garotos na época do ensino médio: Jeffrey, Eric e David, todos sempre com a cabeça enfiada na geladeira. Nunca havia comida suficiente em casa. Eles comiam como compactadores de lixo. Ela comprava comida num dia e no dia seguinte já tinha ido tudo embora.

– Tá com fome, Vó?

– Não, estou bem.

– Tem certeza?

– Tenho. Conte o que está acontecendo, Matthew.

A cabeça dele apareceu.

– A senhora se incomoda se primeiro eu fizer um lanche?

– Posso levar você para jantar fora, se quiser.

– Tenho muito dever de casa.

– Como preferir.

Hester foi para a sala de TV. Sentiu cheiro de lenha queimada. Alguém tinha usado a lareira recentemente. Estranho. Ou talvez não fosse. Verificou a mesinha de centro.

Estava arrumada. *Arrumada demais*, pensou.

Revistas empilhadas. Descansos de copo empilhados. Tudo no lugar.

Franziu a testa.

Com Matthew ocupado comendo um sanduíche, foi na ponta dos pés até o segundo andar. Não era da sua conta, é claro. Fazia dez anos que David tinha morrido. Laila merecia ser feliz. Hester não tinha má intenção, mas também não conseguia se conter.

Entrou na suíte.

Sabia que Laila dormia perto da porta, e David, no outro lado. A cama *king size* estava arrumada. Imaculadamente.

Arrumada demais, pensou de novo.

Um nó se formou na sua garganta. Atravessou o quarto e verificou o banheiro. Imaculado também. Verificou o travesseiro no lado de David.

O lado de David? Seu filho morreu há dez anos, Hester. Não se meta.

Demorou alguns segundos, mas acabou achando um fio de cabelo casta-nho-claro no travesseiro.

Um cabelo castanho-claro comprido.

Não se meta, Hester.

A janela do quarto dava para o quintal dos fundos e as montanhas mais além. O gramado se fundia à encosta e sumia no meio de algumas árvores, depois mais árvores e, além, um bosque denso e crescido. Seus meninos tinham brincado lá, é claro. Ira ajudara os três a construir uma casa na árvore, vários fortes e sabe Deus mais o quê. Eles fingiam que gravetos eram armas e facas. Brincavam de esconde-esconde.

Um dia, quando David tinha 6 anos e estava supostamente sozinho, Hester o ouviu falar com alguém no bosque. Quando ela perguntou quem era, o pequeno David ficou tenso e disse:

– Eu só estava brincando sozinho.

– Mas escutei você falando com alguém.

– Ah – disse o filho mais novo. – Era o meu amigo invisível.

Pelo que Hester sabia, fora a única mentira que David havia contado a ela. Embaixo, Hester escutou a porta da frente se abrir.

A voz de Matthew:

– Oi, mãe.

– Cadê sua avó?

– Aqui. Ah... Vó?

– Estou indo!

Em pânico e sentindo-se uma completa idiota, Hester saiu rapidamente do quarto e entrou no banheiro do corredor. Fechou a porta, deu descarga e até abriu a torneira para fazer com que a coisa parecesse real. Depois foi para a escada. Laila estava embaixo, olhando para ela.

– Oi – disse Hester.

– Oi.

Laila era lindíssima. Não havia outro modo de dizer. Estava deslumbrante no terninho cinza justo que a abraçava onde deveria. O que, no caso dela, era em toda parte. A blusa era de um branco vibrante, especialmente contra a pele escura.

– Você está bem? – perguntou Laila.

– Ah, claro.

Hester terminou de descer a escada. As duas se abraçaram rapidamente.

– Então, o que traz você aqui, Hester?

Matthew entrou na sala.

– A Vó está me ajudando com um trabalho da escola.

– É mesmo? Sobre o quê?

– Direito – respondeu ele.

Laila fez uma careta.

– E você não podia ter me perguntado?

– E... ah... também sobre aparecer na TV – acrescentou Matthew, desajeitado. Ele não é um bom mentiroso, pensou Hester. De novo, parecido com o pai. – Ah, tipo... sem ofensas, mãe, sobre como é ser uma advogada famosa.

– Verdade?

Laila se virou para Hester, que deu de ombros.

– Tá certo, então – disse Laila.

O pensamento de Hester saltou para o enterro de David. Laila tinha ficado lá, segurando a mão do pequenino Matthew. Seus olhos estavam secos. Ela não chorou. Nenhuma vez naquele dia. Nenhuma vez na frente de Hester nem de ninguém. Mais tarde, à noite, Hester e Ira levaram Matthew para comer um hambúrguer em Allendale. Hester tinha saído cedo e voltou para a casa. Foi até o quintal dos fundos, até a abertura no bosque onde tinha visto David desaparecer incontáveis vezes para ir ver Wilde, e mesmo de lá, mesmo àquela distância, com o vento noturno uivando, escutou os gritos guturais de Laila sozinha no quarto. Os gritos eram tão brutais, tão dilacerantes, tão doloridos que Hester pensou que Laila talvez se quebrasse de um modo que ninguém poderia consertar.

Laila não se casou de novo. Se houve outros homens nos últimos dez anos – e deve ter havido muitas ofertas –, ela não contou a Hester.

Mas agora havia esta casa arrumada demais e aquele cabelo castanho e comprido.

Não se meta, Hester.

Sem aviso, Hester estendeu os dois braços e puxou Laila para perto.

Surpresa, Laila disse:

– Hester?

Não se meta.

– Amo você – sussurrou Hester.

– Também amo você.

Hester fechou os olhos com força. Não conseguia conter as lágrimas.

– Você está bem? – perguntou Laila.

Hester se controlou, deu um passo para trás e alisou a roupa.

– Estou. – Ela enfiou a mão na bolsa e pegou um lenço de papel. – Só fico...

Laila assentiu. Sua voz saiu suave:

– Eu sei.

Por cima do ombro de Laila, Hester viu Matthew balançando a cabeça, lembrando-a do que ela havia prometido. Então disse:

– É melhor eu ir.

Beijou os dois e saiu rapidamente.

Tim a esperava com a porta aberta. Usava terno preto e quepe de chofer para trabalhar todos os dias, independentemente do clima ou da estação, apesar de Hester ter dito que não era necessário e apesar de nem o terno nem o quepe parecerem combinar com ele. Talvez pelo porte físico avantajado ou porque ele andasse armado.

Enquanto deslizava para o banco de trás, Hester se virou e olhou mais uma vez para a casa. Matthew estava junto à porta. Olhou para ela. A percepção a acertou mais uma vez.

Seu neto estava pedindo ajuda.

Ele nunca tinha feito isso. Não tinha contado toda a história. Ainda não. Mas enquanto ela chafurdava no próprio lamento, no próprio sofrimento, nesse buraco terrível em sua vida, lembrou-se de que o buraco era muito maior e mais terrível para Matthew, crescendo sem pai, especialmente sem *aquele* pai, sem aquele homem bom e gentil, que tinha sido o melhor de Hester e mais ainda de Ira. Ira que, Hester tinha certeza, morreu de ataque cardíaco porque jamais conseguiu superar a dor de ter perdido o filho naquele acidente.

Tim sentou-se no banco do motorista.

– Você ouviu o que Matthew disse? – perguntou ela.

– Ouvi.

– O que acha?

Tim deu de ombros.

– Ele está escondendo alguma coisa.

Hester não respondeu.

– Então, de volta à cidade? – perguntou Tim.

– Ainda não. Vamos passar antes na delegacia de Westville.

capítulo quatro

— ORA, ORA, QUEM É VIVO sempre aparece! Hester Crimstein na minha humilde delegacia!

Ela estava sentada na sala de Oren Carmichael, o delegado de Westville que, aproximando-se da aposentadoria aos 70 anos, continuava o mesmo de sempre: um pedaço de mau caminho, bonitão, com tudo em cima.

— É um prazer ver você também, Oren.

— Você está ótima.

— Você também. Como vai a Cheryl?

— Me deixou.

— Sério?

— É.

— Cheryl sempre me pareceu burrinha.

— Verdade?

— Sem querer ofender.

— Não me ofendi.

— Ela é linda – acrescentou Hester.

— É.

— Mas burra. Estou sendo insensível?

— Cheryl poderia achar que sim.

— Não me importo com o que ela acha.

— Nem eu. – O sorriso de Oren Carmichael era estonteante. – Esse papo é divertido.

— Não é?

— Mas algo me diz que você não veio até aqui para ouvir minhas réplicas medíocres.

— Poderia ter vindo. – Hester se recostou na cadeira. – Qual é a palavra que a garotada usa para quando a gente faz mais de uma coisa ao mesmo tempo?

— Multitarefa.

— Isso. – Ela cruzou as pernas. – Então talvez seja isso que estou fazendo.

Hester poderia dizer que não resistia a um homem de uniforme, mas isso era clichê demais. Ainda assim, Oren Carmichael parecia tremendamente em forma usando aquela farda.

– Você se lembra da última vez que esteve aqui? – perguntou Oren.

Hester sorriu.

– Jeffrey.

– Ele estava lá em cima no viaduto jogando ovos nos carros.

– Bons tempos. Por que você chamou o Ira para buscar o Jeffrey, não eu?

– O Ira não me dava medo.

– E eu dava?

– Se você quiser usar o tempo passado, com certeza. – Oren Carmichael inclinou a cadeira para trás. – Quer dizer por que está aqui ou devemos continuar com as gracinhas?

– Acha que a gente vai melhorar nisso?

– Nas gracinhas? Não dá para ficar pior.

Trinta e quatro anos antes, Oren tinha feito parte da patrulha que havia encontrado o menino na mata. Todo mundo, inclusive Hester, achava que aquele mistério seria resolvido rapidamente, mas ninguém apareceu atrás de Wilde. Ninguém jamais descobriu quem o deixou lá nem como ele chegou lá. Ninguém ficou sabendo quanto tempo o menino viveu sozinho nem como sobreviveu.

Mesmo depois de todos esses anos, ninguém sabe quem Wilde realmente é.

Ela cogitou perguntar a Oren sobre Wilde, só para se atualizar, talvez usar isso como um preâmbulo.

Mas Wilde não era mais da sua conta.

Precisava deixar isso de lado, portanto mergulhou no verdadeiro motivo para estar ali:

– Naomi Pine. Sabe quem é?

Oren Carmichael cruzou as mãos e as pousou naquela barriga chapada.

– Acha que eu conheço todas as meninas do ensino médio nesta cidade?

– Como sabe que ela é uma menina do ensino médio?

– Você não deixa escapar nada. Digamos que eu conheça.

Hester não sabia direito como dizer, mas, outra vez, o caminho direto parecia o melhor:

– Uma fonte me disse que ela está desaparecida.

– Uma fonte?

Certo, não tão direto. Meu Deus, Oren era bonito.

– É.

– Hum... Seu neto não tem mais ou menos a idade de Naomi?

– Vamos fingir que isso é coincidência.

– O Matthew é um bom garoto, por sinal.

Ela não disse nada.

– Eu ainda sou treinador do time de basquete – continuou ele. – Matthew é esforçado e brigão como o...

Ele parou antes de dizer o nome de David. Nenhum dos dois se mexeu. Por um instante o silêncio sugou algo para fora da sala.

– Desculpe – disse Oren.

– Tudo bem.

– Devo fingir de novo?

– Não – respondeu Hester com voz suave. – Nunca. Principalmente quando se trata do David.

Como delegado de polícia, Oren tinha ido ao local na noite do acidente.

– Respondendo à sua pergunta – prosseguiu ele –, não, não sei nada sobre o suposto desaparecimento de Naomi.

– Ninguém ligou para avisar nem nada?

– Não. Por quê?

– Faz uma semana que ela não vai à escola.

– E daí?

– Será que você poderia dar um telefonema?

– Você está preocupada?

– Não chega a tanto. Digamos que um telefonema iria me tranquilizar.

Oren coçou o queixo.

– Há alguma coisa que eu deva saber?

– Além do número do meu telefone?

– Hester.

– Não, nada. Estou fazendo isso como um favor.

Oren franziu a testa. Depois:

– Vou dar uns telefonemas.

– Ótimo.

Ele a encarou. Ela o encarou.

Oren disse:

– Acho que não quer que eu faça isso mais tarde e ligue para você com o resultado.

– Está ocupado agora?

Oren suspirou. Primeiro ligou para a casa de Naomi. Ninguém atendeu. Depois ligou para a coordenadora da escola. A coordenadora o fez esperar. Quando voltou ao telefone, disse:

– Até agora, as ausências da aluna foram verificadas.

– A senhora falou com algum responsável?

– Eu não, mas alguém da secretaria falou.

– O que o responsável disse?

– Aqui só está indicado que ela foi liberada.

– Nada mais?

– Por quê? O senhor está solicitando que eu vá até lá?

Oren olhou para Hester por cima do telefone. Hester balançou a cabeça.

– Não, só estou verificando todas as possibilidades. Mais alguma coisa?

– Só que provavelmente a garota terá que repetir o ano ou fazer uma recuperação puxada nas férias de verão. Ela faltou muito neste semestre.

– Obrigado.

Oren desligou.

– Obrigada – disse Hester.

– De nada.

Ela refletiu por um instante antes de continuar.

– Sei como você conhece o Matthew – disse lentamente. – Por minha causa. Por causa do David. Do time de basquete.

Ele não disse nada.

– E sei que você é muito ativo na comunidade, o que é louvável.

– Mas está se perguntando como eu conheço a Naomi.

– É.

– Eu provavelmente deveria ter dito logo de início.

– Estou ouvindo.

– Você se lembra daquele filme *Clube dos cinco*?

– Não.

Oren pareceu surpreso.

– Nunca assistiu?

– Não.

– Verdade? Nossa, meus filhos assistiam o tempo todo, mesmo não sendo da época deles.

– O que o filme tem a ver com a história?

– Você se lembra da atriz Ally Sheedy?

Ela conteve um suspiro.

– Não.

– Não é importante. No filme, Ally Sheedy faz o papel de uma garota rejeitada no ensino médio que me lembra a Naomi. Na cena em que os personagens fazem confissões, ela baixa a guarda e diz: "Minha vida em casa é frustrante."

– É o caso da Naomi?

Oren assentiu.

– Não seria a primeira vez que ela foge. O pai, e isso é confidencial, foi preso três vezes por dirigir embriagado.

– Algum sinal de abuso?

– Não. Acho que não é isso. Está mais para negligência. A mãe da Naomi foi embora... não sei... há cinco, dez anos. É difícil dizer. O pai passa muitas horas fora, trabalhando na cidade. Acho que ele simplesmente fica assoberbado com a obrigação de criar a filha sozinho.

– Está bem. Obrigada por contar.

– Vou levar você até lá fora.

Quando chegaram à porta, viraram-se um para o outro. Hester sentiu um rubor nas faces. Um rubor. Será que a gente nunca envelhece o suficiente para perder isso?

– Então, quer me contar o que o Matthew disse sobre a Naomi? – perguntou Oren.

– Nada.

– Por favor, Hester, vamos fingir que eu sou um policial qualificado que está no serviço há 40 anos. Você passa casualmente pela minha sala e pergunta sobre uma garota problemática que, por acaso, é colega de turma do seu neto. O detetive que há em mim fica se perguntando o motivo e conclui que Matthew deve ter dito alguma coisa a você.

Hester ia negar, mas isso não adiantaria.

– Extraoficialmente, Matthew pediu que eu investigasse.

– Por quê?

– Não sei.

Oren esperou.

– Não sei mesmo – repetiu.

– Está bem, então.

– Ele parece preocupado com ela.

– Preocupado como?

– De novo, não sei. Mas, se não se importar, vou dar uma olhadinha.

Oren franziu a testa.

– Dar uma olhadinha como?

– Acho que vou passar na casa dela. Conversar com o pai. Tudo bem?

– Mudaria alguma coisa se eu dissesse que não?

– Não. E não creio que haja qualquer coisa errada.

– Mas?

– Mas Matthew nunca me pediu nada, entende?

– Acho que sim. E se ficar sabendo de alguma coisa enquanto estiver dando uma olhadinha...

– Ligarei imediatamente, prometo. – Hester pegou um cartão de visita e entregou a ele. – Esse é o número do meu celular.

– Quer o meu?

– Não é necessário.

Ele manteve o olhar no cartão.

– Mas você não acabou de dizer que me ligaria?

Ela sentiu o coração batendo no peito. A idade era uma coisa engraçada. Quando o coração começa a bater assim, é porque a gente voltou para o ensino médio.

– Oren?

– Sim?

– Sei que nós deveríamos ser modernos, antenados e coisa e tal.

– Certo.

– Mas ainda acho que o cara é que deveria ligar para a garota.

Ele ergueu o cartão dela.

– E, por coincidência, agora tenho seu número de telefone.

– Mundo pequeno.

– Se cuida, Hester.

– É só o básico – disse Tim, entregando os papéis a Hester. – Logo vai chegar mais.

Eles deixavam uma impressora no porta-malas conectada a um laptop que Tim mantinha no porta-luvas. Às vezes os assistentes de Hester mandavam informações para o seu celular, mas Hester ainda preferia ler no papel. Gostava de fazer anotações com uma caneta ou sublinhar frases importantes.

– Você tem o endereço da Naomi Pine? – perguntou.

– Tenho.

– Qual é a distância?

Tim olhou no GPS.

– Uns 4 quilômetros, seis minutos.

– Vamos.

Ela folheou as anotações enquanto Tim dirigia. Naomi Pine, 16 anos. Pais divorciados. Pai, Bernard. Mãe, Pia. O pai tinha a guarda exclusiva, o que era interessante. A mãe havia aberto mão de todos os direitos parentais. Incomum, para dizer o mínimo.

A casa era velha e desgastada. A pintura tinha sido branca, mas agora estava mais para um creme meio marrom. Todas as janelas estavam bloqueadas por cortinas grossas ou por venezianas quebradas.

– O que você acha? – perguntou Hester a Tim.

Ele fez uma careta.

– Parece um esconderijo no meu antigo país. Ou talvez um lugar para torturar dissidentes.

– Espere aqui.

Um Audi A6 vermelho em ótimo estado, que provavelmente valia mais do que a casa, estava na entrada de veículos. Ao chegar mais perto da porta, Hester viu que em algum momento a casa tinha sido uma grandiosa construção vitoriana. Havia um alpendre e sancas trabalhadas, apesar de gastas.

Hester bateu na porta. Nada. Bateu de novo.

Uma voz masculina disse:

– Seja o que for, deixe perto da porta.

– Sr. Pine?

– Estou ocupado. Se precisar assinar...

– Sr. Pine, não vim fazer nenhuma entrega.

– Quem é você?

A voz dele estava levemente engrolada. O sujeito ainda não tinha aberto a porta.

– Meu nome é Hester Crimstein.

– Quem?

– Hester...

Finalmente a porta se abriu.

– Sr. Pine?

– De onde eu conheço a senhora? – perguntou.

– Não conhece.

– Conheço, sim. A senhora aparece na TV.

– É. Meu nome é Hester Crimstein.

– Epa. – Bernard Pine estalou os dedos e apontou para ela. – A senhora é a advogada que sempre aparece no noticiário, não é?

– Isso.

– Eu sabia. – Ele deu meio passo para trás, agora cauteloso. – Espere aí, o que quer comigo?

– Vim falar sobre sua filha.

Os olhos dele se arregalaram um pouco.

– Naomi – acrescentou Hester.

– Eu sei o nome da minha filha – rebateu ele, meio ríspido. – O que a senhora quer?

– Ela andou faltando às aulas.

– E daí? A senhora é coordenadora escolar?

– Não.

– E o que minha filha tem a ver com a senhora? O que quer de mim?

Ele parecia perfeito para o papel de um homem que tivesse acabado de chegar em casa depois de um dia duro de trabalho. A barba de um dia estava mais para um dia e meio. Os olhos tinham os cantos vermelhos. Estava sem o paletó do terno, com as mangas da camisa enroladas, a gravata frouxa. Hester apostaria que havia um copo já servido de alguma coisa destilada.

– Posso falar com a Naomi?

– Por quê?

– Eu... – Hester tentou dar seu lendário sorriso apaziguador. – Olhe, não quero causar problemas. Não vim aqui com nenhum interesse jurídico.

– Então por que veio?

– Sei que isso é incomum, mas... a Naomi está bem?

– Não entendi. Por que minha filha é da sua conta?

– Não é. Não quero me intrometer. – Hester tentou pensar em todos os ângulos da situação e se decidiu pela resposta mais pessoal e sincera: – A Naomi estuda com meu neto, Matthew. Talvez ela já tenha falado sobre ele.

Os lábios de Pine se comprimiram.

– Por que a senhora está aqui?

– Eu... Matthew e eu só queríamos confirmar que ela está bem.

– Ela está bem.

Ele começou a fechar a porta.

– Posso vê-la?

– Está falando sério?

– Sei que ela não tem ido à escola.

– E daí?

Chega de sorriso apaziguador. Hester colocou um toque de aço na voz:

– Então onde a Naomi está, Sr. Pine?

– Que direito a senhora...?

– Nenhum. Nenhum direito. Zero. Mas um amigo da Naomi está preocupado com ela.

– Amigo? – Ele fez um som de zombaria. – Então seu neto é amigo dela, é?

Hester não tinha certeza de como interpretar o tom de voz dele.

– Só estou pedindo para vê-la.

– Ela não está aqui.

– Então onde está?

– Realmente não é da sua conta.

Agora um pouco mais de aço na voz:

– O senhor disse que me viu na TV.

– E daí?

– Então provavelmente sabe que não vai querer enfrentar meu lado hostil.

Ela o encarou com um olhar penetrante. Ele deu um passo para trás.

– A Naomi está visitando a mãe. – Ele apertou mais um pouco a maçaneta. – E... Sra. Crimstein... minha filha não é assunto seu nem do seu neto. Agora saia da minha propriedade.

Ele fechou a porta. Então, como para dar ênfase, trancou-a com um estalo audível.

Tim estava fora do carro, esperando. Abriu a porta quando ela se aproximou.

– Babaca – murmurou Hester.

Estava ficando tarde. A noite havia caído. A iluminação ali, especialmente perto das montanhas, era quase inexistente. Não havia mais nada a ser feito com relação a Naomi Pine naquela noite.

Tim sentou-se no banco do motorista e ligou o carro.

– A gente deveria voltar – disse. – Sua participação no programa começa em duas horas.

Tim a olhou pelo retrovisor e esperou.

– Quanto tempo faz que a gente não vê o Wilde? – perguntou Hester.

– Vai fazer seis anos em setembro.

Ela deveria ficar surpresa com o tempo que havia passado. Deveria ficar surpresa por Tim se lembrar tão rapidamente do ano e do mês.

Deveria. Mas não ficou.

– Acha que ainda consegue encontrar a estrada onde ele mora?

– A esta hora da noite? – Tim pensou. – Provavelmente.

– Vamos tentar.

– A senhora não pode telefonar?

– Duvido que ele tenha telefone.

– Ele pode ter se mudado.

– Não.

– Ou pode não estar em casa.

– Tim.

Ele engrenou o carro.

– Lá vamos nós.

capítulo cinco

Tim ENCONTROU A ENTRADA na terceira passagem pela Halifax Road. A estradinha estava quase totalmente camuflada, fazendo parecer que passavam com o carro no meio de um arbusto gigante. A vegetação raspava no teto do veículo como aqueles rolos num lava a jato. Algumas centenas de metros ao sul ficava o Campo de Orações Água Doce da Pedra Partida, dos... como era mesmo que eles gostavam de ser chamados atualmente? Nação Ramapough Lenape, Povo da Montanha Ramapough, Índios da Montanha Ramapough ou simplesmente Ramapoughs, com sua genealogia turva que alguns afirmam vir diretamente dos nativos desta área, ou talvez de tribos nativas misturadas com os Hessianos que lutaram na Guerra Revolucionária, ou talvez escravos fugitivos que se esconderam no meio das antigas tribos Lenape antes da Guerra Civil. Fosse como fosse, os Ramapoughs – ela iria manter a simplicidade – formavam uma tribo reclusa, ainda que cada vez menor.

Trinta e quatro anos antes, quando o menino que agora se chamava Wilde foi encontrado a menos de 1 quilômetro dali, muitos haviam suspeitado – muitos *ainda* suspeitavam – que ele devia ter alguma conexão com os Ramapoughs. Ninguém tinha qualquer dado específico, é claro, mas quando você é diferente, pobre e recluso as lendas brotam. Talvez uma mulher da tribo tivesse abandonado um filho nascido fora do casamento. Ou então, em alguma cerimônia tribal maluca, o menino tivesse sido mandado para a mata, ou talvez houvesse se afastado e se perdido e agora a tribo tivesse medo de reivindicá-lo. Tudo isso era bobagem, obviamente.

O sol havia se posto. As árvores em túnel acentuavam a escuridão na estradinha estreita. Hester achou que o carro devia ter acionado algum sensor quando pegaram aquele caminho, provavelmente mais dois ou três enquanto prosseguiam por ele. Quando chegaram ao final, Tim deu meia-volta, de modo a ficarem virados para o retorno.

A mata continuava silenciosa, imóvel. Os faróis do carro forneciam a única iluminação.

– E agora? – perguntou Tim.

– Fique no carro.

– A senhora não pode ir lá sozinha.

– Não posso? – Os dois estenderam a mão para as maçanetas, mas Hester o deteve com firmeza: – Fique aí.

Ela saiu para a noite silenciosa e fechou a porta.

Os pediatras que tinham examinado Wilde depois que foi encontrado avaliaram que ele tinha entre 6 e 8 anos. Ele sabia falar. Disse que tinha aprendido graças à amizade "secreta" com David, o filho de Hester, e, mais diretamente, invadindo casas e assistindo a incontáveis horas de televisão. Além de viver do bosque nas estações mais quentes, era assim que Wilde tinha se alimentado – revirando latas de lixo das casas, fuçando lixeiras perto dos parques, mas principalmente entrando em casas de veraneio (ou melhor, invadindo-as) e atacando a geladeira e a despensa.

O menino não se lembrava de nenhuma outra vida.

Não se lembrava dos pais. Nem da família. De nenhum contato humano além de David.

Mas uma lembrança voltava. A lembrança assombrava o menino e agora o homem, mantinha-o acordado à noite, despertando-o com um susto e suor frio. A lembrança vinha em lampejos, sem nenhuma sequência narrativa discernível: uma casa escura, piso de mogno, um corrimão vermelho, o retrato de um homem de bigode e gritos.

– *Que tipo de gritos?* – *Hester perguntou ao menino.*

– *Gritos horríveis.*

– *Sim, eu sei. Mas, quero dizer, eram gritos de homem? De mulher? Na sua lembrança, quem está gritando?*

Wilde refletiu por um instante.

– *Eu* – *disse ele.* – *Eu é que estou gritando.*

Hester cruzou os braços, encostou-se no carro e esperou. A espera não durou muito.

– Hester.

Quando Wilde apareceu, o coração de Hester se encheu e explodiu. Não saberia dizer por quê. Talvez simplesmente tivesse tido um dia daqueles e ver o melhor amigo do filho – a última pessoa a ver David vivo – a deixasse emocionada.

– Oi, Wilde.

Wilde era um gênio. Quem explicaria isso? Uma criança já chega pré- -programada. Se tem uma coisa que a gente aprende é que seu filho é quem ele é e o que ele é, e que você, como pai ou mãe, superestima a própria importância no desenvolvimento dele. Uma vez um amigo querido disse a ela que ser pai ou mãe é como ser um mecânico de automóveis: você pode consertar o carro, cuidar dele e mantê-lo na estrada, mas não pode mudar fundamentalmente o modelo. Se um carro esporte entra na sua oficina para ser consertado, não vai sair como um SUV.

O mesmo acontece com as crianças.

Assim, parte da explicação era que Wilde era geneticamente programado para ser um gênio.

Os especialistas, porém, também dizem que o desenvolvimento na primeira infância é extremamente importante, que cerca de 90% do cérebro da criança se desenvolve antes dos 5 anos. Mas pense em Wilde nessa idade. Imagine os estímulos e as experiências a que foi exposto se precisou cuidar de si mesmo na infância, alimentar-se, abrigar-se, consolar-se, defender-se.

Como isso teria promovido o desenvolvimento do cérebro?

Wilde se postou à luz dos faróis para que ela pudesse vê-lo. Sorriu para ela. Era um homem bonito, com a pele morena beijada pelo sol, os músculos definidos, os antebraços parecendo fios de alta tensão fazendo força contra a camisa de flanela com as mangas enroladas, a calça jeans desbotada, as botas de caminhada gastas, o cabelo comprido.

O cabelo muito comprido castanho-claro.

Como o fio que ela havia encontrado no travesseiro.

Hester foi direto ao assunto:

– O que está rolando entre você e a Laila?

Ele não disse nada.

– Não negue.

– Não neguei.

– E?

– Ela tem necessidades – respondeu Wilde.

– Sério? "Ela tem necessidades?" Então você está sendo... o quê, Wilde? Um bom samaritano?

Ele deu um passo na direção dela.

– Hester?

– O quê?

– Ela não consegue amar de novo.

Justo quando Hester pensava que não poderia sentir ainda mais dor, as palavras detonaram outra bomba em seu coração.

– Talvez um dia ela consiga – continuou Wilde. – Mas ela ainda sente muito a falta do David.

Hester olhou para ele, percebendo que a coisa que estivera crescendo dentro dela – raiva, dor, idiotice, saudade – diminuía de tamanho.

– Para ela, eu sou seguro – disse Wilde.

– Não mudou nada para você?

– Nada.

Ela não sabia direito como se sentia em relação a isso. A princípio todo mundo achou que encontrariam logo a verdadeira identidade do garoto. Assim, Wilde tinha ficado com a família Crimstein. (*Wild* significa "selvagem" em inglês e o apelido óbvio acabou pegando.) Depois de um tempo, o serviço social o colocou com os Brewers, uma família muito querida que também morava em Westville. Ele começou a frequentar a escola. Era excelente em praticamente tudo que tentava fazer. Mas Wilde sempre foi um sujeito errante. Amava a família adotiva – os Brewers chegaram a adotá-lo oficialmente –, mas, no fim das contas, ele só conseguia viver sozinho. Além da amizade com David, Wilde não era capaz de se conectar de verdade com ninguém, especialmente com adultos. Pegue qualquer problema de abandono que qualquer pessoa normal possa ter e eleve à décima potência.

Tinha havido mulheres em sua vida, várias, mas os casos não duravam muito.

– Foi por isso que você veio aqui? – perguntou Wilde. – Para perguntar sobre a Laila?

– Em parte.

– E a outra parte?

– Seu afilhado.

Isso atraiu a atenção dele.

– O que tem ele?

– O Matthew pediu que eu o ajudasse a encontrar uma amiga.

– Quem?

– Uma garota chamada Naomi Pine.

– Por que ele pediu isso?

– Não sei. Mas acho que o Matthew pode estar com problemas.

Wilde foi na direção do carro.

– O Tim ainda é o seu motorista?

– É.

– Eu ia caminhar até a casa. Me dê uma carona e conte tudo no caminho.

No banco de trás, Hester perguntou a Wilde:

– Então é uma relação casual?

– A Laila nunca poderia ser uma relação casual, você sabe.

Hester sabia.

– Então você passa a noite toda com ela?

– Não. Nunca.

Ele realmente continuava o mesmo, pensou Hester.

– E a Laila aceita isso numa boa?

Wilde respondeu fazendo uma pergunta:

– Como você descobriu?

– Sobre você e a Laila?

– É.

– A casa estava arrumada demais.

Wilde não respondeu.

– Você é obcecado por arrumação – disse ela. Isso era um eufemismo educado. Hester não entendia os diagnósticos oficiais nem nada disso, mas Wilde tinha o que um leigo poderia considerar transtorno obsessivo--compulsivo. – E a Laila não é nem um pouco.

– Ah.

– E então encontrei um fio de cabelo comprido e castanho no travesseiro do David.

– Não é o travesseiro do David.

– Eu sei.

– Você foi xeretar no quarto dela?

– Não deveria ter feito isso.

– Não mesmo.

– Desculpe. É que o negócio é esquisito. Você entende, não é?

Wilde assentiu.

– Entendo.

– Quero que a Laila seja feliz. Quero que você seja feliz.

Ela desejou acrescentar que David também iria querer isso, mas não conseguiu. Provavelmente notando seu desconforto, Wilde mudou de assunto:

– Então, diga o que está acontecendo com o Matthew.

Ela o inteirou da questão com Naomi Pine. Ele a observou com aqueles olhos azuis e penetrantes com flocos dourados. Wilde mal se mexeu enquanto ela falava. Alguns o chamavam de Tarzan, e o apelido se encaixava quase bem demais, como se Wilde estivesse representando esse papel, com o corpo musculoso, a pele morena e o cabelo comprido.

Quando ela terminou, Wilde disse:

– Você falou com a Laila sobre isso?

Hester fez que não com a cabeça.

– O Matthew pediu que eu não falasse.

– Mas você contou para mim.

– Ele não disse nada sobre você.

Wilde quase sorriu.

– Você encontrou uma bela brecha.

– Ossos do ofício.

Wilde olhou para fora.

– O que foi?

– Eles são bem ligados – disse Wilde. – A Laila e o Matthew. Por que ele não ia querer que ela soubesse?

– É isso que estou achando estranho.

Os dois ficaram em silêncio.

Quando tinha 18 anos, Wilde foi para a Academia de West Point, onde se formou com distinção. Todo o clã Crimstein – Hester, Ira, os três garotos – fez a viagem de 45 minutos até a instituição militar para a formatura. Wilde serviu fora do país, principalmente em algum tipo de força especial (Hester nunca conseguia se lembrar do nome). Mesmo agora, tantos anos depois, ele não podia ou não queria falar sobre isso. Era confidencial. Mas o que quer que tivesse visto lá, o que quer que tivesse feito, experimentado ou perdido, a guerra o havia levado ao limite ou talvez, no caso dele, tivesse acordado os fantasmas do passado. Quem poderia saber?

Quando terminou o serviço militar e voltou para Westville, Wilde desistiu de fingir que tentava se encaixar na sociedade "normal". Começou a trabalhar como uma espécie de investigador particular numa empresa de segurança chamada CRAW, com a irmã adotiva, Lola, mas a coisa não deu muito certo. Ele comprou uma habitação do tipo trailer, que levava o minimalismo a um novo nível, e vivia isolado no sopé das montanhas. Mudava um bocado a moradia de lugar, mas nunca longe daquela estrada. Hester não entendia as minúcias tecnológicas de como Wilde ficava sabendo que teria visita. Só sabia que envolviam detectores de movimento, sensores e câmeras noturnas.

– Então por que veio me contar isso? – perguntou ele.

– Não posso sair por aí para checar. Tenho julgamentos na cidade, as participações na TV, obrigações, coisas do tipo.

– Tudo bem.

– E quem seria melhor que você para encontrar uma pessoa desaparecida?

– Certo.

– E havia aquele fio de cabelo no travesseiro.

– Entendi.

– Eu não tenho sido suficientemente presente na vida do Matthew – disse Hester.

– Ele está indo bem.

– Tirando o fato de achar que uma garota que sumiu da escola está correndo sério perigo.

– Tirando isso – concordou Wilde.

Quando Tim fez a curva, os dois viram Matthew se afastando da casa. Era um passo de adolescente: cabeça baixa, ombros encolhidos na defensiva, pés raspando o chão, mãos agressivamente enfiadas nos bolsos da calça jeans. Estava com fones de ouvido brancos e não os escutou nem os viu até que Tim quase o atropelou. Matthew tirou um dos fones.

Hester foi a primeira a sair do carro.

Matthew perguntou:

– Achou a Naomi?

Quando viu Wilde saindo pela outra porta, franziu a testa.

– Que negócio...?

– Eu contei a ele – explicou Hester. – Ele não vai dizer nada.

Matthew voltou a atenção para a avó.

– Você achou a Naomi?

– Falei com o pai dela. Ele disse que ela está bem, que está visitando a mãe.

– Mas a senhora falou com ela?

– Com a mãe?

– Com a Naomi.

– Ainda não.

– Então o pai pode estar mentindo.

Hester olhou para Wilde.

Wilde foi até Matthew.

– Por que acha isso, Matthew?

O olhar de Matthew ia para todo lado, menos na direção deles.

– Será que você podia só... é... verificar se ela está bem?

Foi Wilde que chegou mais perto do garoto, não Hester.

– Matthew, olhe para mim.

– Estou olhando.

Não estava.

– Você está encrencado? – perguntou Wilde.

– O quê? Não.

– Então fale comigo.

Hester se manteve afastada. Ali estava o principal motivo para ela se preocupar tanto com esse novo relacionamento entre Laila e Wilde. Não era por causa do respeito à memória de David e da dor de vê-lo esquecido para sempre – ou pelo menos não era só por causa disso. Wilde era padrinho de Matthew. Quando David morreu, Wilde chegou junto. Atendeu ao chamado e assumiu seu papel na vida de Matthew. Não era um pai, um padrasto ou algo assim. Mas esteve presente, mais como um tio que se envolvia, e Hester e Laila ficaram gratas, acreditando, por mais que isso pareça sexismo, que Matthew ainda precisava de uma figura masculina em sua vida.

Como o relacionamento romântico entre Laila e Wilde afetaria Matthew?

O garoto não era idiota. Se Hester tinha enxergado os sinais em alguns minutos, Matthew também devia saber sobre o romance. Então como ele estaria lidando com o fato de seu padrinho passar algumas noites com sua mãe? O que aconteceria com Matthew se o relacionamento acabasse mal? Será que Laila e Wilde eram suficientemente maduros para garantir que Matthew não se machucasse por tabela – ou será que estavam sendo ingênuos?

Matthew já estava mais alto do que Wilde. Quando isso tinha acontecido? Wilde pôs a mão no ombro do garoto e disse:

– Fale comigo, Matthew.

– Estou indo a uma festa.

– Tudo bem.

– Na casa do Crash. Ryan, Trevor, Darla, Trish... todo mundo vai estar lá.

Wilde esperou.

– Ultimamente, eles estavam pegando mais no pé dela. Da Naomi. – Matthew fechou os olhos. – Umas coisas supercruéis.

Hester se juntou a eles e quis saber:

– Quem estava pegando no pé dela?

– Os garotos populares.

– Você? – perguntou Hester.

Ele manteve o olhar voltado para o chão.

– Matthew? – disse Wilde.

Quando Matthew falou, sua voz saiu baixa.

– Não... – Ele hesitou. Os dois esperaram. – Mas deixei acontecer. Não fiz nada. Deveria ter feito. Crash, Trevor e Darla fizeram uma pegadinha com ela. Uma pegadinha maldosa. E agora... agora ela sumiu. É por isso que estou indo à festa do Crash. Para ver se descubro alguma coisa.

– Que tipo de pegadinha? – indagou Hester.

– Eu só sei isso.

Um carro dirigido por um adolescente, com outro no banco do carona, se aproximou deles. O motorista buzinou.

– Preciso ir – disse Matthew. – Por favor... continuem procurando, está bem?

– Vou mandar alguém do escritório encontrar a mãe da Naomi – declarou Hester. – Vou falar com ela.

Matthew assentiu.

– Obrigado.

– Tem mais alguém com quem a gente deveria falar, Matthew? Algum amigo da Naomi, talvez?

– Ela não tem amigos.

– Um professor, um parente...

Ele estalou os dedos e seus olhos se iluminaram.

– A Srta. O'Brien.

– Ava O'Brien? – perguntou Wilde.

Matthew confirmou.

– Ela é tipo professora assistente de artes, essas coisas.

– E você acha...? – perguntou Hester.

O adolescente buzinou de novo. Hester o silenciou com um olhar feroz.

– Preciso ir. Vou tentar descobrir alguma coisa na festa.

– Descobrir o quê? – insistiu Hester.

Mas Matthew não respondeu. Pulou no banco de trás do carro. Wilde e Hester observaram os garotos se afastarem.

– Você conhece essa tal de Srta. O'Brien? – perguntou Hester a Wilde.

– Conheço.

– Devo perguntar como?

Wilde não disse nada.

– Foi o que pensei. Ela falaria com você?

– Falaria.

– Bom. – Quando o carro desapareceu depois da curva, Hester indagou: – O que você acha?

– Acho que Matthew não está contando tudo.

– Talvez a mãe da Naomi retorne minha ligação. Talvez ela me deixe conversar com a Naomi.

– Talvez.

– Mas você acha que não.

– É, acho que não.

Os dois se viraram e olharam para a rua sem saída, na direção da casa dos Crimsteins.

– Preciso voltar à cidade para apresentar o programa – informou Hester.

– Ahã.

– Não tenho tempo para tratar disso com a Laila agora.

– Provavelmente é melhor assim. Pode ir trabalhar. Eu converso com a Laila. Depois falo com a Ava O'Brien.

Hester lhe entregou um cartão de visita com o número do celular.

– Mantenha contato, Wilde.

– Você também, Hester.

capítulo seis

QUANDO LAILA ABRIU A PORTA, perguntou:

– O que há de errado?

– Nada.

– Então por que está usando a porta da frente?

Wilde sempre entrava pela dos fundos. Sempre. Vinha caminhando pelo bosque que dava na parte de trás da casa dos Crimsteins. Fazia isso desde a época em que David o levava escondido para dentro, quando eram pequenos.

– E então?

Laila tinha uma paixão e uma energia que transformavam sua beleza numa entidade viva, que respirava e pulsava. Era impossível não ser atraído, não olhar, não querer fazer parte daquilo.

– Não posso ficar para o jantar – disse ele.

– Ah.

– Desculpe. Aconteceu uma coisa.

– Você não me deve explicações.

– Posso voltar mais tarde, se você quiser.

Laila examinou o rosto dele. Wilde queria contar sobre Matthew e a situação com Naomi, mas, depois de avaliar os prós e os contras, decidiu que manter a confiança do afilhado era mais importante do que informar a mãe. Pelo menos hoje. Por enquanto. Era um risco, mas Laila entenderia.

Talvez.

– Tenho mesmo que acordar cedo – disse Laila.

– Entendi.

– E Matthew saiu. Não sei a que horas vai voltar.

Wilde a imitou do modo mais gentil que pôde:

– Você não me deve explicações.

Laila deu um sorriso.

– Ah, quer saber? Volte, sim, se puder.

– Pode ser tarde.

– Não importa. – E depois: – Você não disse por que usou a porta da frente.

– Vi o Matthew na rua.

Não era mentira.

– O que ele disse a você?

– Que ia a uma festa na casa de alguém chamado Crash.

– Crash Maynard.

– Da...

– É, da Mansão Maynard. É filho de Dash.

– Dash tem um filho chamado Crash?

– Parece que o pai dele adorava o filme *Sorte no amor*. Dá pra acreditar?

Ele deu de ombros e disse:

– Quando a gente tem um nome como Wilde...

– Boa.

A noite caía. Dava para ouvir o canto dos grilos, seu companheiro reconfortante e constante.

– É melhor eu ir.

– Espere. – Laila enfiou a mão no bolso da calça jeans. – Não precisa bancar o homem da montanha. – Pegou o chaveiro e o jogou para ele. – Pegue o meu carro.

– Obrigado.

– De nada.

– Talvez eu não demore muito.

– Vou estar aqui, Wilde.

Laila fechou a porta.

Oito meses antes, quando Wilde conheceu Ava O'Brien, ela morava perto da Rota 17, num condomínio enorme todo de casas cinza e bege. Naquela noite, enquanto cambaleavam sob luzes fluorescentes que estalavam nos postes voltando para a casa dela, Ava tinha feito piada dizendo que as casas eram tão parecidas que muitas vezes ela enfiava a chave na porta errada.

Wilde não tinha esse problema. Ainda se lembrava do endereço exato.

Ninguém atendeu à primeira batida. Wilde conhecia a disposição dos cômodos. Verificou a janela no andar de cima à direita. A luz estava acesa. Isso não significava muita coisa. Procurou uma sombra passando. Nada.

Bateu de novo.

Pés se arrastando. Uma pausa. Eram quase nove da noite. Ava O'Brien provavelmente estava espiando pelo olho mágico. Ele ficou parado, esperando. Um instante depois, ouviu uma corrente deslizar. A maçaneta girou.

– Wilde?

Ava usava um grande roupão atoalhado. Ele conhecia o roupão. Já o tinha usado.

– Posso entrar um segundo? – perguntou.

Tentou decifrar o rosto de Ava para ver se ela estava triste ou feliz em vê-lo. Não que isso mudasse qualquer coisa. Mas a expressão dela era ambígua. Talvez houvesse surpresa. Talvez alguma alegria. Mas também havia outra coisa – algo que ele não conseguiu identificar exatamente.

– Agora?

Ele não se incomodou em responder.

Ava se inclinou para perto dele, encarou-o e sussurrou:

– Não estou sozinha, Wilde.

Ah, então agora ele conseguia identificar.

O rosto dela se suavizou.

– Ah, Wilde – disse numa voz terna demais. – Por que esta noite?

Talvez ele não devesse ter vindo. Poderia ter deixado Hester resolver.

– É sobre Naomi Pine.

Isso atraiu a atenção dela. Ava olhou para trás, saiu e fechou a porta.

– O que tem a Naomi? Ela está bem?

– Está desaparecida.

– Como assim, desaparecida?

– Ela é sua aluna, não é?

– Mais ou menos.

– Como assim, mais ou menos?

– Como assim, ela está desaparecida?

– Você notou que ela não tem ido à aula?

– Achei que estivesse doente. – Ava apertou o roupão atoalhado em volta do corpo. – Não entendo. Qual é o seu interesse nisso?

– Estou tentando encontrá-la.

– Por quê? – Como ele não respondeu imediatamente, Ava continuou: – Você perguntou ao pai dela?

– Minha colega perguntou.

Era mais fácil dizer isso do que explicar sobre Hester.

– E?

– Ele disse que Naomi está com a mãe.

– Disse?

– É.

Agora Ava parecia genuinamente preocupada.

– A mãe da Naomi não faz parte da vida dela há muito tempo.

– Foi o que nos disseram.

– Por que você veio me procurar?

– Uma fonte – de novo, era mais fácil assim – disse que vocês são próximas.

– Ainda não entendo. Por que está procurando a Naomi? Alguém contratou você?

– Não. Estou fazendo um favor.

– Para quem?

– Não posso dizer. Tem alguma ideia de onde ela está?

A porta atrás de Ava se abriu e surgiu um homem grande, com uma daquelas barbas supercompridas. Olhou para Ava, depois para Wilde.

– Oi – cumprimentou ele.

– Oi – disse Wilde.

Ele olhou de volta para Ava.

– É melhor eu ir.

– Não precisa – explicou Wilde. – Isso não vai demorar.

O barbudo olhou novamente para Ava. Depois, como se tivesse visto a resposta no olhar dela, assentiu.

– Fica para outro dia? – perguntou a ela.

– Claro.

Ele a beijou no rosto, deu um tapinha nas costas de Wilde e desceu a escada. Entrou em seu GMC Terrain, saiu de ré e acenou. Wilde se virou para Ava e ia começar a pedir desculpas, mas ela descartou o pedido com um gesto.

– Entre.

Wilde se sentou no mesmo sofá vermelho onde tinha beijado Ava pela primeira vez. Examinou rapidamente a sala. Pouca coisa mudara desde que ele passou aqueles três dias com ela. Numa parede havia duas pinturas novas penduradas, um pouquinho tortas – uma aquarela do que parecia um rosto atormentado e uma pintura a óleo da montanha Houvenkopf, que não ficava longe dali.

– As pinturas... você que fez? – perguntou.

Ela balançou a cabeça.

– Os alunos.

Ele tinha deduzido. Ela não gostava de mostrar o próprio trabalho. *É pessoal demais*, tinha dito quanto ele perguntou. *Autocentrado demais. Fica fácil enxergar todos os defeitos da gente.*

– Alguma é da Naomi?

– Não. Mas vá em frente, se quiser.

– Ir em frente com quê?

Ela indicou as paredes.

– Ajeite. Sei como isso está deixando você inquieto.

À noite, enquanto Ava dormia, Wilde andava pela casa, às vezes com um nível, e garantia que as pinturas estivessem completamente retas. Era um dos motivos pelos quais achava ótimo não ter nada pendurado em sua moradia.

Enquanto Wilde começava a ajeitar os quadros, Ava sentou-se na cadeira mais distante dele.

– Você precisa contar por que está procurando por ela.

– Não, não preciso.

– Oi?

Ele terminou de ajeitar a aquarela da montanha.

– Não temos tempo para explicações. Você confia em mim, Ava?

Ela afastou o cabelo do rosto.

– Eu deveria?

Podia haver alguma irritação em sua voz, ele não tinha certeza.

Depois de um tempo, ela disse:

– Sim, Wilde, confio em você.

– Fale sobre a Naomi.

– Não sei onde ela está, se é isso que está perguntando.

– Mas ela é sua aluna?

– Vai ser.

– Como assim?

– Eu a encorajei a se inscrever no curso de introdução à aquarela no próximo semestre. Aí ela vai ser minha aluna.

– Mas você já a conhece?

– Já.

– Como?

– Eu trabalho no refeitório três dias por semana. Com os cortes nas verbas, eles ficaram com pouca gente para ajudar. – Ela se inclinou para a frente. – Você estudou naquela escola, não foi?

– Foi.

– Você não vai acreditar, mas quando nós dois estávamos... – ela olhou para cima, como se procurasse a palavra certa antes de dar de ombros e se decidir – ... juntos, eu não fazia ideia de quem você era. Quero dizer, não sabia sobre o seu passado.

– Eu sei.

– Como sabe?

– Eu sempre percebo.

– As pessoas tratam você diferente, não é? Tudo bem. Não importa. Imagino que você fosse um renegado naquela escola, não é?

– Até certo ponto.

– Até certo ponto – repetiu ela – porque você era forte, bonito e provavelmente atlético. A Naomi não é nada disso. Ela é *aquela* garota, Wilde. Totalmente rejeitada, excluída, vítima de bullying. De algum modo, e isso vai soar horroroso, há alguma coisa nela que torna isso mais fácil para as pessoas. A natureza humana que ninguém quer discutir. Há algo em nós que nos faz curtir o espetáculo. Como se ela merecesse. E não são só os alunos. Alguns professores dão risinhos. Não estou dizendo que eles gostam, mas não fazem nada para defendê-la.

– Mas você faz.

– Eu tento. Frequentemente isso piora as coisas. Sei que é uma desculpa, mas quando eu a defendo... bem, digamos que isso não ajuda. Em vez disso, o que eu faço é fingir que ela está encrencada, esperando que isso dê algum crédito a ela, sei lá, e parte do castigo é proibi-la de almoçar no refeitório. Eu a levo para a sala de artes. Às vezes, se não estiver de plantão no refeitório, eu me sento com ela. Não creio que isso tenha ajudado muito com os outros alunos, mas pelo menos...

– Pelo menos o quê?

– Pelo menos a Naomi tem uma folga. Pelo menos ela consegue alguns minutos de paz durante o dia na escola. – Ava piscou para conter uma lágrima. – Se Naomi está desaparecida, é porque provavelmente fugiu.

– Por que diz isso?

– Porque a vida dela é um inferno.

– Até em casa?

– Não sei se inferno é a palavra certa, mas as coisas também não são boas por lá. Você sabia que a Naomi foi adotada?

Wilde balançou a cabeça.

– Ela fala mais sobre isso do que se esperaria de uma criança adotada.

– Como assim?

– A Naomi fantasia que é resgatada pelos pais verdadeiros, por exemplo. Os pais adotivos tiveram que fazer todo tipo de entrevistas e triagens, e, quando foram aprovados, receberam de presente um bebê, a Naomi. Mas aí, quase imediatamente, a mãe não aguentou. Até tentaram devolvê-la ao orfanato. Dá para acreditar? Como se ela fosse um pacote entregue pelo correio. Enfim... a mãe surtou. Ou foi o que alegou. Abandonou a Naomi e o pai.

– Você sabe onde a mãe está agora?

– Ah, ela... – Ava franziu a testa e fez sinal de aspas com os dedos – ... se "recuperou". Casou com um cara rico. A Naomi diz que ela mora numa casa chique na Park Avenue.

– A Naomi contou alguma coisa a você recentemente? Alguma coisa que possa ajudar?

– Não. – Depois: – Agora que você falou...

– O quê?

– Ela pareceu um pouquinho... melhor. Mais relaxada. Calma.

Wilde não disse nada, mas não gostou disso.

– Agora é sua vez, Wilde. Por que está perguntando essas coisas?

– Alguém está preocupado com ela.

– Quem?

– Não posso dizer.

– Matthew Crimstein.

Ele não disse nada.

– Como falei, Wilde, eu não sabia quem você era quando nós nos conhecemos.

– Mas agora sabe.

– Sei.

De repente, os olhos dela ficaram brilhantes de lágrimas. Ele estendeu a mão e segurou a dela. Ava se soltou. Ele permitiu.

– Wilde?

– O quê?

– Você precisa encontrá-la.

Wilde voltou ao estacionamento do condomínio. Dirigiu o BMW de Laila por 20 metros até uma lixeira. Hester tinha razão. Laila era desorganizada. Uma desorganizada linda. Mantinha-se meticulosamente arrumada, sempre de banho tomado. Mas com seus pertences a história era outra. O banco de trás do BMW tinha copos de café descartáveis e embalagens de barras de proteína.

Wilde estacionou o carro e o esvaziou. Não tinha fobia de germes, mas achou bom Laila ter uma loção antibacteriana no porta-luvas. Olhou para a casa de Ava. Será que ela chamaria de volta o barbudo grandão? Ele duvidava.

Não se arrependia do tempo passado com Ava. Nem um pouco. Na verdade, sentira uma estranha pontada ao vê-la, algo parecido com... saudade? Talvez fosse justificativa ou racionalização, mas o fato de não conseguir se conectar por longos períodos não significava que não apreciasse novas experiências. Não queria magoar as pessoas, mas talvez fosse pior ainda ser condescendente ou mandar algum papo-furado. Decidiu ser totalmente sincero, sem adoçar a pílula, sem ser falsamente protetor.

Wilde dormia ao ar livre. Mesmo naquelas noites.

Era difícil explicar o motivo. Assim, algumas vezes deixava um bilhete, ia para a mata por algumas horas e retornava de manhã. Não conseguia cair no sono quando havia alguém com ele.

Simples assim.

Na mata, ele sonhava muito com a mãe.

Ou talvez não fosse sua mãe. Talvez fosse outra mulher, naquela casa com o corrimão vermelho. Ele não sabia. Mas no sonho sua mãe – por enquanto vamos chamá-la assim – era linda, com cabelos castanho-avermelhados compridos, olhos cor de esmeralda e voz de anjo. Sua mãe seria realmente assim? A imagem era um tanto perfeita demais, talvez mais ilusão que realidade. Poderia ser algo que ele simplesmente havia evocado ou mesmo visto na TV.

A memória faz exigências que com frequência a gente não consegue cumprir. E é falha porque insiste em preencher as lacunas.

Seu telefone tocou. Era Hester.

– Falou com a Ava O'Brien? – perguntou ela.

– Falei.

– Está orgulhoso de mim porque não xeretei para saber como você a conhece?

– Você é um exemplo de discrição.

– E o que ela disse?

Wilde contou. Quando terminou, Hester disse:

– Aquela parte sobre a Naomi estar parecendo calma... Isso não é bom.

– Eu sei.

Quando as pessoas decidem acabar com a própria vida, costumam dar uma impressão de tranquilidade. A decisão foi tomada. Estranhamente, um peso foi retirado.

– Bem, eu tenho novidades – disse Hester. – E não são boas.

Wilde esperou.

– A mãe me ligou de volta. Ela não faz ideia de onde a Naomi está.

– Então o pai mentiu.

– Talvez.

De qualquer modo, não faria mal se Wilde visitasse o pai.

Alguém chamou Hester. Havia uma agitação ao fundo.

– Está tudo bem? – perguntou ele.

– Já vou entrar no ar. Wilde?

– Sim?

– Precisamos fazer alguma coisa depressa, concorda?

– Ainda pode não ser nada.

– É isso que sua intuição está dizendo?

– Eu não escuto minha intuição. Escuto os fatos.

– Besteira. – E depois: – Os fatos estão preocupados com essa garota?

– Com essa garota – concordou ele. – E com o Matthew.

Houve mais agitação.

– Preciso ir, Wilde. A gente se fala.

Ela desligou.

Hester estava sentada atrás da bancada do noticiário, numa banqueta com encosto de couro alta demais para ela. As pontas dos pés mal tocavam o chão. O teleprompter estava ligado e no ponto para rodar. Lori, a cabeleireira, dava os toques finais e Bryan, o maquiador, acrescentava um pouco de corretivo de última hora. O relógio vermelho, da contagem regressiva, que parecia o cronômetro numa bomba de seriado de TV, indicou que tinham menos de dois minutos para entrar no ar.

Seu colega anfitrião essa noite mexia no celular. Hester fechou os olhos por um segundo, sentiu o pincel de maquiagem roçar na face, os dedos puxando suavemente seu cabelo para o lugar. Tudo era estranhamente tranquilizador.

Quando seu telefone vibrou, ela abriu os olhos com um suspiro e afastou Lori e Bryan. Normalmente não atenderia tão perto da hora de entrar no ar, mas o identificador de chamadas dizia que era o neto.

– Matthew?

– Já acharam ela?

A voz dele era um sussurro desesperado.

– Por que está sussurrando? Onde você está?

– Na casa do Crash. Você falou com a mãe da Naomi?

– Falei.

– O que ela disse?

– Que não sabe onde a Naomi está.

Seu neto fez um som que poderia ser um gemido.

– Matthew, o que você não está nos contando?

– Não importa.

– Importa, sim.

O tom dele ficou carrancudo:

– Esqueça que eu pedi, está bem?

– Não.

Um dos produtores gritou:

– Dez segundos para entrar no ar!

Seu colega apresentador guardou o telefone no bolso e ficou mais emper-tigado. Virou-se para Hester, viu que ela estava com o telefone encostado no ouvido e disse:

– Ei, Hester, você vai fazer a introdução.

O produtor levantou a mão indicando cinco segundos. Fechou o polegar mostrando que agora eram quatro.

– Ligo para você depois – disse Hester.

Colocou o telefone na bancada enquanto o produtor baixava o dedo indicador.

Três segundos podem parecer um tempo muito curto. Em termos de televisão, não são. Hester teve tempo de olhar para Allison Grant, a produ-tora do seu segmento, e assentir. Allison teve tempo de fazer uma careta e assentir de volta, indicando que atenderia o pedido de Hester mas que faria isso com relutância.

Mesmo assim, Hester tinha se preparado para essa possibilidade. Havia ocasiões em que você investigava – e havia ocasiões em que instigava.

Era hora da segunda opção.

O produtor terminou de fazer a contagem regressiva e apontou para Hester.

– Boa noite – disse Hester – e bem-vindos a esta edição de *Crimstein contra o Crime*. Nosso assunto principal esta noite é... o que mais seria? O candidato presidencial em ascensão, Rusty Eggers, e a controvérsia que cerca sua campanha.

Essa parte estava no teleprompter. O resto não.

Hester respirou fundo. *É tudo ou nada...*

– Mas, primeiro, uma notícia de última hora – anunciou.

Seu colega apresentador franziu a testa para ela.

A questão era que Matthew estava apavorado. Era isso que Hester não conseguia afastar da cabeça. Matthew estava apavorado e tinha pedido sua ajuda. Como ela poderia não fazer tudo que fosse possível?

Uma foto de Naomi Pine preencheu as telas de televisão por todo o país. Era a única foto que sua produtora Allison Grant tinha conseguido encontrar, e mesmo assim com alguma dificuldade. Não havia nada nas redes sociais, o que era realmente estranho nos dias de hoje, mas Allison, excelente profissional, tinha revirado o site do fotógrafo oficial da escola. Assim que Allison prometeu que eles manteriam a marca-d'água com seu logotipo, o fotógrafo concordou em deixar que usassem a imagem.

Hester continuou:

– Uma jovem de Westville, Nova Jersey, está desaparecida e precisa da sua ajuda.

No estacionamento do condomínio de Ava, Wilde avaliou suas opções. Pensando bem, realmente não havia muito mais a fazer. Estava ficando tarde. Assim, a primeira opção era simplesmente voltar para a casa de Laila e subir sem fazer barulho até o quarto, onde ela estaria esperando e...

É, ele realmente não precisava pensar nas outras opções.

Para se garantir, mandou uma mensagem para Matthew: Onde você está?

Matthew: Na casa do Crash Maynard.
Wilde: A Naomi está aí?
Matthew: Não.

Wilde pensou no que deveria escrever em seguida, mas então viu os pontinhos indicando que Matthew estava digitando.

Matthew: Merda.
Wilde: O que foi?
Matthew: Tem alguma coisa ruim acontecendo.

O polegar de Wilde não se moveu tão depressa quanto ele gostaria, mas finalmente conseguiu digitar:

Wilde: Como o quê?

Não houve resposta.

Wilde: Oi?

A imagem utópica da primeira opção – Laila no andar de cima, naquele quarto, quentinha embaixo das cobertas, lendo processos – surgiu na frente de Wilde tão real que ele conseguiu sentir o cheiro dela.

Wilde: Matthew?

Não houve resposta. A imagem de Laila virou fumaça e pairou no éter. Droga.
Wilde partiu para a Mansão Maynard.

capítulo sete

MATTHEW ESTAVA NA ENORME mansão de Crash Maynard na colina.

O exterior parecia antigo e meio gótico, com colunas de mármore. Fez com que Matthew se lembrasse daquele clube de golfe metido a besta onde sua avó o havia levado porque um cliente dela tinha recebido um prêmio. Lembrou-se de que Hester não tinha gostado do lugar. Enquanto engolia o vinho – aliás, vinho em excesso –, os olhos dela começaram a se estreitar. Ela olhava o salão ao redor franzindo a testa e murmurando baixinho sobre colheres de prata, privilégio e consanguinidade. Quando ele perguntou o que havia de errado, Hester olhou o neto de cima a baixo e disse, suficientemente alto para qualquer pessoa que estivesse perto ouvir:

– Você é meio judeu e meio negro. Sem dúvida não teria permissão para entrar para este clube. – Depois fez uma pausa, levantou um dedo e acrescentou: – Ou talvez você seja bom demais para isso.

Quando uma senhora idosa com tufos de cabelo branco-neve fez um "tsc-tsc" e um "shh" na direção dela, Hester a mandou tomar naquele lugar.

Essa era a avó de Matthew. Jamais evitava uma controvérsia se pudesse criar alguma.

Isso era ao mesmo tempo constrangedor e reconfortante. Constrangedor porque... bem, a razão é bastante óbvia. E era reconfortante porque Matthew sabia que sua avó sempre o defenderia. Ele jamais questionava isso. Não importava que ela fosse pequena, que tivesse 70 anos ou qualquer outra coisa. Para ele, sua avó parecia super-humana.

Havia uma dezena de adolescentes no que os pais insistiam em chamar de "festa", mas que na verdade era somente uma reunião no "nível inferior" da casa de Crash – os pais de Crash não gostavam de chamar aquilo de porão –, talvez o lugar mais incrível em que Matthew já estivera. Se o exterior era em estilo antigo, o interior não poderia ser mais moderno.

O home theater era algo muito próximo de um cinema completo, com som digital e mais de 40 poltronas. Na parte da frente havia um bar de cerejeira e uma máquina de pipoca de cinema de verdade. Os corredores eram decorados com uma mistura de cartazes antigos de cinema e cartazes dos programas de TV do pai de Crash. A sala de fliperama era uma réplica em miniatura do Silverball, o famoso palácio de fliperama no calçadão de Asbury Park.

Um corredor conduzia a uma adega de vinhos com barris de carvalho. O outro se transformava num túnel subterrâneo que levava a uma quadra de basquete de tamanho oficial, uma réplica – era um monte de réplicas – da quadra dos Knicks no Madison Square Garden.

Ninguém jamais ficava na quadra de basquete. Ninguém jamais usava o fliperama. Ninguém jamais assistia a alguma coisa no cinema. Não que Matthew tivesse ido muitas vezes ali. Durante a maior parte da vida, estivera fora da turma popular, mas recentemente tinha conseguido fazer parte dela. Para dizer a verdade, ele adorava aquilo. O pessoal popular fazia as coisas mais legais, tipo quando Crash deu uma festa de aniversário em Manhattan. O pai dele alugou limusines pretas para levar todo mundo e a festa foi num lugar enorme que havia sido um banco. Todos os garotos foram "acompanhados" por ex-concorrentes do reality show *Modelos de lingerie*, de Dash Maynard. Um famoso astro de TV atuou como DJ na festa e, quando ele apresentou "meu melhor amigo e nosso aniversariante", Crash entrou montado num cavalo branco, um cavalo de verdade, e depois o pai entrou atrás dele num Tesla vermelho que deu de presente ao filho.

Essa noite a maioria dos garotos foi parar na sala de TV "comum" – que tinha uma Samsung 4K Ultra HD de 98 polegadas pendurada na parede. Crash e Kyle jogavam Madden, o videogame de futebol americano. O resto da turma – Luke, Mason, Kaitlin, Darla, Ryan e, claro, Sutton, sempre Sutton – estava esparramado em pufes chiques, como se algum ser gigantesco os tivesse jogado do céu. A maioria dos seus amigos estava chapada. Caleb e Brianna tinham ido até outro cômodo para levar o relacionamento ao próximo nível.

A sala estava escura; a luz azul da televisão e dos smartphones iluminava o rosto dos colegas de turma, deixando-os com uma palidez fantasmagórica. Sutton estava à direita, estranhamente sozinha. Matthew queria aproveitar aquela oportunidade, então pensou em um jeito de chegar mais perto dela. Ele tinha uma paixonite por Sutton desde o sétimo ano. Com sua pose quase sobrenatural, cabelos louros, pele perfeita e sorriso de derreter os ossos, ela era sempre legal, simpática e faixa preta em como manter caras como Matthew no nível da amizade.

Na tela grande, o jogador do time de Crash lançou um passe profundo que resultou em touchdown. Crash pulou, fez uma dancinha de comemoração e gritou para Kyle:

– Na sua cara!

Isso resultou em alguns risos desanimados por parte dos espectadores, todos fuçando os telefones. Crash olhou em volta como se esperasse uma reação maior. Mas não ia acontecer.

Pelo menos não aquela noite.

Havia alguma coisa no ambiente, um sopro de medo ou desespero.

– Quem está a fim de mais petiscos? – perguntou Crash.

Ninguém respondeu.

– Qual é, quem me acompanha?

Uns murmúrios desanimados bastaram. Crash apertou um botão no interfone. Uma voz de mulher com sotaque mexicano disse:

– Pois não, Sr. Crash?

– Pode trazer uns nachos e quesadillas, Rosa?

– Claro, Sr. Crash.

– E pode fazer um pouco daquele guacamole?

– Claro, Sr. Crash.

Na tela, Crash começou com a bola. Luke e Mason bebiam cerveja. Kaitlin e Ryan dividiam um baseado, enquanto Darla tragava os últimos vapores de um cigarro eletrônico. O lugar tinha sido a charutaria do pai de Crash e os construtores tinham feito alguma coisa com ele de modo que não se podia sentir o cheiro da fumaça nova. Kaitlin passou um cigarro eletrônico para Sutton. Ela o pegou mas não colocou na boca.

Kyle disse:

– Cara, eu adoro o guacamole da Rosa.

– É mesmo?

Crash e Kyle fizeram um "bate aqui" com as mãos. Então alguém, talvez Mason, forçou uma risada. Luke o acompanhou, depois Kaitlin, depois praticamente todo mundo estava gargalhando, exceto Matthew e Sutton. Matthew não soube do que eles estavam rindo – do guacamole da Rosa? –, mas o som tinha zero de autenticidade, como se todos estivessem se esforçando demais para serem normais.

Mason disse:

– Ela deu as caras no aplicativo?

Silêncio.

– Eu só estava dizendo...

– Não apareceu nada – disse Crash, interrompendo-o. – Eu tenho um aplicativo que mostra as atualizações.

Mais silêncio.

Matthew se esgueirou para fora da sala. Foi para a privacidade relativa da adega ali perto. Fechou a porta, sentou-se num barril onde estava escrito Vinícola Maynard – é, eles tinham uma vinícola também – e ligou para a avó.

– Matthew?

– Já acharam ela?

– Por que você está sussurrando? Onde você está?

– Na casa do Crash. Você falou com a mãe da Naomi?

– Falei.

Matthew sentiu o coração batendo forte no peito.

– O que ela disse?

– Que não sabe onde a Naomi está.

Ele fechou os olhos e gemeu.

– Matthew, o que você não está nos contando?

– Não importa.

– Importa, sim.

Mas ele não podia dizer nada. Pelo menos por enquanto.

– Esqueça que eu pedi, está bem?

– Não.

Pelo telefone, ouviu uma voz masculina dizendo:

– Dez segundos para entrar no ar!

Então outra pessoa murmurou alguma coisa que ele não conseguiu identificar.

– Ligo para você depois – disse Hester antes de desligar.

Quando ele afastou o telefone do ouvido, uma voz familiar disse:

– Oi.

Ele se virou para a entrada da adega. Era Sutton. Ela ainda estava piscando por causa da escuridão da sala de TV.

– Oi – disse ele.

Sutton estava com uma garrafa de cerveja.

– Quer?

Matthew balançou a cabeça, com medo de Sutton achar nojento compartilhar os germes dele, ou algo assim. Se bem que foi ela que ofereceu.

Sutton correu os olhos pela adega como se nunca a tivesse visto, apesar de sempre ter feito parte da turma popular.

– O que você está fazendo aqui? – perguntou.

Matthew deu de ombros.

– Não sei.

– Você está meio diferente hoje.

Ele ficou surpreso por Sutton perceber uma coisa assim.

Deu de ombros outra vez. Cara, não é que ele levava mesmo jeito com as garotas?

Então Sutton disse:

– Ela está bem, você sabe.

Do nada.

– Matthew?

– Você sabe onde ela está?

– Não, mas...

Agora foi a vez dela de dar de ombros.

O telefone de Matthew vibrou. Ele deu uma olhada.

Onde você está?

Era Wilde. Matthew digitou de volta rapidamente: Na casa do Crash Maynard.

Wilde: A Naomi está aí?
Matthew: Não.

Sutton deu um passo na direção dele.

– Eles estão meio preocupados com você.

– Quem?

– O Crash e o Kyle... e os outros. – Ela o fitou com aqueles olhos azuis. – Eu também.

– Estou bem.

Então o telefone dela vibrou. Quando leu a mensagem, os olhos de Sutton se arregalaram.

– Ah, meu Deus.

– O que foi?

Ela o encarou com aqueles olhos estupendos.

– Você...?

Matthew ouviu uma agitação na outra ponta do corredor.

Depois digitou: Merda.

Wilde: O que foi?

Crash irrompeu na adega enquanto Matthew apertava o ícone de enviar:
Tem alguma coisa ruim acontecendo.

Kyle veio logo atrás dele. Os dois estavam segurando os smartphones. Crash partiu na direção de Matthew tão depressa que Matthew levantou os punhos, como se estivesse se preparando para aparar um soco. Crash parou, levantou as mãos num gesto de rendição e sorriu.

O sorriso era falso. Matthew sentiu a boca do estômago revirar.

– Epa, epa – disse Crash numa voz que tentava ser reconfortante mas que deslizou pelas costas de Matthew como uma cobra. – Vamos com calma.

Crash Maynard tinha uma beleza superficial – cabelo ondulado e escuro, expressão meditativa de cantor de *boy band*, corpo magro vestido na última moda. Olhando mais de perto, dava para ver que Crash não era nada especial, em nenhum sentido. Mas era como Hester tinha brincado uma vez sobre uma garota rica que ela queria que Matthew namorasse: "Ela é linda quando está sentada no dinheiro."

Crash sempre usava um grande anel de prata com uma caveira sorridente. Ficava ridículo no dedo fino.

Com aquele sorriso forçado ainda no rosto, Crash levantou o telefone e o virou para Matthew.

– Quer explicar isto?

Apertou a tela com o dedo da caveira sorridente. O anel pareceu piscar para Matthew. Um vídeo surgiu, começando com a familiar logo da rede de notícias. Depois sua avó apareceu na tela.

"Mas, primeiro, uma notícia de última hora..."

Uma foto de Naomi apareceu na tela.

"Uma jovem de Westville, Nova Jersey, está desaparecida
e precisa da sua ajuda. Naomi Pine sumiu há pelo menos
uma semana. Não houve nenhum relato de avistamento
nem pedido de resgate, mas os amigos estão preocupados
achando que a adolescente pode estar correndo perigo..."

Ah, não...

Matthew sentiu o estômago revirar. Não tinha pensado naquilo, que a Vó poderia levar a história para a televisão. Ou seria isso que ele esperava secretamente? Não ficou surpreso com a velocidade com que a notícia – segundo o relógio do aplicativo, em menos de dois minutos – se espalhou entre os amigos dele. Era assim que a coisa funcionava atualmente. Talvez alguém tivesse configurado um alerta de notícias sobre Naomi Pine. Ou um pai tivesse visto o programa e mandado imediatamente uma mensagem para o filho perguntando: *"Essa garota não estuda na sua escola?!?!"* Ou talvez alguém acompanhasse a CNN pelo Twitter. Fosse como fosse, agora era com essa rapidez que as notícias se espalhavam.

O sorriso de Crash não se abalou.

– É a sua avó, não é?

– É, mas...

Crash pediu mais com um gesto da mão da caveira sorridente.

– Mas?

Matthew não disse nada.

O tom de Crash era de zombaria.

– Você disse alguma coisa à vovó?

– O quê? – Matthew tentou parecer ofendido com a sugestão. – Claro que não!

Ainda sorrindo – um sorriso que agora espelhava de modo sinistro o do anel –, Crash avançou e pôs as mãos nos ombros de Matthew. Então, sem o menor aviso, levantou o joelho, mandando-o contra a virilha de Matthew. Crash empurrou os ombros de Matthew para baixo, dando um impulso maior.

O golpe fez Matthew se levantar na ponta dos pés.

A dor foi imediata, incandescente, consumindo tudo. Lágrimas encheram seus olhos. Cada parte do seu corpo se desligou. Os joelhos se dobraram e ele desmoronou no chão. A dor subiu pela barriga, paralisando os pulmões. Matthew puxou os joelhos contra o peito e se encolheu em posição fetal.

Crash se abaixou até aproximar a boca do ouvido de Matthew.

– Você acha que eu sou idiota?

O rosto de Matthew estava comprimido contra a tábua do piso. Ele ainda não conseguia respirar. Era como se uma parte sua estivesse quebrada de modo irrecuperável, como se nunca fosse se consertar de novo.

– Você veio para cá com o Luke e o Mason. Eles disseram que você estava com sua avó quando pegaram você.

Respire, disse Matthew a si mesmo. *Tente respirar.*

– O que você contou a ela, Matthew?

Ele trincou os dentes e conseguiu abrir os olhos. Kyle estava perto da porta, de vigia. Sutton não estava à vista. Será que ela havia armado para ele? Será que realmente faria isso com...? Não. Sutton não poderia saber que a história seria divulgada. E ela não iria...

– Matthew?

Ele levantou os olhos, ainda rasgado pela dor.

– A gente poderia matar você e se safar. Você sabe disso, não é?

Matthew permaneceu imóvel. Crash fechou o punho e mostrou a caveira de prata.

– O que você disse à sua avó?

capítulo oito

Dois ANDARES ACIMA DA ADEGA, numa torre circular na ala oeste da enorme mansão, Dash Maynard e sua esposa, Delia, estavam sentados em poltronas de couro cor de vinho na frente de uma lareira gigantesca com toras de "bétula branca" de cerâmica e chamas a gás. Essa sala, um acréscimo construído três anos antes, era a biblioteca "A Bela e a Fera" e tinha estantes de carvalho que iam do chão ao teto, com uma escada deslizante presa em trilhos de cobre.

Dash Maynard lia uma biografia de Teddy Roosevelt. Ele adorava história, sempre adorou, embora não tivesse interesse, muito obrigado, em fazer parte dela. Antes do sucesso estrondoso com o infame programa de autoajuda *The Rusty Show* e depois com um novo gênero que as redes chamaram de uma mistura esquisita de *game show* e *reality*, Dash Maynard tinha sido um documentarista premiado. Ganhou um Emmy pelo curta sobre o massacre de Nanquim em 1937, feito para a PBS. Dash adorava pesquisa, entrevistas e filmagem fora dos estúdios, mas era excelente na sala de edição, capaz de pegar horas incontáveis de vídeo e transformá-las numa narrativa fascinante.

Delia Reese Maynard, chefe do departamento de ciência política da Reston College, lia trabalhos dos alunos. Dash gostava de observar sua mulher enquanto ela lia os textos dos estudantes – o franzido na testa, os lábios comprimidos, o lento movimento de cabeça assentindo quando ficava empolgada com alguma parte.

No verão, Dash e Delia – Duplo D, como algumas pessoas diziam de brincadeira – tinham comemorado o vigésimo quinto aniversário de casamento levando Crash, o filho de 16 anos, e as gêmeas de 14, Kiera e Kara, numa viagem em seu iate pelo Báltico. Durante o dia, baixavam âncora numa enseada reclusa em alguma ilha para nadar, andar de jet ski e praticar *wakeboard*. Nas tardes e noites, percorriam portos de escala, como São Petersburgo, Estocolmo e Riga. Foi uma viagem maravilhosa.

Agora Dash pensava naquela ocasião – naquelas férias em família, longe dessa porcaria de país – como sendo a calmaria antes da tempestade.

Tinham sorte. Sabia disso. As pessoas gostavam de classificá-los como "elite de Hollywood", mas Dash havia nascido e sido criado numa modesta casa geminada na área de Bedford-Stuyvesant, no Brooklyn. Seus pais tinham sido professores no campus principal da Hunter College, em Manhattan. O nome de Dash era uma homenagem ao escritor predileto do seu pai, Dashiell Hammett. Ele e Delia criaram um vínculo em meio a antigos romances de mistério quando folheavam primeiras edições de Raymond Chandler, Agatha Christie, Ngaio Marsh e, claro, Dashiell Hammett num sebo em Washington, D.C. Naquela época os dois, estagiários mal pagos trabalhando no Capitólio, não podiam pagar por primeiras edições. Agora essa sala abrigava uma das maiores coleções do mundo.

Como dizem, a vida é curta. É preciso aproveitar enquanto se pode.

Dash e Delia tinham passado os últimos dez anos – desde que a produtora de Dash estourou com um programa em horário nobre em que celebridades se disfarçavam de americanos "comuns" e moravam no meio deles durante seis meses – tentando equilibrar a fama e o dinheiro com os valores básicos de família e estudo que os dois veneravam. Era uma calibragem que evoluía constantemente.

Em geral, o equilíbrio funcionava. Claro, Crash era meio mimado e gostava de fazer cena, e Kiera tivera alguns leves problemas de depressão, mas hoje em dia isso parecia a norma. Como casal, Dash e Delia não poderiam ser mais unidos. Por isso noites como essa – com o filho dando uma festinha lá embaixo enquanto os pais desfrutavam do silêncio mútuo – significavam tanto para eles.

Dash adorava isso. Deleitava-se. Queria viver o resto da vida assim.

Mas não podia.

Alguém bateu na porta da biblioteca. Gavin Chambers, um ex-capitão de mar e guerra da Marinha que agora trabalhava no ramo cada vez mais disseminado da segurança privada, entrou antes que Dash tivesse a chance de dizer "Entre". Chambers ainda parecia um fuzileiro: cabelo cortado à escovinha, postura empertigada, olhar fixo.

– O que foi? – perguntou Dash.

Chambers olhou para Delia, como se indicasse que talvez fosse melhor a senhorinha sair. Dash franziu a testa. Delia não se mexeu.

– Pode falar – pediu Dash.

– Um programa de TV que acabou de ir ao ar – disse Chambers. – Uma garota desapareceu. O nome dela é Naomi Pine.

Dash olhou para Delia. Delia deu de ombros.

– E?

– A Naomi estuda com o Crash. Eles fazem várias matérias juntos.

– Ainda não sei bem...

– Ela esteve se comunicando com seu filho. Principalmente por mensagens de texto. E a jornalista que informou o desaparecimento dela agora mesmo se chama Hester Crimstein. O neto dela, Matthew, está lá embaixo com o Crash.

Delia pôs os trabalhos dos alunos na mesinha lateral.

– Ainda não vejo o que isso tem a ver conosco, capitão.

– Eu também não... – disse Chambers.

– E?

– ... *ainda*. – Então, para dar ênfase, Chambers repetiu a frase: – Eu também não, *ainda*. – Em seguida ficou em posição de sentido olhando direto para a frente. – Mas, com o devido respeito, não acredito em coincidências, especialmente agora.

– O que acha que a gente deveria fazer?

– Acho que precisamos conversar com seu filho e descobrir qual é o relacionamento dele com a Naomi... – O telefone de Chambers tocou. Ele o colocou junto ao ouvido com um movimento rígido, quase como se estivesse prestando continência para um superior. – Sim?

Depois de três segundos, Gavin Chambers guardou o telefone no bolso.

– Não saiam desta sala – disse. – Houve um incidente.

Disparando pela Skyline Drive na direção da Mansão Maynard – cara, que nome pomposo –, Wilde esperava sentir o telefone vibrando com outra mensagem de Matthew.

Mas não vibrou.

A última mensagem ficava voltando à sua mente, provocando-o: Tem alguma coisa ruim acontecendo.

Wilde podia não escutar sua intuição – foi o que disse a Hester –, mas, enquanto fazia a curva na entrada de carros da mansão, cada um dos seus instintos lhe dizia que deveria dar atenção àquela mensagem.

Tem alguma coisa ruim acontecendo.

A Mansão Maynard se aboletava em 12 hectares de uma montanha que o povo Ramapough reivindicava como sua. Havia estábulos para uma dúzia de cavalos, uma pista de hipismo, uma piscina, uma quadra de tênis e sabe-se lá mais o quê. A peça central era uma enorme casa em estilo colonial neogeorgiano construída por um magnata do petróleo na década de 1920. A manutenção da propriedade de 35 cômodos era tão cara que a mansão havia ficado sem grandes reparos durante quase um quarto de século, até que

Dash Maynard, megaprodutor de TV e dono de uma emissora, e sua mulher, Delia, chegaram e fizeram o lugar recuperar o antigo esplendor e superá-lo.

A partir do ornamentado portão onde Wilde precisara parar, a mansão ainda ficava a cerca de meio quilômetro montanha acima. Wilde podia ver algumas luzes distantes, mas só isso. Apertou o botão do interfone enquanto verificava o celular, esperando que talvez não tivesse sentido a vibração.

Nada de Matthew.

Mandou outra mensagem: Estou no portão da guarita.

– Em que posso ajudar? – perguntou o interfone.

Wilde pegou a carteira de motorista e a segurou diante da câmera.

– Vim ver Matthew Crimstein.

Silêncio.

– O Matthew é amigo do Crash.

– Qual é o seu relacionamento com ele?

– Com o Matthew?

– Sim.

Pergunta estranha.

– Sou o padrinho dele.

– E qual é o propósito da visita?

– Vim buscá-lo.

– Ele chegou no veículo do Mason Perdue. Fomos avisados que o Matthew iria embora com ele.

– Bem, mudança de planos.

Silêncio.

– Alô? – disse Wilde.

– Um momento, por favor.

O tempo passou.

Wilde apertou de novo o botão do interfone.

Nada.

Procurou fios perto do portão. Nenhum. A cerca não era elétrica. Isso era bom. Era alta, com o topo cheio de pontas em forma de lança, mas nada disso seria problema. Havia câmeras de segurança, claro, um monte. Isso também não importava para ele, pelo contrário: queria ser visto.

Desligou o carro e saiu. Olhou o portão. Uns 3,5 metros, supôs. Barras com espaçamento de 15 centímetros. O ponto onde as duas metades do portão de metal se encontravam era o lugar por onde ir. A barra era mais grossa. Era só dar uma corrida, subir e pular por cima. Wilde tinha passado a vida escalando: montanhas, árvores, rochas, muros; quando criança, como civil, como soldado. Aquele portão, mesmo com as lanças no topo de cada barra, ofereceria pouca resistência.

Deu dois passos longos na direção do portão e então escutou a voz do interfone dizer:

– Pare. Não...

Ele não escutou o resto.

Saltou, o pé batendo na barra no meio da passada. Lançou-se para cima, como se corresse verticalmente, agarrou as barras com as duas mãos e encolheu as pernas. Girou, soltou a mão esquerda e estendeu os pés. As solas dos sapatos atingiram as barras do outro lado, diminuindo a velocidade. Soltou-se e caiu no chão enquanto dois carros aceleravam na sua direção.

Não um carro. Dois.

Parecia exagero.

Ou talvez não. Dash Maynard tinha aparecido nos noticiários ultimamente. Segundo boatos – que Dash Maynard negava enfaticamente –, ele gravava tudo em vídeo quando as pessoas estavam em seus programas, inclusive as conversas nos camarins. Segundo outros boatos, esses vídeos poderiam derrubar um monte de celebridades e políticos, mais notavelmente o ex-guru de autoajuda e atual senador Rusty Eggers, o promissor tirano candidato a presidente que subia nas pesquisas.

Os dois carros apontaram os faróis para ele e pararam cantando pneus. Quatro homens, dois de cada carro, saíram. Wilde manteve as mãos onde eles poderiam vê-las. A última coisa que queria era alguém fazendo alguma coisa idiota.

Os dois da sua esquerda, homens grandes, começaram a se aproximar. Estavam com o peito estufado, os braços balançando em uma pose de macho alfa um tanto exagerada. Um deles usava casaco com capuz. O outro, com cabelo de Thor, usava um paletó que não se ajustava direito.

Não se ajustava direito, como Wilde notou, porque ele trazia o coldre de uma arma embaixo da axila esquerda.

Wilde havia conhecido muitos caras como aqueles dois. Não seriam problema, a não ser pela arma. Preparou-se, avaliando as opções, mas o homem que saiu do carro à direita – cabelo grisalho cortado à escovinha, postura militar – levantou a mão para que parassem. Obviamente era o líder.

– Ei, você aí! – gritou Grisalho para Wilde. – Belo salto sobre o portão.

– Obrigado.

– Por favor, mantenha as mãos à vista o tempo todo.

– Não estou armado.

– Não podemos permitir que você vá mais longe.

– Não tenho nenhum interesse em ir mais longe – disse Wilde. – Vim pegar meu afilhado, Matthew Crimstein.

– Entendo. Mas temos uma política.

– Política?

– Todos os menores que entraram esta noite precisaram informar como iriam embora – começou Grisalho, a própria voz da razão. – Explicamos de forma clara a eles que ninguém tem permissão para entrar a não ser que seja especificamente convidado ou adequadamente autorizado. Matthew Crimstein chegou com Mason Perdue. Foi com quem o Matthew disse que iria embora. Agora o senhor aparece sem ser anunciado...

Ele abriu os braços, não somente a voz da razão, mas a própria essência da razão.

– Está vendo o nosso dilema?

– Então entre em contato com o Matthew.

– Temos uma política de não perturbar as reuniões sociais.

– São muitas políticas.

– Isso ajuda a manter a ordem.

– Quero ver meu afilhado.

– Infelizmente, não será possível neste momento. – O portão atrás dele se abriu. – Tenho que pedir que saia agora.

– É, isso não vai acontecer.

Grisalho pode ter sorrido.

– Vou pedir mais uma vez.

– O Matthew mandou uma mensagem pedindo que eu viesse buscá-lo. Então é isso que vou fazer.

– Se o senhor recuar para o outro lado do portão...

– É, de novo, isso não vai acontecer.

Os grandalhões não gostaram da atitude de Wilde. Franziram as sobrancelhas enormes. Thor se virou para Grisalho aguardando permissão para levar aquilo ao próximo nível.

– O senhor não tem autoridade legal, Sr. Wilde. – O uso do nome o abalou, mas só por um milissegundo. Ele tinha mostrado a carteira de motorista no portão. – O senhor não é o pai do garoto, é?

Grisalho sorriu. Sabia a resposta, mais especificamente do que apenas a parte sobre Wilde ser o padrinho de Matthew, o que significava que, de algum modo, conhecia a história.

– Além do mais, o senhor é um invasor que pulou ilegalmente nossa cerca de segurança.

Todos deram um passo mais para perto. Wilde olhou direto em frente, para o líder, mas, com a visão periférica, pôde enxergar Thor deslizando um pouco mais para perto, meio que se encolhendo como se fosse uma espécie de ninja invisível. Wilde não mexeu os olhos.

Grisalho disse:

– Estaríamos no direito de enfrentar sua ameaça com força física.

Então agora estavam lá, todos eles, no mesmo precipício estreito em que tantos homens ao longo da história humana tinham escorregado e depois mergulhado em violência sangrenta. Wilde ainda não acreditava que eles iriam tão longe, que se arriscariam a um grande incidente que poderia chegar ao noticiário ou às redes sociais e despertar qualquer controvérsia que tivesse finalmente se aquietado. Mas nunca se sabe. Esse era o problema do precipício. Era escorregadio. Os melhores planos acabam dando errado.

O homem pode ser mau ou bom, essa não é a questão. A questão é que o homem raramente pensa nas consequências dos próprios atos.

Resumindo, com frequência o homem é simplesmente idiota.

Foi então que tudo mudou.

A princípio, a mudança só foi percebida por Wilde. Durante poucos segundos, o conhecimento foi seu e somente seu. Dois segundos, talvez três, não mais. Ele sabia que em seguida essa vantagem – e esperava que a mudança fosse uma vantagem – seria anulada.

Wilde sentiu algo que passara a conhecer como A Perturbação.

Havia quem chamasse aquilo de presságio, prenúncio ou premonição, algo que dava às suas capacidades já acentuadas um tom sobrenatural. Mas não era isso. Não mesmo. Com o passar dos milênios, o homem tinha se adaptado para o melhor e para o pior. Um exemplo recente: a orientação por GPS. Estudos mostram que partes do nosso cérebro – o hipocampo (a região usada para a orientação) e o córtex pré-frontal (associado ao planejamento) – já estão mudando, talvez até se atrofiando, porque agora contamos com a orientação por GPS. Isso aconteceu em poucos anos. Mas pense em todo o espectro da história da humanidade, em como ficávamos em cavernas e florestas, dormindo figurativamente com um olho aberto, sem proteção, com o instinto de sobrevivência primitivo atuando com força total, e então pense em como isso se suavizou e se perdeu no decorrer dos anos com o advento das casas, das portas trancadas e do intercâmbio da civilização. Mas Wilde não passara por isso. Desde que se entendia por gente havia crescido com esses impulsos primitivos despertos. Mesmo antes de ser capaz de articular isso, sabia que um predador poderia atacar a qualquer momento. Aprendeu a sentir, a estar ligado a qualquer tipo de Perturbação.

A gente ainda vê isso na natureza, é claro, em animais com audição, faro ou visão supersensíveis que fogem antes que o perigo chegue perto demais. Wilde também tinha essa capacidade.

Portanto, ele tinha escutado o som. E mais ninguém. Ainda.

Era só um farfalhar. Apenas. Mas havia alguém correndo na direção deles. Mais de uma pessoa, provavelmente. Alguém correndo perigo e correndo depressa. E outro alguém perseguindo.

Sem ao menos afastar os olhos de Grisalho, Wilde deslizou um pouco mais para perto de Thor. Queria estar o mais perto possível do homem armado.

Um segundo depois, não mais, Wilde ouviu o grito:

– Socorro!

Matthew.

Foi nesse instante que Wilde precisou lutar contra o instinto e deixar o treinamento tomar conta. O instinto lhe dizia para correr em direção ao grito do afilhado. Seria a reação natural. Mas Wilde tinha se preparado para esse momento. O grito, vindo de trás de Grisalho e de cima do morro, na direção da casa, fez com que todas as cabeças girassem. Isso também era natural e esperado. Se você não soubesse que o grito era uma possibilidade, não poderia deixar de reagir.

Thor também olhou na direção do grito de Matthew.

E para longe de Wilde.

Ele só precisava dessa abertura. O resto demorou um segundo, não mais. Girando com o cotovelo esquerdo preparado, Wilde acertou Thor na lateral da cabeça. Ao mesmo tempo, antes que Thor pudesse cambalear para trás, a mão direita de Wilde penetrou na abertura do paletó. Seus dedos encontraram o cabo da arma no coldre embaixo do braço dele.

Quando Matthew gritou "Socorro!" pela segunda vez, Thor estava no chão e Wilde apontava a arma, movendo o cano entre Grisalho e os outros dois homens.

Wilde disse:

– Se respirarem errado, eu atiro.

No chão, Thor gemeu e tentou agarrá-lo. Wilde o chutou na cabeça. O som de pés na entrada de veículos chegou mais perto. Por um segundo, todos esperaram. Matthew virou a esquina, aparentemente correndo para salvar a própria vida, com dois garotos não muito atrás.

Matthew parou, com um ar de confusão estampado no rosto. Os outros dois garotos fizeram o mesmo.

– Passe pelo portão – disse Wilde a Matthew. – Entre no carro.

– Mas...

– Faça isso.

Um dos garotos disse:

– A gente só estava brincando. Diga a ele, Matthew. Diga que a gente só estava brincando.

Mantendo as mãos no alto, Grisalho entrou na frente do garoto que falava.

– Fique atrás de mim, Crash.

– É só um jogo – disse Crash.

– Um jogo – repetiu Wilde.

– É. O nome é Caveira da Meia-Noite. – O garoto apontou para o anel com uma caveira sorridente na mão. – É tipo polícia e ladrão. Diga a ele, Matthew.

Matthew não se moveu. Seus olhos estavam vítreos, à beira das lágrimas. A distância, Wilde ouviu um motor de carro sendo ligado. Reforços.

– Matthew, para o carro, agora!

Matthew voltou a si e correu para o portão. Andando de costas, para manter a arma apontada na direção deles, Wilde fez o mesmo. Ficou com o olhar fixo em Grisalho, o líder. Os outros não fariam nenhum movimento sem uma ordem sua. Grisalho assentiu como se dissesse: *Tudo bem, saia daqui. Não vamos impedi-lo.*

Dez segundos depois, Wilde acelerou para longe, com Matthew no banco ao lado.

capítulo nove

HESTER ESTAVA DE VOLTA à limusine quando viu os telefonemas chegando.

Tinha esperado por isso. Não se pode simplesmente soltar uma bomba como aquela, sobre uma jovem desaparecida, e não esperar que alguma coisa exploda. Na verdade, essa era sua esperança: que alguém se apresentasse, agisse, cometesse um erro ou fizesse alguma coisa de modo que eles soubessem o que havia realmente acontecido. Nesse momento, somando todos os prós e contras, as opções e possibilidades, Hester achava que a garota tinha fugido e talvez estivesse pensando em suicídio. Não querendo ser fria e calculista demais, se o ato medonho já tivesse sido realizado... bem, não havia nada a fazer. No entanto, se Naomi tivesse tomado comprimidos, por exemplo, ou cortado os pulsos, ou, talvez, se estivesse em algum lugar por aí, na beira de um edifício alto ou de uma ponte, essa era a melhor chance de salvá-la.

Por outro lado – porque era necessário olhar todos os lados –, talvez a pressão de Hester provocasse o contrário. Talvez levasse a garota a entrar em pânico e tomar uma atitude, ou, se estivesse sendo mantida como refém, isso levasse os sequestradores a reagir com violência. Hester compreendia os riscos. Mas não era mulher de ficar de braços cruzados sem tomar uma atitude.

O primeiro telefonema que ela atendeu tinha um identificador que dizia DELEGADO DE POLÍCIA DE WESTVILLE. Deve ser Oren, pensou.

– Foi rápido – disse Hester.

– Hein?

– Quero dizer, estou lisonjeada, Oren, mas da próxima vez espere alguns dias. Isso faz você parecer meio desesperado.

– Ah, eu estou meio desesperado. Que diabo foi aquela declaração no programa, Hester?

– Você viu? Obrigada por ser meu fã.

– Parece que estou no clima para isso?

– Tem alguma coisa errada no desaparecimento da Naomi – disse Hester.

– Então você deveria ter me procurado.

– Eu procurei, lembra?

– Lembro. Então o que foi que mudou?

– O pai dela disse que a Naomi estava com a mãe. A mãe disse que a garota não está com ela. A professora...

– Espere aí, você falou com a professora dela?

– Professora de artes, orientadora ou algo assim, não lembro. Ava não sei das quantas.

– Quando você teve tempo para falar com ela?

Essa parte não seria fácil.

– Não tive. Foi o Wilde.

Silêncio.

– Oren?

– Wilde? Você envolveu o Wilde nisso?

– Olhe, Oren, eu provavelmente deveria ter avisado você antes de divulgar no programa...

– Provavelmente?

– ... mas estou com um pressentimento muito ruim. Você precisa investir algum recurso nisso.

Silêncio.

– Oren?

– O Matthew colocou você nisso – disse Oren. – Por quê?

Agora foi a vez dela de ficar em silêncio.

– Seja lá o que o seu neto esteja escondendo, ele precisa abrir o jogo agora. Você sabe disso.

Enquanto partiam a toda a velocidade para longe da Mansão Maynard, Wilde perguntou:

– O que aconteceu?

– Foi o que o Crash disse – respondeu Matthew com um tremor. Ainda tentava recuperar o fôlego. – A gente estava num jogo.

– Vai mentir pra mim agora?

Matthew piscou para conter as lágrimas.

– Você não pode contar à minha mãe.

– Não vou contar.

– Bom.

– Porque você é que vai.

– De jeito nenhum. Eu conto a você, mas a gente não pode contar a ela.

– Desculpe, mas assim não vai dar.

– Então não vou contar nada a você.

– Vai, sim, Matthew. Você vai me contar o que aconteceu. E depois vai contar à sua mãe.

Ele baixou a cabeça.

– Matthew?

– Está bem.

– O que aconteceu?

– Você sabia o que a Vó ia fazer?

– Como assim?

– Ela falou sobre a Naomi no programa. Contou a todo mundo que ela sumiu.

Wilde tinha se perguntado qual seria o próximo passo dela. Hester havia demonstrado preocupação com a hipótese de as pistas estarem esfriando. Que modo melhor para provocar alguma reação?

– O que ela disse?

– Eu não ouvi. Mas o Crash, o Kyle e os outros ouviram.

– E ficaram chateados?

Matthew começou a piscar.

– Matthew?

– O Crash me deu uma joelhada no saco.

Mais lágrimas brotaram dos olhos de Matthew. Algumas se derramaram. Wilde sentiu as mãos apertando mais o volante.

– Eles queriam saber o que eu tinha contado a ela. Eu rolei para longe. Quando vi uma chance, saí correndo.

– Você está bem agora?

– Estou.

– Quer que eu o leve a um médico?

– Não. Só acho que vou ficar meio dolorido.

– Provavelmente. O Crash tem alguma coisa a ver com a Naomi?

– Não sei. É...

– É o quê?

– Você não pode contar a ninguém, certo? Sobre a Naomi. Sobre esta noite.

– Já falamos sobre isso, Matthew.

– Vou pensar num jeito de contar à mamãe. Mas amanhã, está bem? Esta noite não quero dizer nada.

Enquanto entrava na rua de Matthew, Wilde ouviu o início de uma sirene e as luzes azuis de uma viatura da polícia se acenderam. Uma voz disse pelo alto-falante:

– Pare o carro imediatamente.

Estavam perto da casa, a não mais de 200 metros, por isso Wilde sinalizou pela janela que iria subir a rua até lá. O carro ligou a sirene de novo e chegou ao lado deles.

A voz familiar pelo alto-falante – os dois conheciam Oren Carmichael – disse, num tom que não deixava espaço para discussão:

– Imediatamente!

Para surpresa de Wilde, Oren cortou o caminho deles com a viatura, forçando-os a parar no meio-fio. Oren abriu a porta do carro e foi na direção deles. Quando chegou, Wilde estava com a janela aberta.

– Que droga, Oren! Você sabe que a gente mora ali adiante.

Oren arqueou a sobrancelha.

– A gente?

Erro, pensou Wilde.

– Quero dizer o Matthew, este carro. Você sabe o que eu quero dizer.

Oren olhou para dentro do carro. Assentiu para Matthew. Matthew disse:

– Oi, delegado.

– De onde você está vindo, filho?

Wilde respondeu:

– Da Mansão Maynard.

– Por que estava lá?

– Por que você se importa? – contrapôs Wilde.

Oren o ignorou.

– Filho?

– Eu estava numa festa – respondeu Matthew.

Agora Oren olhou mais longamente para Matthew.

– Você não parece muito bem, Matthew.

– Estou ótimo.

– Tem certeza?

Wilde não sabia se deveriam contar a Oren sobre o incidente na casa. Antes que tivesse a chance de dizer alguma coisa, Matthew prosseguiu:

– Estou ótimo, treinador. A gente estava jogando Caveira da Meia-Noite.

– O quê?

– É tipo polícia e ladrão. A gente estava correndo do lado de fora. É por isso que estou assim.

Oren Carmichael franziu a testa. Olhou para Wilde. Wilde não revelou nada. Então Oren perguntou:

– Por que pediu à sua avó que procurasse a Naomi Pine?

Ah, pensou Wilde, então isso explicava a parada súbita. Oren queria encurralar Matthew sozinho – longe da mãe e da avó, duas advogadas renomadas –, de modo que pudesse obter menos respostas evasivas. Wilde disse:

– Não responda.

Oren não gostou disso.

– O quê?

– Estou dizendo para ele não responder.

– Você não tem nenhum direito legal aqui, Wilde.

– É, já ouvi isso esta noite. Mas não vou deixar você interrogá-lo sem a presença da mãe.

– Eu não sei onde a Naomi está – disse Matthew bruscamente. – É verdade.

– Então por que pediu para sua avó encontrá-la?

– Eu só estou preocupado com ela. Ela não tem ido à escola e...

– E?

Wilde interveio:

– Matthew, nem uma palavra mais.

– E os garotos ficam pegando no pé dela, só isso.

– Você é um desses garotos, Matthew?

Wilde levantou a mão.

– Certo, chega. Esta conversa acabou.

– De jeito ne...

Wilde ligou o carro de novo.

– Desligue esse motor agora mesmo – disse Oren rispidamente.

– Está nos acusando de alguma coisa?

– Não.

– Então vamos indo. Você pode nos seguir até a casa do Matthew, se quiser.

Mas Oren não os seguiu.

Enquanto Wilde estacionava na entrada de veículos de Laila, a porta da frente se abriu. Agora estava escuro, mas, com a luz por trás, Wilde podia ver a silhueta de Laila parada junto à porta. Ela levantou a mão bem alto, num aceno desajeitado. Quando Wilde e Matthew chegaram mais perto, ele percebeu que ela estava segurando o celular.

– Tem uma ligação para você – disse ela a Wilde. Depois acrescentou: – No meu telefone.

Ele assentiu e ela entregou o aparelho. Ele encostou o telefone no ouvido.

– Estamos bem?

Era Grisalho. Wilde não ficou surpreso. Eles devem ter visto a placa do carro. Caras com esse tipo de influência não teriam dificuldade para obter o número de registro, o nome, o endereço, números de telefone fixo e celular. Laila era a dona do carro. Seria para o número dela que tentariam ligar.

– Acho que sim – respondeu Wilde.

– O Crash pode ter agido de modo inadequado.

– Ahã.

– Mas ele está sofrendo muita pressão. Esperamos que você entenda.

– Há uma garota desaparecida – disse Wilde.

– Ele não sabe nada sobre ela.

– Então por que está sofrendo muita pressão?

– Por outras coisas.

– Posso perguntar o seu nome? – indagou Wilde.

– Por quê?

– Porque você sabe o meu.

Houve uma pausa.

– Gavin Chambers.

– Tipo Chambers Segurança? Tipo capitão de mar e guerra Chambers?

– Capitão de mar e guerra reformado, sim.

Uau, pensou Wilde. Os Maynards não estavam de brincadeira quando se tratava de segurança. Ficou tentado a se afastar para que Laila não escutasse. Mas, pela expressão dela, isso só iria complicar ainda mais as coisas.

– Você sabe o que o Crash fez com o Matthew, capitão?

Os olhos de Laila se arregalaram quando ela ouviu isso.

– Temos circuito fechado de TV na área do porão – respondeu Gavin.

– Então você viu?

– Vi. Infelizmente, aquele vídeo específico não existe mais. Foi apagado acidentalmente. Você sabe como é.

– Sei.

– Vai aceitar nosso pedido de desculpas?

– Não fui eu que fui agredido.

– Irá repassá-lo ao jovem Matthew então?

Wilde não disse nada.

– Meu trabalho é manter os Maynards em segurança, Sr. Wilde. Há muito mais em jogo aqui do que uma briga de adolescentes.

– O quê, por exemplo?

Chambers não respondeu, mas falou:

– Sei que você é bom no que faz. Mas eu também sou. E tenho vastos recursos. Se houver conflito entre nós, provavelmente não terminará bem. Haverá danos colaterais. Estou sendo claro?

Wilde olhou para Laila e Matthew. Os danos colaterais.

– Não sou muito fã de ameaças, capitão.

– Nenhum de nós quer passar o resto da vida olhando por cima do ombro, correto?

– Correto.

– Por isso estou estendendo a mão da amizade.

– Amizade é uma palavra meio forte.

– Concordo. É mais como uma *détente*, para citar os franceses. Você pode ficar com a arma, por sinal. Temos muitas outras. Boa noite, Sr. Wilde.

Ele desligou. Laila indagou:

– O que está acontecendo aqui?

Wilde devolveu o telefone. Sua mente trabalhava em ritmo frenético. A ameaça imediata – com a qual ele estivera mais preocupado – era a de que o pessoal de Maynard viesse atrás deles. Por enquanto, parecia neutralizada. Matthew estava em casa. Em segurança. Assim, Wilde voltou a atenção para Naomi Pine.

O pai tinha dito a Hester que Naomi estava com a mãe. Era mentira. Portanto, parecia óbvio que o pai de Naomi era o ponto por onde começar.

Laila perguntou:

– Esse telefonema teve alguma coisa a ver com a Naomi Pine?

Matthew soltou um pequeno gemido e disse:

– Você está sabendo disso?

– Todo mundo está. Depois da declaração da sua avó, a escola divulgou uma mensagem de emergência. Todos os grupos de pais nas redes sociais estão enlouquecidos. Querem me contar o que está acontecendo, por favor?

– O Matthew vai contar – disse Wilde, jogando as chaves do carro para ela. – Eu preciso ir.

– Espere. Ir aonde?

Explicar demoraria demais.

– Vou tentar voltar mais tarde, se não for problema.

– Wilde?

– O Matthew vai explicar.

Ele se virou e correu para a mata.

capítulo dez

HÁ UMA TEORIA, apresentada pelo psicólogo Anders Ericsson e popularizada por Malcolm Gladwell, de que 10 mil horas de prática tornam você especialista numa determinada área de atuação. Wilde não engolia isso, mas entendia o apelo que existia na simplicidade desses slogans encorajadores.

Agora estava correndo pelo bosque, os olhos já acostumados com a escuridão. Teorias como a de Ericsson não levavam em conta a intensidade e a imersão. Wilde tinha corrido em lugares como aquele desde que conseguia se lembrar. Sozinho. Adaptando-se. Sobrevivendo. Não era prática. Era vida. Era algo entranhado. Era sobrevivência. É, o número de horas importa. Mas a intensidade importa mais.

Imagine que você não tenha opção. Caminhar pela mata para se divertir ou porque seu pai gosta não é o mesmo que ser imerso à força, não é o mesmo que conhecer bem a floresta ou morrer. Não é possível fingir isso. Uma pessoa faz uma experiência para tentar entender como é ser cego e cobre os olhos – mas sinto muito: isso não é o mesmo que ser cego. Você sempre pode tirar a venda. É uma situação voluntária, controlada e segura. Alguns treinadores dizem aos jovens para jogarem como se a vida deles dependesse disso. Parece um bom conselho motivacional, mas, se a sua vida não depende disso – e não depende –, a intensidade será quase nula comparada com a situação real.

Na mente dos melhores atletas, é uma questão de vida ou morte. Agora imagine como eles seriam melhores se o risco fosse mesmo tão alto.

Assim era Wilde na mata.

Ao se aproximar da residência dos Pines, ele viu uma viatura da polícia e três vans de emissoras de TV locais. A cena não era frenética – aquela não era a maior história do ano nem nada assim –, mas os furgões dos noticiários obviamente estavam por dentro da bomba lançada por Hester. E os policiais, por sua vez, pediram que eles ficassem no outro quarteirão, longe da casa. Wilde viu Oren Carmichael perto da porta da frente dos Pines, falando com um cara que devia ser o pai, Bernard Pine. O pai parecia perturbado, não por causa do desaparecimento da filha, mas pela intromissão da polícia e da mídia. Gesticulava, agitado, enquanto Carmichael estendia as palmas das mãos para acalmá-lo.

O telefone de Wilde vibrou duas vezes, indicando a chegada de uma mensagem. Ele olhou e viu que era de Ava O'Brien:

Achou Naomi?

Ficou tentado a não responder. Mas não parecia certo.
Ainda não.
Houve a pausa com pontos se movendo. Então Ava escreveu:
Venha esta noite. Vou deixar a porta destrancada.
Mais pontos se movendo:
Sinto saudade de você, Wilde.
Ele guardou o telefone sem responder. Ava captaria a mensagem, por mais que ele odiasse mandá-la desse jeito.

Saiu da mata. Manteve-se abaixado e foi na direção dos quintais dos fundos da vizinhança. Ninguém o viu. Permaneceu abaixado. O pai de Naomi terminou o que tinha a dizer a Oren e bateu a porta com força. Durante alguns segundos, Oren Carmichael ficou imóvel, quase como se esperasse que a porta se abrisse de novo. Como isso não aconteceu, virou-se e foi para o carro. Outro policial – muito mais novo – o encontrou ali.

– Mantenha a imprensa longe – ordenou Carmichael.

– Sim, chefe. Nós vamos entrar?

Oren franziu a testa.

– Entrar?

– O senhor sabe, tipo fazer uma busca na casa.

– O pai disse que ela está em segurança.

– Mas aquela mulher na TV...

– Uma declaração na TV não é prova de nada – disse Oren rispidamente. – Mantenha a imprensa longe daqui.

– Está bem, chefe.

Quando o garoto saiu, Wilde não viu perigo algum. Levantou-se e se aproximou do carro. Como já estava farto de rodeios, chamou assim que pôde ser visto:

– Oren?

Carmichael se virou. Quando viu quem era, franziu a testa.

– Wilde? O que está fazendo aqui?

– O que o pai disse sobre a Naomi?

– Não é da sua conta, é?

– Você sabe que ele mentiu para a Hester, não sabe?

Oren Carmichael suspirou.

– Por que raios a Hester envolveu você nisso?

– O pai disse à Hester que a Naomi está com a mãe.

– E talvez esteja.

– Foi o que ele disse agora?

– Disse que ela está em segurança. Pediu que eu respeitasse a privacidade dela.

– E você vai fazer isso?

– Nenhum dos responsáveis preencheu um boletim de desaparecimento.

– E daí?

– E daí que é quase meia-noite. Quer que eu arrebente a porta dele com um chute?

– A Naomi pode estar correndo perigo.

– Você acha que o pai matou a garota ou algo assim?

Wilde não respondeu.

– Exato – disse Oren, obviamente farto daquilo tudo. – Essa garota já fugiu de casa antes. Sabe o que eu acho? Que foi isso.

– Talvez seja alguma coisa pior.

Oren sentou-se no banco do motorista.

– Se for, nós vamos acabar descobrindo. – Ele o encarou. – Vá para casa, Wilde.

Wilde voltou para a mata quando Oren partiu. Parou atrás da primeira árvore e colocou uma fina máscara preta que cobria tudo, menos os olhos. Sempre andava com ela. Hoje em dia, o mundo tinha mais câmeras de vídeo do que pessoas. Pelo menos era o que parecia. Nunca se sabe. Assim Wilde, que tinha uma queda pela privacidade neste mundo desprovido de privacidade, estava sempre preparado.

Quando a viatura de Oren sumiu de vista, Wilde fez a volta até chegar atrás da casa dos Pines. Havia luzes acesas na cozinha, num quarto do andar de cima e no porão. Quando era criança, ele invadiu inúmeras casas e chalés de veraneio. Aprendeu a avaliá-las silenciosamente, rondá-las, verificar as entradas de veículos e as luzes, ver quem estaria em casa, se houvesse alguém. Para invadir, ele procurava portas ou janelas destrancadas (você ficaria surpreso em saber com que frequência a coisa era fácil assim), depois partia para outros meios. Se as fechaduras fossem fortes demais ou o sistema de alarme fosse complicado demais, o jovem Wilde procurava outra casa.

Na maior parte das vezes, mesmo quando criança, ele sabia que não deveria deixar qualquer traço de sua passagem. Se dormisse numa cama, por exemplo, ela estaria arrumada na manhã seguinte. Se comesse a comida da casa ou precisasse de suprimentos, tinha o cuidado de não consumir nem roubar muito, de modo que os donos não notassem.

Alguém lhe ensinara tudo isso quando ele era pequeno demais para lembrar? Ou seria instintivo? Não sabia. No fim das contas, o homem é um animal. Um animal faz o que for necessário para sobreviver.

Provavelmente era simples assim.

O celular no seu bolso vibrou. Era um aparelho pré-pago, descartável. Era só isso que usava e nunca por mais de uma ou duas semanas. À noite, ele o desligava. Não andava sempre com ele – Wilde sabia que, mesmo quando o telefone estava desligado, era possível rastreá-lo – e geralmente o deixava enterrado numa caixa de aço perto da estrada.

Era Hester.

– Você está com a Laila?

– Não.

– Está onde, então?

– Vigiando a casa da Naomi.

– Tem algum plano?

– Tenho.

– Conte.

– Você não quer saber.

Wilde desligou e chegou mais perto da casa. Hoje em dia, muitas casas têm luzes com sensores de movimento, que se acendem quando a pessoa se aproxima. Se fosse o caso, Wilde simplesmente correria de volta para a mata. Mas nenhuma luz se acendeu. Ótimo. Manteve-se próximo da casa. Quanto mais colado à parede, menor a chance de ser visto.

Verificou a janela da cozinha. Bernard Pine, pai de Naomi, estava sentado à mesa mexendo no telefone. Parecia nervoso. Wilde circulou pelo perímetro e espiou pelas janelas do andar de baixo. Não havia mais ninguém ali, nenhum outro movimento.

Abaixou-se e verificou as janelas do porão. Todas as cortinas estavam fechadas – cortinas de blecaute –, mas mesmo assim Wilde viu um pequeno facho de luz.

Alguém ali embaixo, talvez?

Não teve dificuldade para subir até o beiral do segundo andar. Estava preocupado com a estrutura, se ela aguentaria seu peso, mas decidiu arriscar. Havia uma luz num corredor, brilhando através do que parecia ser o quarto do pai. Subiu em direção à janela do canto de trás, pôs as mãos em concha de encontro ao vidro e olhou para dentro do cômodo.

Um monitor de computador com um descanso de tela de linhas dançando fornecia a única iluminação. As paredes estavam vazias. Não havia cartazes de astros juvenis nem de bandas de rock ou qualquer um dos esperados clichês adolescentes. A não ser, talvez, a cama, que era muito baixa e estava coberta de bichos de pelúcia – dezenas, talvez centenas, de vários tamanhos e cores, principalmente ursos, mas havia girafas, macacos, pinguins e elefantes. Não dava para entender como Naomi caberia na cama com todos eles. Ela devia simplesmente pular em cima, como se morasse dentro de uma daquelas máquinas que têm uma garra para pegar o prêmio.

Naomi era filha única, de modo que Wilde estava certo de que aquele era o quarto dela.

A janela tinha uma tranca com alavanca de plástico. Segurança de rotina para um quarto no segundo andar. A maioria dos ladrões de residências não escalava paredes para chegar ao segundo piso. Wilde, claro, era diferente. Abriu a carteira e pegou um cartão de celuloide. Melhor do que um cartão de crédito. Mais flexível. Enfiou o cartão entre as duas folhas de guilhotina e empurrou a alavanca para a posição destrancada. Simples assim. Cinco segundos depois estava dentro do quarto.

E agora?

Uma olhada rápida no guarda-roupa revelou o seguinte: uma mochila cor-de-rosa na prateleira de cima, roupas cuidadosamente penduradas, nenhum cabide vazio. Não tinha certeza do que isso significava. A mochila estava vazia. Se ela tivesse fugido, não a teria levado? Não haveria algum sinal de roupas faltando?

Nada conclusivo, mas interessante.

Houve um tempo, Wilde imaginou, em que valeria a pena verificar as gavetas da escrivaninha ou talvez olhar embaixo do travesseiro ou do colchão em busca de um diário, mas hoje em dia a maior parte dos adolescentes mantém os segredos em seus aparelhos eletrônicos. Seria melhor procurar o smartphone, claro, o lugar onde armazenamos nossa vida. E não, não é um comentário sobre a juventude atual. Os adultos também fazem isso. A humanidade desistiu de qualquer fingimento de privacidade para esses aparelhos, em nome de... difícil dizer de quê. Da conveniência, supunha ele. Das conexões artificiais, talvez, o que pode ser melhor do que não ter conexão alguma.

Mas não para ele. Se bem que as conexões de verdade também não pareciam ser a sua praia.

Será que a polícia tinha tentado encontrar a localização de Naomi através do celular dela?

Talvez. Provavelmente. De qualquer modo, ele mandou uma mensagem pedindo que Hester tentasse.

O computador de Naomi estava ligado. Wilde moveu o mouse, com medo de haver uma senha bloqueando o acesso. Não havia. Abriu o navegador de internet. As informações de e-mail de Naomi – nome e senha – tinham sido salvas para facilitar o acesso. Clicou e entrou imediatamente. Quase esfregou as mãos, esperando ter tirado a sorte grande. Não tinha. Os e-mails não podiam ser mais inócuos: tarefas da escola, spams de processo seletivo para faculdades, cupons e ofertas da Gap, da Target e de lojas desconhecidas de Wilde, com nomes como Forever 21 e PacSun. A garotada de hoje – ele sabia graças às interações com Matthew – usa mensagens de texto ou algum tipo de aplicativo à prova de pais. Não manda e-mails.

Parou um momento e prestou atenção. Nada. Ninguém subindo a escada. Moveu o cursor do mouse até o topo e clicou para acessar o histórico. Esperava que Naomi não tivesse limpado o cache recentemente.

Não tinha.

Havia buscas por bichos de pelúcia no eBay, links de fóruns e Reddits sobre colecionar animais de pelúcia. Wilde olhou para a cama atrás dele. Os bichos de pelúcia tinham sido arrumados com algum cuidado. Vários olhavam de volta para ele. Pensou nisso por um segundo, naquela garota que tinha sofrido bullying a vida inteira. Em como ela devia correr para casa depois das aulas, escapando para aquele zoológico solitário criado por ela própria.

Esse pensamento o inundou de uma raiva surpreendente.

As pessoas tinham atormentado aquela garota durante toda a vida. Ele ainda estava com a máscara no rosto. Se por acaso Bernard Pine subisse a escada e o visse – o que era realmente improvável –, Wilde passaria depressa por ele e fugiria correndo. Não haveria nada para identificá-lo. A altura e o peso – 1,83 metro, 84 quilos – não revelariam nada.

Opa. Tinha algo ali.

Naomi estivera pesquisando sobre os colegas de turma. Eram seis, talvez sete, mas dois nomes se destacaram imediatamente. Um era Matthew. O outro era Crash Maynard. As buscas sobre Matthew – assim como as dos outros colegas – eram superficiais e rápidas. Isso significaria alguma coisa? Ou será que os adolescentes procuravam os outros no Google o tempo todo? Se você conhece alguém, procura saber sobre a pessoa na internet. Claro, Naomi conhecia aqueles garotos desde sempre. Tinha crescido com eles, ido à escola com eles, sido vítima de suas provocações e seus ataques.

Então por que isso agora?

Olhou o resto das buscas dela no Google. Nada se destacava muito, a não ser uma estranha busca de três palavras seguida por uma estranha busca de quatro palavras.

jogo do desafio
jogo do desafio desaparecimento

Concentrou-se na palavra acrescentada: desaparecimento.

Clicou nos links. Quando começou a ler, seu coração se encolheu. Estava na metade das páginas quando ouviu um som que o assustou.

Passos.

Não eram próximos. Não subiam na sua direção. Isso é que era estranho. Só havia uma pessoa na casa. O pai, Bernard Pine. Ele estava na cozinha. Mas esses passos não vinham da cozinha. De fato, pensando bem, não tinha escutado nenhum som vindo do andar de baixo durante todo o tempo em que estivera ali.

Os passos soavam baixo. Vinham de dentro da casa, mas...

Wilde fechou o navegador, atravessou o quarto e saiu para o corredor. Olhou para o final da escada lá embaixo. Os passos soavam mais alto. Agora dava para escutar uma voz. Parecia Bernard Pine. Com quem ele estava falando? Wilde não conseguia identificar as palavras. Chegou mais perto do topo da escada para ouvir melhor.

A porta no final da escada se escancarou bruscamente.

A porta do porão.

Wilde saltou para trás. Agora a voz era nítida, fácil de entender:

– Saiu na porcaria do noticiário! E aquela mulher esteve aqui. Como assim, quem? Aquela advogada da TV, a que deu a notícia.

Bernard Pine saiu do porão e fechou a porta.

– Os policiais acabaram de vir aqui. É, o delegado, Carmichael, ele bateu na porta. Provavelmente ainda estão...

Wilde tinha as costas grudadas à parede, mas se arriscou a olhar. Bernard Pine estava com o celular numa das mãos. Com a outra, empurrou uma cortina de lado e olhou para o quintal da frente.

– Não estou vendo agora, não. Mas não posso... quero dizer, Carmichael pode estar ali adiante no quarteirão, vigiando. E vieram umas vans dos canais de notícias... Provavelmente estamos sendo vigiados.

Estamos?, pensou Wilde.

A não ser que Pine se considerasse alguém da realeza, "estamos" significava mais de uma pessoa. Mas Wilde examinara a casa. Só tinha visto uma pessoa: Bernard Pine. Se havia mais alguém, só existia um lugar onde a pessoa poderia estar.

No porão.

– É, Larry, sei que você disse para eu não fazer isso, mas achei que não tinha escolha. Não quero ser apanhado. Isso é o que importa agora.

Pine foi rapidamente para a escada, em cujo patamar Wilde estava. Agora parecia com pressa, pulando de dois em dois degraus. Confiando em seus reflexos, Wilde mergulhou de volta no quarto de Naomi e rolou para um canto. Pine passou por ele no corredor sem olhar para dentro do quarto da filha.

O porão, pensou Wilde.

Não esperou muito. No instante em que Pine passou pela porta e entrou em seu quarto, Wilde saiu. Pisando com os calcanhares – não nas pontas dos pés: as pontas faziam barulho –, desceu a escada. Virou à direita e chegou à porta do porão. Experimentou a maçaneta. Ela girou.

Abriu a porta do porão em silêncio, entrou e a fechou.

Havia uma luz fraca embaixo. Wilde tinha duas opções. Primeiro: descer a escada sem fazer barulho e ir lentamente na direção do que havia para ser encontrado. Segundo: ir com tudo.

Escolheu a segunda opção.

Tirou a máscara e desceu a escada do porão. Não disfarçou. Não correu nem foi lento demais. Quando chegou embaixo, virou-se para a luz.

Naomi abriu a boca.

– Não grite – disse Wilde. – Vim ajudar você.

capítulo onze

O PORÃO TINHA UM ACABAMENTO BARATO. As paredes eram revestidas com algum tipo de laminado que imitava madeira. Havia um sofá-cama bem surrado, que nesse momento estava aberto formando uma cama *queen size*.

Coberta com bichos de pelúcia.

Naomi Pine estava sentada no braço do sofá, os ombros encurvados, os olhos baixos, de modo que o cabelo pendia na frente do rosto como uma cortina de contas. Não era magricela, o que na sociedade atual significava que provavelmente estava acima do peso, mas Wilde não saberia dizer. Não era bonita nem feia, e, ainda que a aparência devesse ser irrelevante, não era, não no mundo real, especialmente no mundo adolescente. Ele olhou para ela, para o ser inteiro, e seu coração se apertou. Na verdade, para quem fosse totalmente objetivo, Naomi Pine pareceria, acima de tudo, um alvo fácil. Era o que dava para perceber. Algumas pessoas parecem inteligentes, ou burras, ou fortes, ou cruéis, ou fracas, ou corajosas, ou qualquer coisa. Naomi parecia estar sempre se encolhendo com medo, como se pedisse ao mundo que não batesse nela, e isso apenas fazia com que o mundo risse na sua cara.

– Eu conheço você – disse Naomi. – Você é o menino do bosque.

Não era totalmente exato. Ou talvez fosse.

– O seu nome é Wilde, não é?

– É.

– Você é o nosso bicho-papão, sabe?

Wilde não disse nada.

– Tipo quando os pais dizem para as crianças não entrarem na floresta porque o Homem do Saco vai pegar todas elas para comer, ou algo assim. E tipo quando os garotos contam histórias de fantasmas para assustar os outros. Você é tipo assim o astro do filme.

– Fantástico – disse Wilde. – Você está com medo de mim?

– Não.

– Por quê?

– Eu simpatizo com os excluídos.

Ele tentou sorrir.

– Eu também.

– Já leu *O sol é para todos*? – perguntou ela.

– Já.

– Você é tipo o nosso Boo Radley.

– Acho que com isso você seria Scout.

– Ah, tá bom – disse Naomi, revirando os olhos, e o coração de Wilde sentiu aquilo de novo.

– Quem é Larry? Escutei seu pai falando ao telefone.

– É meu tio. Mora em Chicago. – Naomi baixou a cabeça. – Você vai contar?

– Não.

– Então vai simplesmente embora?

– Se você quiser. – Wilde chegou mais perto dela e falou do modo mais gentil que pôde: – O desafio.

Naomi o encarou.

– Como sabe disso?

Wilde tinha visto no computador dela, mas também se lembrou de ter lido a respeito alguns anos antes. Segundo a matéria, o nome do jogo era Desafio das 48 Horas, porém mais tarde foi descartado como lenda urbana. Era uma espécie de jogo on-line, uma disputa um tanto macabra. Adolescentes desapareciam de propósito fazendo os pais surtarem e acharem que o filho tinha sido sequestrado ou coisa pior. Quanto mais tempo você ficasse "desaparecido", mais pontos acumulava.

– Não importa – respondeu Wilde. – Você estava jogando isso, não é?

– Ainda não entendi. Por que você veio aqui?

– Estava procurando você.

– Por quê?

– Alguém ficou preocupado.

– Quem?

Ele hesitou. Depois pensou: por que não?

– Matthew Crimstein.

Ela pode ter sorrido.

– Imaginei.

– Imaginou por quê?

– Ele provavelmente se culpa. Diga a ele que não deveria.

– Está bem.

– Ele também só quer fazer parte do grupo.

Wilde escutou movimento em cima. Sem dúvida era o pai dela.

– O que aconteceu, Naomi?

– Você lê livros de autoajuda?

– Não.

– Eu leio. O tempo todo. Minha vida... – Ela parou, piscou para conter as lágrimas e balançou a cabeça. – Enfim. Os autores sempre falam em fazer mudanças pequenas. Eu tentei. Não funciona. Todo mundo continua me odiando. Sabe como é todo dia sentir as tripas se retorcendo porque você tem medo de ir à escola?

– Não. Mas deve ser um saco.

Ela gostou da resposta.

– É. Demais. Mas não quero que você sinta pena de mim.

– Está bem.

– Promete?

Ele levou a mão direita ao coração.

– De qualquer modo – disse Naomi –, eu decidi ir fundo.

– Ir fundo em quê?

– Na mudança. – Seu rosto se iluminou. – Mudança total. Um grande gesto, uma coisa grande, para apagar meu passado de fracassada e recomeçar. Dá para entender?

Ele não disse nada.

– Por isso, é, eu aceitei o desafio. Desapareci. No início, me escondi na mata. – Ela conseguiu sorrir. – Não tinha nenhum medo de você.

Ele sorriu de volta.

– Resisti dois dias.

– Foi difícil?

– Não. Na verdade, eu gostei de ficar lá. Sozinha. Você entende, não é?

– Entendo.

– Bem, provavelmente você entende melhor que todo mundo. Foi tipo uma fuga. Mas meu pai, olha, ele não é o cara mais ligado do mundo. O que eu sou... quero dizer, o fato de eu ser uma fracassada...

– Você não é uma fracassada.

Naomi lançou-lhe um olhar dizendo que ele estava sendo condescendente e que ficou desapontada com isso. Wilde levantou as mãos como se dissesse "Foi mal".

– Bem, não é culpa dele. Nada disso. Mas ele também não faz com que as coisas melhorem, sabe?

– Acho que sim.

– Eu sumi durante dois dias e ele começou a mandar mensagens. Disse que chamaria a polícia. O que faz parte do jogo. Além disso... eu fiquei preocupada pensando que ele iria começar a beber demais. Sei lá. Eu não queria isso. Por isso vim para casa, mesmo sabendo que 48 horas não iriam bastar. Então contei ao meu pai o que estava fazendo.

Agora Wilde ouviu os passos. Não se virou, não se preocupou.

– E seu pai decidiu ajudar?

– Ele sacou imediatamente. Ele também acha que eu sou uma fracassada. – Naomi levantou a mão. – Não diga.

– Está bem.

– Eu só queria... você sabe... me encaixar. Impressionar o pessoal.

– Quando diz "o pessoal", quer dizer o Crash Maynard?

– Crash, Kyle, Sutton, todos eles.

Wilde queria iniciar um pequeno discurso sobre como não deveríamos querer impressionar quem faz bullying e que tentar se encaixar é sempre a atitude errada, que devemos ser fiéis a nós mesmos e aos nossos princípios e lutar contra os abusos. Mas tinha certeza de que Naomi já ouvira tudo isso e que de novo ele iria parecer condescendente. Naomi conhecia todas as perspectivas melhor do que ele jamais conheceria. Tinha vivido todas elas diariamente. Ele não. Ela esperava que esse gesto – o desafio – fosse torná--la mais "descolada". E, quem sabe, talvez estivesse certa. Talvez Crash e seus seguidores ficassem impressionados quando ela voltasse. Talvez isso mudasse tudo para ela.

Quem era ele para dizer que não daria certo?

– Meu pai teve a ideia. Disse que eu podia ficar escondida aqui embaixo. Ele só iria fingir que estava preocupado.

– Mas então a polícia apareceu de verdade.

– É. A gente não contava com isso. E ele não pode dizer a verdade. Imagine se descobrirem o que ele fez, o que eu fiz. Eu seria esculachada na escola. Por isso ele está pirando agora.

A porta do porão se abriu. Do topo da escada, Bernard Pine chamou:

– Naomi?

– Tudo bem, pai.

– Com quem você está falando, querida?

Agora o sorriso de Naomi estava luminoso.

– Um amigo.

Wilde assentiu. Queria perguntar se havia alguma coisa que pudesse fazer, mas já sabia a resposta. Foi para a escada do porão. Os olhos de Bernard Pine se arregalaram quando ele surgiu.

– Que...?

– Eu já estava de saída – anunciou Wilde.

– Como foi que você...?

Naomi disse:

– Está tudo bem, pai.

Wilde subiu a escada. Quando passou por Bernard Pine, estendeu a mão. Bernard a apertou. Wilde lhe entregou um cartão. Não tinha nome, só um número de telefone.

– Se eu puder ajudar... – disse Wilde.

Pine olhou para as janelas.

– A polícia vai ver você...

Mas Wilde balançou a cabeça e foi em direção à porta dos fundos. Agora estava com a máscara na mão.

– Não vai.

Um minuto depois, estava de volta à mata.

Enquanto se dirigia à casa de Laila, Wilde ligou para Hester.

– A Naomi está bem.

Explicou.

Assim que ele terminou, Hester berrou:

– Tá de sacanagem comigo?

– A notícia é boa. Ela está em segurança.

– Ah, ótimo, fantástico, ela está em segurança. Mas, caso você não tenha notado, eu acabei de anunciar na TV que uma adolescente desapareceu. Agora você me diz que ela está escondida no porão de casa. Vou parecer uma idiota.

– Ah – disse Wilde.

– Ah?

– É só isso que eu tenho.

– E tudo que eu tenho é a minha reputação. Bem, isso e minha beleza.

– Vai ficar tudo bem, Hester.

Ela suspirou.

– É, eu sei. Você vai voltar para a casa?

– Vou.

– Então vai contar ao Matthew?

– Vou contar o suficiente.

– E depois vai para a cama com a Laila?

Ele não respondeu.

– Desculpe – disse ela.

– Vá dormir um pouco, Hester.

– Você também, Wilde.

No dia seguinte, Naomi voltou à escola. Esperava que ninguém fizesse muitas perguntas. Mas fizeram. Logo sua história desmoronou. E a verdade – que ela havia trapaceado no Jogo do Desafio – veio à tona.

Se a vida na escola tinha sido um inferno, essa última revelação elevou o inferno à décima potência.

Uma semana depois, Naomi Pine sumiu de novo.

Todo mundo presumiu que ela teria fugido.

Quatro dias mais tarde, encontraram um dedo decepado.

Segunda parte

capítulo doze

Uma semana depois

Um carro entrou em sua estrada oculta.

Wilde sabia disso porque tinha posto junto à entrada um alarme de mangueira de borracha, do tipo que se vê em postos de gasolina nos Estados Unidos. Antigo porém mais eficiente naquele ambiente – os animais acionavam os detectores de movimento comuns; dariam alarmes falsos a toda hora. Somente uma coisa mais pesada, como um carro, disparava o alarme de mangueira.

Quando chegou a notificação sobre o intruso, ele estava olhando para a telinha do celular, mais especificamente para um e-mail de um daqueles sites de genealogia que alardeava: "O RESULTADO DO SEU EXAME DE DNA ESTÁ PRONTO!" Wilde estivera pensando se deveria clicar no link ou não mexer com o que estava quieto, assim como havia debatido se faria o exame, para começo de conversa, se deveria começar essa viagem por um caminho provavelmente sombrio. Tinha concluído que submeter seu DNA sob um nome falso era suficientemente seguro. Não precisava olhar o resultado. Poderia deixá-lo ali, esperando atrás daquele link.

Alguém poderia perguntar por que Wilde havia esperado tanto tempo, por que ainda não tinha dado esse passo óbvio. Com empresas como a 23andMe e Ancestry.com fazendo anúncios ininterruptos de como tinham ajudado a reunir centenas, se não milhares, de parentes separados, não seria natural Wilde mandar sua amostra e talvez ficar sabendo da história da sua origem? A resposta intempestiva, não pensada, seria sim, claro – mas quando passava mais tempo refletindo, quando contemplava todas as implicações, ele não tinha tanta certeza.

Será que Wilde, um homem que gostava de viver fora do radar, que realmente não conseguia se conectar com a maioria das pessoas, abriria a porta para conhecer estranhos que poderiam aparecer dizendo ser seus parentes e se meter na sua vida?

Será que ele queria isso?

Que bem faria saber sobre seu passado?

O alarme de mangueira disparou o restante do sistema eletrônico de Wilde. Na maioria das vezes, especialmente alguns anos antes, se um carro entrasse na estrada, era por engano. Wilde tinha até aberto uma clareira logo depois do início da estrada para tornar mais fácil o motorista perceber o erro, dar meia-volta e retornar. Mas agora, com o crescimento total da vegetação, o entroncamento não era realmente visível da estrada principal, de modo que os visitantes acidentais eram muito mais raros.

Mesmo assim, acontecia. E poderia ser o caso agora.

Quando o segundo e o terceiro detectores de movimento foram acionados, ficou claro que o carro não tinha intenção de dar meia-volta. Isso significava que alguém estava procurando por ele.

Wilde vivia num casulo esférico personalizado chamado Ecocapsule. A "ecocápsula" era uma microcasa inteligente, moradia ecológica ou casa móvel compacta, como preferir, criada por um amigo eslovaco que ele conheceu enquanto servia no Golfo. A estrutura parecia um ovo de dinossauro gigante. Usando diferentes tons de tinta fosca, Wilde a havia pintado por fora com uma estampa de camuflagem, para mantê-la escondida. O espaço total era pequeno, com menos de 7 metros quadrados e um cômodo, mas tinha tudo de que ele precisava: uma microcozinha com fogão de indução e uma minigeladeira, um banheiro completo com torneiras que economizavam água, chuveiro e um toalete incinerador, que transformava os dejetos em cinzas. A mobília era integrada: mesa, armários, depósitos, uma cama dobrável – tudo feito de painéis leves do tipo colmeia com acabamento em laminado de freixo. O exterior do ovo era feito de conchas de fibra de vidro com isolamento montadas numa estrutura de aço.

Por conta do tipo de moradia escolhido, algumas pessoas presumiam que Wilde devia ser um ambientalista maluco ou extremista. Não era. A cápsula lhe dava privacidade e proteção. Era autossustentável e, portanto, totalmente fora do radar. Tinha placas solares no teto e um mastro com uma turbina eólica que podia ser montada quando ele precisasse de mais carga nas baterias. A forma esférica tornava fácil coletar água da chuva, mas, se houvesse um período seco, Wilde poderia abastecê-la com água de qualquer fonte – um lago, um riacho, uma mangueira, qualquer coisa. A água era purificada por filtros de osmose reversa e lâmpadas de LED UV, o que a tornava instantaneamente potável. A caixa-d'água e o aquecedor eram adequados para uma pessoa, mas não era mentira que Wilde adoraria se refestelar sob a ducha potente e o suprimento de água aparentemente ilimitado da casa de Laila.

Não havia máquina de lavar, secadora, micro-ondas nem aparelho de televisão. Ele não se importava. Suas necessidades eletrônicas consistiam num laptop e num celular, que eram fáceis de serem carregados na cápsula. Não havia termostatos nem interruptores de luz – todas essas funções eram realizadas pelo aplicativo da casa inteligente.

Além disso, era fácil colocar o casulo num reboque e se mudar, algo que Wilde fazia a intervalos de algumas semanas ou meses, ainda que a mudança fosse para uma distância de apenas 50 ou 100 metros. A essa altura, provavelmente era exagero mudar-se com tanta frequência, mas, quando sua casa ficava no mesmo lugar por muito tempo, parecia que o casulo (e ele próprio?) estava criando raízes.

Ele não gostava disso.

Nesse momento, Wilde estava parado do lado de fora da porta no estilo asa de gaivota, instigado pelo link daquele site de DNA. Os sensores e as câmeras, todos alimentados por energia solar, mandavam vídeos para seu telefone. Na tela ele viu o carro parar: era um Audi A6 vermelho. A porta do motorista se abriu. Um homem meio que caiu para fora e demorou um tempo para se reequilibrar. Wilde o reconheceu. Tinham se encontrado apenas uma vez.

Bernard Pine, o pai de Naomi.

– Wilde?

Wilde o escutou através dos microfones posicionados. Ainda estava muito longe para ouvir sem isso. Desceu rapidamente o caminho familiar até a estrada. Foi uma corrida de pouco mais de 400 metros. Ele tinha uma arma em seu casulo – uma Beretta M9 militar –, mas não viu motivo para levá-la. Não gostava de armas e não era bom atirador. Na noite em que havia tirado a arma de Thor na Mansão Maynard, ficou feliz por não precisar disparála, não tanto porque não queria ferir ninguém, mas porque àquela distância sua habilidade com uma pistola poderia ser descrita, gentilmente, como suspeita.

Chegou silenciosamente por trás de Bernard Pine.

– E aí?

Pine levou um susto e girou na sua direção. Wilde se perguntou como ele ficara sabendo sobre esse lugar, mas isso não era realmente segredo. Era assim que as pessoas entravam em contato com ele. Todo mundo sabia.

– Preciso da sua ajuda – disse Pine.

Wilde esperou.

– Ela sumiu de novo. A Naomi. Desta vez não fugiu.

– Você procurou a polícia?

– Sim.

– E?

Ele revirou os olhos.

– O que você acha?

Pensaram, obviamente, que ela havia fugido de novo. Pine explicou que o Jogo do Desafio tinha sido exposto como uma fraude, o que apenas aumentou o bullying na escola. As provocações se intensificaram. Naomi tinha ficado mais abatida ainda. Para a polícia, também havia o aspecto do "Garoto Que Gritava Lobo" (ou, nesse caso, a Garota).

– Eu pago a você – disse Pine. – Ouvi dizer...

Ele parou.

– Ouviu o quê?

– Que você faz coisas assim. Que foi um investigador importante, ou algo do tipo.

Isso também era exagero. Ele tinha sido o W da firma de segurança CRAW e sua especialidade era proteção e defesa fora do país. Graças ao seu status incomum – e porque ninguém conseguia sequer encontrar sua certidão de nascimento –, ele cuidava dos casos mais delicados, que exigiam o maior nível de sigilo. Depois de ganhar dinheiro suficiente, abandonou a rotina cotidiana, mas permaneceu como sócio oculto na CRAW, oficialmente "se aposentando" e passando para aquela parte obscura de qualquer negócio chamada de "consultoria".

– Ela não fugiu – repetiu Pine.

Sua fala estava engrolada. Pine tinha toda a aparência de quem bebeu depois do trabalho: olhos injetados, camisa amarrotada, gravata frouxa.

– Por que diz isso?

Pine pensou. Depois disse:

– Acreditaria se eu dissesse que um pai simplesmente sabe?

– Nem um pouco.

– Ela foi sequestrada.

– Por quem?

– Não faço ideia.

– Algum indício de crime?

– Indício de crime? – Ele franziu a testa. – É sério?

– Tem alguma prova de que ela foi sequestrada?

– Tenho a ausência de provas.

– O que quer dizer?

Bernard Pine abriu a mão e sorriu de um modo sinistro.

– Bem, ela não está aqui, não é?

– Não creio que eu possa ajudar.

– Porque não posso provar que ela foi sequestrada?

Pine cambaleou na direção de Wilde um tanto depressa demais, como se fosse atacá-lo. Wilde deu um passo para trás. Pine parou e levantou a mão, num gesto de rendição.

– Olhe, Wilde, ou sei lá como chamam você, vamos pensar do seu jeito. Digamos que Naomi fugiu. Se esse for o caso, bem, ela está por aí, sozinha. – Ele ergueu as duas mãos e girou, como se quisesse indicar que sua filha poderia estar naquele bosque específico. – Ela foi traumatizada por aqueles monstros da escola, agora está com medo, triste e precisa ser encontrada.

Por mais que fosse difícil para Wilde admitir, fazia sentido.

– Você vai me ajudar? Me ajudar não. Esqueça de mim. Você conheceu a Naomi. Sei que você se deu bem com ela. Vai ajudar a Naomi?

Wilde estendeu a mão.

– Me dê as chaves do seu carro.

– O quê?

– Vou levar você para casa. No caminho poderá me contar tudo que sabe.

capítulo treze

HESTER TENTAVA SE CONCENTRAR, mas estava nervosa feito uma colegial.

Seu convidado agora mesmo no *Crimstein contra o Crime* era o famoso ativista e advogado Saul Strauss. O assunto, como o de quase todos os programas no momento, era a perturbadora campanha presidencial de Rusty Eggers, um guru dos programas de entrevistas com passado um tanto nebuloso.

Mas no intervalo comercial sua mente estava na mensagem que tinha acabado de receber de Oren Carmichael:

> Sei que está entrando no ar. Posso passar aí para conversar quando você tiver terminado?

Ela respondeu, saltitante, que sim – nossa, ela estava velha demais para isso – e que deixaria o nome de Oren na recepção para que ele subisse quando quisesse. Quase incluiu um daqueles emojis de coração ou de carinha sorrindo, mas um acesso de bom senso a conteve.

Na volta do comercial, Hester leu a rápida biografia de Saul Strauss pelo teleprompter: filho de um governador republicano e tradicional de Vermont, prestou serviço militar, formou-se na Universidade Brown, deu aula na faculdade de direito de Columbia, trabalhava incansavelmente como defensor dos desvalidos, dos oprimidos, das causas ambientais, dos direitos dos animais... resumindo, jamais havia encontrado uma causa nobre com a qual não se comprometesse com ferocidade absoluta.

– Só para esclarecer – disse Hester, indo direto ao assunto –, você está processando os produtores de *The Rusty Show* mas não está processando o próprio Rusty Eggers, estou certa?

Hester supôs que Saul Strauss estaria entrando na casa dos 60 anos. Era o próprio estereótipo de um professor de artes liberal: cabelo grisalho comprido preso num rabo de cavalo, camisa de flanela por baixo de um paletó esporte de veludo cotelê laranja-queimado com remendos de couro nos cotovelos, barba que estava em algum ponto entre moderna e Amish, óculos de leitura pendurados no pescoço por uma corrente. Mas, por trás da fachada, Hester ainda podia identificar a dureza do velho fuzileiro naval.

– Exato. Eu represento um dos anunciantes do *The Rusty Show*, que está preocupado, com razão, achando que lhe venderam gato por lebre.

– Que anunciante?

As mãos de Strauss, cruzadas sobre a bancada, eram grossas, enormes, os dedos parecendo salsichas. A última vez que Strauss participara do programa, Hester tinha pousado a mão no antebraço dele durante a conversa só por um segundo. Parecia um bloco de mármore.

– Nós pedimos ao juiz que mantivesse o nome do meu cliente em sigilo por enquanto.

– Mas vocês estão processando o programa por fraude?

– Sim.

– Explique melhor.

– Em resumo, nós sentimos que o *The Rusty Show* cometeu fraude contra meu cliente e outros anunciantes ao esconder deliberadamente informações que poderiam ser prejudiciais para as marcas.

– Que informações?

– Ainda não temos certeza.

– Então como podem processar?

– Meu cliente associou sua empresa, de boa-fé, a Rusty Eggers e a seu programa de televisão. Acreditamos que, quando isso foi feito, tanto a rede quanto Dash Maynard...

– Dash Maynard, o produtor do *The Rusty Show*?

Saul Strauss riu.

– Ah, Dash Maynard era muito mais do que isso. Os dois são amigos de longa data. Maynard criou o programa. Na realidade, criou toda a entidade falsa que conhecemos agora como Rusty Eggers.

Ela pensou se valeria a pena abordar o negócio da entidade falsa, mas isso poderia esperar.

– Certo, mas ainda não entendi sua reivindicação.

– Dash Maynard está ocultando informações que prejudicariam Rusty Eggers...

– Como sabe disso?

– ... e, ao não revelar essas informações prejudiciais, mesmo com todos os acordos de confidencialidade, Dash Maynard sabia que estava vendendo publicidade para um programa que poderia explodir a qualquer momento e prejudicar a marca do meu cliente.

– Mas não explodiu.

– Ainda não.

– Aliás, *The Rusty Show* está fora do ar. Rusty Eggers é um dos principais candidatos a presidente dos Estados Unidos.

– Exato, essa é a questão. Agora que ele está se candidatando ao cargo, haverá muito mais investigações. Quando as gravações prejudiciais de Dash Maynard forem liberadas...

– Espere aí, você tem alguma prova de que essas gravações ao menos existem?

– ... a empresa do meu cliente será seriamente prejudicada, talvez de forma irremediável.

– Porque anunciou no programa?

– Sim, claro.

– Então, resumindo: vocês estão processando o programa por uma fraude que não aconteceu, que vocês não podem provar que foi cometida, baseados em algo que vocês não sabem se existe nem se, caso exista, irá prejudicá-los. É mais ou menos isso?

Strauss não gostou.

– Não, não é.

– Saul?

– Sim?

Hester se inclinou para a frente.

– Esse processo é totalmente absurdo.

Strauss pigarreou. As mãos grandes ficaram tensas.

– O juiz disse que tínhamos base para abri-lo.

– Vocês não irão muito longe. Nós dois sabemos disso. Será que podemos ser honestos? Cá entre nós? Esse é um processo leviano destinado a aumentar a conscientização e a pressão para Dash Maynard liberar gravações que podem ser embaraçosas para Rusty Eggers e arruinar a campanha dele.

– Não, absolutamente não.

– Você apoia Rusty Eggers?

– O quê? Não.

– Na verdade – Hester tinha a citação num gráfico que foi colocado na tela –, você disse: "Rusty Eggers precisa ser impedido a qualquer custo. É um niilista ensandecido que pode nos levar a horrores inimagináveis. Quer despedaçar a ordem mundial, ainda que isso possa matar milhões de pessoas." – Hester se virou para ele. – Você disse isso, não foi?

– Disse.

– E acredita nisso?

– Você não?

Hester não cairia nessa.

– Então, se Dash Maynard tem alguma coisa que prejudicaria Rusty Eggers, você acredita que essa informação deveria ser liberada para o público.

– Claro que deveria – afirmou Strauss. – Vamos votar para o cargo mais poderoso do mundo. Deveria haver total transparência em relação aos candidatos.

– E esse é realmente o argumento do seu processo.

– A transparência é importante, Hester. Não concorda?

– Concordo. Mas sabe o que eu acho mais importante? A Constituição. O Estado de direito.

– Então você está defendendo Rusty Eggers e Dash Maynard?

– Estou defendendo a lei.

– Não quero soar hiperbólico...

– Tarde demais.

– ... mas se você visse Hitler chegando ao poder...

– Ah, Saul, não comece com isso. Por favor.

– Por quê?

– Simplesmente não comece. Não no meu programa.

Saul Strauss se inclinou para a câmera e se dirigiu a ela:

– Dash Maynard tem gravações que poderiam mudar o rumo da história humana.

– Bem, contanto que você não queira soar hiperbólico – disse Hester, revirando os olhos. – Por sinal, como sabe que essas gravações existem?

Strauss pigarreou.

– Nós... é... temos nossas fontes.

– Por exemplo?

– Arnie Poplin, por exemplo.

– Arnie Poplin? – Hester não conseguiu esconder o ceticismo. – Arnie Poplin é sua fonte?

– Uma delas, sim. – Strauss limpou a garganta. – Ele tem conhecimento direto...

– Só para esclarecer os nossos espectadores, Arnie Poplin é a ex-celebridade transformada em fanático da conspiração que competiu no *The Rusty Show*.

– Essa descrição é equivocada.

– Arnie Poplin afirmou que o 11 de Setembro foi provocado pelo próprio governo americano.

– Isso não é relevante.

– Esse mesmo Arnie Poplin liga para minha produtora toda semana exigindo ser convidado para revelar uma nova teoria maluca envolvendo discos voadores, rastros químicos ou algum absurdo semelhante. Sério? Arnie Poplin?

– Com todo o respeito...

– Esse nunca é um jeito muito bom de começar uma frase, Saul.

– ... não creio que você esteja enxergando o perigo na campanha de Rusty Eggers. Nós temos a obrigação de divulgar essas gravações e salvar nossa democracia.

– Então encontre um modo legal de divulgá-las. Caso contrário, não existirá muita democracia para ser salva.

– É isso que estou fazendo.

– Com esse processo mixuruca de fraude?

– Eu posso começar processando alguém por uma violação de trânsito – disse Strauss. – E, se tropeçar num assassinato, paciência.

– Nossa, isso é forçar a barra, mas, pelo jeito, é uma filosofia que você e Rusty Eggers têm em comum.

– Como assim?

– Os fins justificam os meios, uma história velha como o tempo. Talvez vocês dois devessem encontrar um país para vocês. – O rosto de Strauss ficou vermelho. Mas, antes que ele pudesse reagir, Hester girou para a câmera. – Voltamos logo.

E entraram os comerciais.

Saul Strauss não estava feliz.

– Meu Deus, Hester, o que foi aquilo?

– Arnie Poplin? Fala sério!

Ela balançou a cabeça e verificou suas mensagens de texto. Havia uma de Oren, mandada dois minutos antes:

Subindo.

– Preciso ir, Saul.

– Meu Deus, você ouviu o que disse? Acabou de me comparar com Rusty Eggers.

– Seu processo é absurdo.

Saul Strauss pôs a mão no braço dela.

– Eggers não vai parar, Hester. A destruição, o caos, o niilismo... você entende, não é? Ele basicamente deseja a anarquia. Quer destruir tudo que eu e você valorizamos.

– Preciso ir, Saul.

Hester soltou o microfone da lapela. Sua produtora, Allison Grant, a esperava nos bastidores. Hester tentou parecer despreocupada.

– Tenho visita? – perguntou.

– Está falando daquele Gigante Bonitão com uniforme de policial?

Hester não conseguiu se conter.

– Ele é um charme, não é?

– Bem-vinda a Gostosão City. População: Ele.

– Onde ele está?

– Coloquei na sala verde.

– Como eu estou?

Allison a inspecionou a ponto de Hester ficar com medo de ela fazer uma verificação nos seus dentes, como um comprador de cavalos.

– Esperta.

– O quê?

– Por fazer com que ele viesse logo depois de entrar no ar. Com maquiagem e cabelo já feitos.

Hester alisou a saia do tailleur e seguiu pelo corredor. A sala verde era repleta de fotos dos âncoras e comentaristas da emissora, inclusive uma de Hester tirada três anos antes, meio de lado, braços cruzados, parecendo durona. Quando ela entrou na sala, Oren estava sentado de costas para a porta, olhando sua foto.

– O que acha? – perguntou Hester.

Sem se virar, ele respondeu:

– Está mais gata agora.

– Gata?

Ele deu de ombros.

– "Mais bonita" ou "mais bela" não parecem combinar com você, Hester.

– Vou aceitar o mais gata.

Oren se virou e sorriu. Era um sorriso encantador demais. Ela o sentiu nos dedos dos pés.

– É bom ver você – disse ele.

– É bom ver você também. E desculpe aquele negócio da Naomi.

– São águas passadas. Imagino que tenha sido mais embaraçoso para você do que para mim.

Tinha sido. Quando descobriram que Naomi estava simplesmente fazendo uma pegadinha, houve um bocado de zombarias na internet. Os inimigos de Hester – todo mundo que está nas redes sociais tem inimigos – se deleitaram com seu erro. Quando, dois dias depois, ela comentou sobre uma controvertida decisão do tribunal eleitoral da Califórnia, uma dúzia de Pirados do Twitter (era como Hester os chamava) atacou com fúria: "Espere aí, não foi ela que achou que uma pegadinha de criança era uma emergência nacional?" Agora tudo funciona na base do desacreditar qualquer argumento legítimo usando algo que a pessoa tenha feito de errado no passado, por mais datado ou obscuro que seja. Como se apenas a perfeição merecesse consideração.

– Ela fugiu de novo – disse Oren.

– A Naomi?

– É. O pai foi me procurar. Ele afirma que é mais do que isso.

– O que você vai fazer?

– O que posso fazer? Emiti um boletim e, se meu pessoal a vir por aí, vai avisar. Mas os sinais parecem deixar bem claro que ela fugiu.

– Imagino que ela tenha sofrido muito.

– É. É isso que me preocupa também.

Hester ainda tinha perguntas sobre a situação de Naomi – principalmente por que Matthew pedira que ela se envolvesse. Mas, no fim, Matthew se fechou e descartou tudo como se fosse uma vaga preocupação com uma colega de turma.

– E o que o traz aqui? – perguntou.

– Parece que já passou tempo suficiente.

– Como assim?

– Você disse para eu não ligar cedo demais. Que isso faria com que eu parecesse desesperado.

– Disse mesmo.

– E, como sou meio das antigas, pensei em convidar você do jeito antigo.

– Ah.

– Pessoalmente.

– Ah.

– Já que ninguém mais tem telefone de disco.

– Ah.

Ele sorriu de novo.

– Quer jantar comigo uma hora dessas?

– Provavelmente eu deveria fingir indiferença. Dizer alguma coisa sobre verificar minha agenda lotada.

– Ah – disse Oren, imitando-a.

– Sim, Oren. Eu gostaria muito de jantar com você.

– Que tal amanhã?

– Amanhã está ótimo.

– Às sete?

– Vou fazer uma reserva – disse ela.

– Vou precisar usar gravata?

– Não.

– Bom.

– Bom.

Silêncio.

Ele deu um passo à frente como se fosse abraçá-la, depois pensou melhor. Deu um aceno desajeitado e disse:

– Tchau, então.

Hester ficou olhando-o passar por ela e sair pela porta.

É, pensou, contendo a vontade de pular e bater os calcanhares. *Gigante Bonitão*.

capítulo catorze

RUSTY EGGERS DESLIGOU A TV com uma dramaticidade um tanto exagerada e jogou o controle remoto no sofá branco.

– É só um processo idiota e inconveniente.

Gavin Chambers assentiu. Tinham assistido à entrevista de Hester Crimstein com Saul Strauss na elegante cobertura de Rusty, toda em branco e detalhes cromados. A cobertura desse edifício em particular tinha janelas que iam do chão ao teto, oferecendo a vista mais estonteante do horizonte de Manhattan – principalmente porque a cobertura ficava em Hoboken, Nova Jersey, e não em Manhattan. Os nova-iorquinos que moram ao longo do rio Hudson têm uma vista legalzinha de Nova Jersey; os moradores de Nova Jersey ao longo daquele mesmo rio Hudson têm uma vista de Nova York capaz de fazer cair o queixo. Nesse momento, à noite, com as luzes dos edifícios refletindo no rio, a imagem evocada era de diamantes esparramados em veludo preto.

– Um juiz vai descartar o processo antes que ele chegue a algum lugar – continuou Rusty.

Falava com grande confiança, como sempre.

– Tenho certeza que você tem razão – disse Gavin Chambers.

– Achei que Hester Crimstein foi bem na entrevista.

– Foi mesmo.

– Justa. Chamou atenção para o papo-furado de Strauss.

– É.

– Mas ele não vai largar o osso com facilidade, vai?

– Saul Strauss? – Gavin Chambers balançou a cabeça. – Não vai.

– Você o conhece, não é?

– Conheço.

– Vocês serviram juntos.

Tinham servido no Corpo de Fuzileiros. Uma vida inteira atrás. Gavin sempre havia admirado Saul Strauss. Saul era forte, determinado e corajoso – mas estava errado em relação a praticamente tudo.

– Quanto tempo faz que você não se encontra com ele?

– Muito tempo.

– Mesmo assim – disse Rusty –, deve haver alguma ligação. Do tempo que vocês passaram fora do país.

Gavin não respondeu.

– Acha que pode conversar com ele?

– Conversar?

– Fazer com que ele recue.

Saul Strauss era o que Gavin consideraria uma pessoa comprometida e fervorosa, de um jeito piegas, natureba, ecoverde, vegano e pouco realista. Porém cada vez mais os Sauls do mundo tinham elevado sua retórica a um nível perigosamente histérico, especialmente com relação a Rusty Eggers.

– Sem chance – disse Gavin.

– Então Strauss é um verdadeiro *hater*?

Gavin Chambers e Saul Strauss tinham nascido de casamentos politicamente mistos – pais conservadores, mães liberais. Gavin tinha puxado ao seu velho. E Saul se tornou um verdadeiro filhinho da mamãe. Houvera um tempo em que os dois conseguiam conversar e debater de forma espirituosa. Gavin dizia que Saul era ingênuo e tinha coração mole. Saul dizia que Gavin era exageradamente analítico e darwiniano. Agora essa relativa troca de gentilezas parecia ter acontecido muito tempo atrás.

– Ele virou um fanático – afirmou Gavin.

– Foi o que pensei.

– Ahã.

– De certo modo, seu amigo Saul e eu somos iguais. Nós dois acreditamos que o sistema atual está corrompido. Que o sistema fracassou em relação à população americana. Que o único modo de consertá-lo é primeiro virá-lo de cabeça para baixo.

Rusty Eggers olhou para a paisagem. Era filho de Nova Jersey da cabeça aos pés. Nascido pobre no bairro de Ironbound, em Newark, de pai ucraniano e mãe jamaicana, estudou na escola preparatória St. Benedict's, somente para alunos do sexo masculino, que ficava no Martin Luther King Boulevard, no coração da cidade, ganhou uma bolsa integral para a Universidade de Princeton – e por tudo isso permaneceu em seu estado natal em vez de se mudar para o outro lado do rio.

Adorava a vista, é claro. Trens e balsas podiam colocá-lo no centro de Manhattan ou em Wall Street em menos de meia hora. Além disso, Nova Jersey era uma grande parte do personagem criado por Rusty – os Três S, como ele gostava de dizer – uma fatia de Springsteen, uma fatia de Sinatra e uma fatia dos Sopranos. Rusty era visto como um sujeito rude mas adorável, urbano mas seguro, um grande urso de pelúcia com cabelos cor de ferrugem (daí o apelido *Rusty*, enferrujado). Tinha pele suficientemente clara para passar por branco e sangue suficientemente negro para que os racistas o apoiassem com o objetivo de provar que não eram realmente racistas.

Além disso, Rusty Eggers era brilhante, e Gavin Chambers sabia disso. Filho único de uma família muito unida, Rusty obteve dois diplomas em Princeton: filosofia e ciência política. Fez sua primeira fortuna criando um jogo de tabuleiro que misturava opiniões pessoais com curiosidades chamado PolitiGuess. A vida parecia correr muito bem para ele até que uma carreta, dirigida por um homem que havia tomado muita anfetamina para cumprir uma programação de entregas insustentável, atravessou a mureta divisória na New Jersey Turnpike e bateu de frente num carro que levava a família Eggers. A mãe e o pai de Rusty morreram na hora. Ele teve ferimentos graves e passou dois meses numa cama de hospital. Por ser motorista da família naquela noite específica, mesmo não sendo o responsável pelo desastre, Rusty sofreu de síndrome do sobrevivente. Sentiu-se perdido. Afundou no vício em analgésicos e depois na depressão. Durante um tempo, a coisa ficou feia.

Três anos terríveis depois...

Ainda que algumas pessoas dissessem que ele jamais se recuperou totalmente desse período sombrio, Rusty Eggers, que manca até hoje, acabou se erguendo das cinzas como uma fênix com a ajuda dos velhos amigos Dash e Delia Maynard. Rusty diria, como tantos tinham feito antes, que havia se recuperado sozinho, mas, na verdade, foram os Maynards que proporcionaram os meios e o puxaram para cima com toda a força. Com a ajuda de Dash, Rusty Eggers se tornou o guru de autoajuda mais querido da TV. Dois anos atrás, tinha aproveitado essa fama e essa grande estima para ganhar de lavada uma eleição para senador se apresentando como – em suas palavras – o "Completo Independente".

O lema de Rusty: *Não tenho partido, sou inteiro.*

Agora, Rusty Eggers partia para o cargo mais elevado do país com sucesso inicial.

De costas para Gavin, ainda olhando pela janela, perguntou:

– Como eles estão?

Estava falando dos Maynards.

– Bem. Um pouco estressados, talvez.

– Tenho certeza que sua presença ajuda.

A decoração do apartamento de Rusty era adequadamente sóbria, nada de ouro nem mármore, apenas branco e minimalismo. O importante era a vista através daquelas janelas enormes.

– Obrigado por estar fazendo isso por mim, Gavin.

– Estou sendo pago.

– É, mas sei que você não entra mais em campo.

– Entro. Raramente. Senador.

Rusty franziu a testa.

– Nós nos conhecemos há tempo suficiente. Não precisa começar a me chamar assim.

– Eu prefiro.

– Como quiser, capitão – respondeu Rusty com um sorrisinho.

– Você sabe que, além de administrar minha empresa de segurança, sou advogado.

– Sei.

– Não exerço muito a profissão, mas passei na prova da Ordem, de modo que qualquer coisa que você ou outro cliente me contar estará protegida pelo sigilo entre advogado e cliente.

– Confio em você de qualquer modo. Você sabe.

– Mesmo assim, tenho essa proteção também, essa proteção *legal*. Queria que você soubesse. Sou seu amigo de confiança, sim, mas legalmente não posso revelar nada que você me conte.

Rusty Eggers se virou com um sorriso no rosto.

– Sabe que quero você no meu gabinete.

– Não estou falando disso.

– Conselheiro de segurança nacional. Talvez secretário de Defesa.

Por mais que ele tentasse não se empolgar com essa ideia, o capitão de mar e guerra reformado Gavin Chambers, ex-fuzileiro, era humano. A ideia de atuar num gabinete governamental o deixava inebriado.

– Agradeço a confiança.

– Ela é merecida.

– Senador? Deixe-me ajudá-lo.

– Sim.

– O negócio é que ouvi boatos...

– São apenas isso – disse Rusty. – Boatos.

– Então por que estou protegendo os Maynards?

Rusty se virou para ele.

– Conhece a teoria da ferradura, em ciência política?

– O que é que tem?

– A maioria das pessoas pensa, em termos políticos, que a esquerda e a direita estão num espectro linear e contínuo. Ou seja: a direita fica num extremo da linha, e a esquerda, obviamente, no outro. São polos opostos, muito distantes um do outro. Mas a teoria da ferradura diz que a linha é mais parecida com uma ferradura. Quando se começa a ir para a extrema-direita e a extrema-esquerda, a linha se curva para dentro, de modo que os dois extremos estão muito mais próximos um do outro do que do centro. Alguns chegam ao ponto de dizer que o negócio é mais parecido com um círculo, que a linha se curva tanto que a extrema-direita e a extrema-esquerda são praticamente indistinguíveis: tirania de uma forma ou de outra.

– Senador?

– Sim?

– Eu também estudei ciência política.

– Então vai entender o que estou tentando fazer. – Rusty chegou mais perto, encolhendo-se enquanto mancava. A perna ferida naquela noite terrível costumava ficar rígida. – Muitos americanos estão relativamente no centro. Muitos estão um pouco à esquerda ou à direita desse centro. Essas pessoas não me interessam. São pragmáticas. Mudam de ideia. Os eleitores sempre acham que o presidente precisa apelar para essas pessoas no centro. Consideram que metade do país, mais ou menos, está à direita, metade à esquerda, de modo que é preciso agarrar o centro. Não é isso que estou fazendo.

– Não vejo o que isso tem a ver com os Maynards.

– Eu sou a próxima evolução da nossa cultura política, alimentada pela indignação, obcecada pelas redes sociais. A evolução final, se preferir. O fim do status quo.

Rusty tinha fogo nos olhos, o sorriso confiante. Não havia mais ninguém na sala, no entanto Gavin podia ouvir os gritos e aplausos de milhões.

– Eis aonde quero chegar: se meus inimigos acharem que Dash e Delia têm alguma coisa, *qualquer coisa* a meu respeito, não vão parar até conseguir, mesmo que isso implique machucá-los.

– Então você está fazendo isso só para proteger seus amigos?

– Acha difícil acreditar?

Gavin fez uma careta e aproximou a ponta do indicador da ponta do polegar, para indicar uma quantidade mínima. Rusty gargalhou. Era um riso explosivo. Havia um charme gigantesco naquele riso. Era tremendamente apaziguador.

– Conheço Delia desde os tempos de Princeton, sabia?

Gavin sabia, claro. Conhecia toda a lenda. Rusty havia namorado Delia no primeiro ano. Os dois romperam quando trabalhavam como estagiários para os democratas no Capitólio. Onde, em seguida, Delia se apaixonou e se casou com outro estagiário daquela turma do Capitólio, um documentarista promissor chamado Dash Maynard. Estranhamente, foi assim que Rusty e Dash se conheceram: em Washington, como estagiários para os democratas nas férias de verão.

Foi onde tudo começou.

– Os Maynards sabem mais sobre mim do que qualquer pessoa – disse Rusty.

– Tipo o quê?

– Ah, nada de mau. Eles não têm nenhuma sujeira séria a meu respeito. Mas antigamente Dash gravava tudo em vídeo. Tudo. Bastidores. Reuniões particulares. Não existem coisas incriminadoras, mas, em todo aquele material, deve haver algum trecho que meus inimigos poderiam usar, não acha? Um momento em que fui grosso com um convidado, ríspido com um funcionário ou em que talvez tenha posto a mão no cotovelo de uma mulher, sei lá.

– E especificamente?

– Não consigo pensar em nada.

Gavin não acreditou.

– Só fique de olho neles por mais algumas semanas. Então isso tudo terá acabado.

capítulo quinze

QUANDO BERNARD PINE abriu a porta da frente, Wilde não esperou pela permissão. Foi direto para a escada.

– Espere aí, aonde pensa que vai?

Wilde não respondeu. Começou a subir. Bernard Pine foi atrás. Tudo bem. Wilde entrou no quarto de Naomi e acendeu as luzes.

– O que está procurando? – perguntou Pine.

– Você quer minha ajuda, certo?

– Quero.

Wilde olhou para a cama de Naomi, com todos os animais de pelúcia ali em cima.

– A Naomi tem algum predileto?

– Predileto o quê?

– Bicho de pelúcia.

– Como é que eu vou saber?

Wilde abriu o guarda-roupa e verificou a prateleira.

– A mochila – disse a Pine.

– O quê?

– Quando eu estive aqui da outra vez...

– Alto lá! Quando foi que você esteve no quarto da minha filha?

Wilde não queria falar disso naquele momento. Mas, a julgar pela perplexidade e talvez até pela hostilidade que se esgueirava no rosto de Pine, ele teria que falar.

– No dia em que nós nos conhecemos.

– Mas eu vi você no porão.

– Antes disso estive no quarto.

– Com minha filha?

– O quê? Não. Sozinho. Você sabe. Ela estava no porão.

Pine balançou a cabeça, como se tentasse clarear as ideias.

– Não entendo. Como entrou no quarto dela?

– No momento isso não importa. O importante é que a mochila da Naomi não está aqui.

Wilde apontou para a prateleira. Pine acompanhou o gesto, viu a prateleira vazia e deu de ombros.

– Provavelmente está na escola. No armário que ela usa lá. Eu vi a Naomi pegar a mochila um monte de vezes. Na verdade, todo dia.

– A mochila era de que cor?

– Preta, acho. Talvez azul-escura.

– Estou falando da cor-de-rosa, que ela guardava nesta prateleira.

Pine ficou perplexo outra vez.

– Como é que você iria saber... Olhou no armário dela?

– Olhei.

– Por quê?

Wilde tentou não demonstrar impaciência:

– Porque eu estava procurando por ela. Como agora.

– Não sei nada sobre uma mochila cor-de-rosa.

Wilde fez uma inspeção mais meticulosa no guarda-roupa. A mochila cor-de-rosa que ele tinha visto naquela prateleira estava realmente desaparecida. Também verificou os cabides. Na última vez que estivera naquele quarto, todos os cabides estavam ocupados. Agora contou quatro vazios. Mais três estavam espalhados pelo chão, como se ela tivesse arrancado com pressa as roupas deles.

Conclusão óbvia: ela colocou as roupas na mochila cor-de-rosa.

Wilde voltou a olhar para a cama e os bichos de pelúcia. Fechou os olhos por um segundo, tentou se lembrar de como a cama estava na última vez que estivera ali, esperando perceber se faltava algum. Mas não adiantava. Se um ou mais estivessem faltando, isso poderia confirmar o fato de que Naomi tinha fugido intencionalmente. Mas será que ele precisava dessa prova extra?

– Ela fugiu – disse Wilde.

– Você não pode ter certeza.

– Sr. Pine?

– Eu preferiria que me chamasse de Bernie.

– O que você não está me contando, Bernie?

– Não sei o que quer dizer.

– Sabe mais do que está contando.

Pine começou a coçar o queixo. Wilde tentou decifrar quem ele era. Não conseguia enxergar nada com clareza. Será que era um pai amoroso, ainda que distraído? Ou existiria algo mais? Definitivamente havia no sujeito alguma coisa não confiável. Será que Bernard Pine era uma ameaça ou Wilde estava apenas sendo desconfiado como sempre?

Então:

– A Naomi me mandou esta mensagem ontem.

Pine entregou seu celular a Wilde. A mensagem eram duas frases curtas:

Não se preocupe. Estou em segurança.

– Sei o que está pensando – disse Pine.

Agora não havia dúvida. Mochila e roupas sumidas. Nenhum sinal ou sugestão de sequestro. Nenhum pedido de resgate nem qualquer coisa do tipo. E junte os outros fatores: o bullying ainda mais intenso, as fugas anteriores, o fracassado Jogo do Desafio.

A conclusão era óbvia.

– Há mais uma coisa que você deveria saber – acrescentou Pine.

Wilde o encarou.

– Alguém machucou ela. – Agora os olhos de Pine ficaram úmidos. – E não estou falando do bullying de sempre.

– Então está falando de quê?

– De machucar fisicamente.

O quarto ficou silencioso.

– É melhor explicar – declarou Wilde.

Pine demorou um tempo se preparando. Olhou para a própria mão. Tinha um anel de formatura com uma granada. Começou a girá-lo no dedo.

– Quando cheguei do trabalho na véspera de quando ela desapareceu, a Naomi estava segurando um pacote de ervilhas congeladas em cima do olho. Na manhã seguinte, o olho estava roxo.

– Perguntou a ela sobre isso?

– Claro.

Wilde esperou. Bernard Pine começou a roer com força a unha do polegar.

– Ela disse que trombou numa porta.

– Acreditou nela?

– É óbvio que não – respondeu ele rispidamente. – Mas ela não quis dizer mais nada. Já tentou fazer um adolescente contar alguma coisa? Você não tem como obrigá-los. Ela disse que estava bem e subiu para o quarto.

– Você foi ver depois como ela estava?

– Você não tem filhos, não é, Wilde?

Wilde recebeu isso como um não.

– Tudo está conectado – afirmou Pine.

– O que está conectado?

– Aquele Jogo do Desafio, os garotos pegando no pé dela, o fato de ela ter sumido de novo. Alguma coisa não está certa. – Ele inclinou a cabeça e olhou para Wilde como se o visse pela primeira vez. – Por que você estava tão interessado na minha filha?

Wilde não respondeu.

– Você ao menos conhecia a Naomi antes daquela noite?

– Não.

– Mesmo assim, invadiu minha casa para procurá-la. Uma garota que você nem conhecia. Por que fez isso?

Foi então que Bernard Pine sacou uma arma.

Wilde não hesitou. No momento em que percebeu o que acontecia, já estava em movimento. Ninguém que esteja com uma arma espera isso. Não no primeiro momento. Um dos dois homens naquele quarto – Wilde – era altamente treinado em combate. O outro não era. Pine cometeu o erro de ficar perto demais. Wilde deu um passo rápido na direção dele. Com uma das mãos, agarrou a arma. Com a outra, formou uma cutilada clássica e a desferiu sem muita força na garganta de Pine. Se você dá um golpe assim com força demasiada, causa dano permanente. Wilde só desejava uma sufocação, um reflexo de engasgo, uma liberação muscular.

Deu certo.

Pine cambaleou para trás, com uma das mãos no pescoço e a outra se agitando numa espécie de rendição. A arma agora na mão de Wilde parecia leve. Ele abriu o tambor do revólver e verificou.

Sem balas.

Pine recuperou a voz:

– Eu só estava tentando intimidar você.

Idiota, pensou Wilde. Mas não disse nada.

– Você entende, não é? Você invade a minha casa, começa algum tipo de relacionamento com minha filha. Você, o esquisitão que mora sozinho na mata. Quero dizer, se estivesse no meu lugar, não iria ficar desconfiado?

– Não sei onde sua filha está.

– Então explique: quem envolveu você na busca pela Naomi durante o Jogo do Desafio?

Wilde não ia contar. Mas, recuando e olhando com objetividade, ele viu que Pine tinha um argumento interessante. Matthew não havia explicado totalmente as coisas.

– Me dê o seu telefone – disse Wilde.

– O quê? Por quê?

Wilde apenas estendeu a mão. Pine entregou o aparelho. Wilde verificou o botão de mensagens e encontrou a de Naomi: Não se preocupe. Estou em segurança. Rolou a tela para ver o resto da conversa. Parou.

– O que foi? – perguntou Pine.

Não havia outras mensagens trocadas entre os dois – entre pai e filha.

– O que aconteceu com o resto das mensagens?

– O quê?

– Presumo que não tenha sido a primeira vez que você e Naomi trocaram mensagens de texto.

– Não, claro que não. Espere aí, o que você está fazendo?

Wilde verificou o histórico de chamadas. Sim, havia ligações para Naomi. Mas não muitas. As últimas tinham acontecido mais de um mês antes.

– Onde está o resto das mensagens entre vocês dois?

– O que... não sei. Deveriam estar aí.

– Não estão.

Pine deu de ombros.

– Será que alguém pode apagá-las?

Alguém pode. O dono do telefone.

– Por que você iria se livrar das mensagens trocadas com sua filha?

– Não fiz isso. Talvez a Naomi tenha apagado.

Pouco provável.

Wilde começou a digitar.

– O que você está fazendo? – perguntou Pine.

Wilde o ignorou. Digitou no campo de mensagens:

Oi, Naomi, aqui é o Wilde.

Ela poderia achar que na verdade não era ele. Poderia pensar que era o pai tentando enganá-la.

Vulgo Boo Radley.

Só ela entenderia a referência.

Estou usando o telefone do seu pai. Ele está preocupado com você.
Eu também. Avise se está bem.

Wilde deu o número de seu telefone atual e avisou que ela poderia mandar mensagens ou ligar. Depois jogou o celular de volta para Pine, mas guardou a arma no bolso.

Era hora de falar com Matthew. Dirigiu-se para a porta.

– Você vai me ajudar? – perguntou Pine.

Wilde não parou.

– Vou ajudar a Naomi.

capítulo dezesseis

ASSIM QUE SAIU da casa de Pine, Wilde verificou o celular, esperando uma resposta rápida.

Nada.

Se Naomi tivesse apenas fugido, será que não responderia imediatamente? Ele podia estar se iludindo, mas achava que sim. Wilde sentia que houvera algum tipo de conexão entre os dois naquele porão, dois párias que se entendiam. Mas, de novo, talvez fosse apenas sua imaginação, não alguma coisa significativa.

Mandou uma mensagem para Matthew:

Está em casa?

Os pontos dançaram antes que a palavra "Tô" aparecesse.

Posso passar aí?

A resposta de Matthew foi um emoji de polegar para cima.

Enquanto entrava na mata, Wilde ligou para Hester.

– Articule – disse ela quando atendeu.

– O quê?

– Um amigo meu diz isso quando atende. Achei bonitinho. E aí?

– A Naomi Pine está sumida de novo.

– Ouvi dizer.

– Como?

Ela pigarreou.

– Oren me contou.

A voz dela saiu meio engraçada.

– O que ele disse?

– Que o pai dela foi procurá-lo. Que fez um estardalhaço, mas que ela provavelmente fugiu de novo.

– O pai me procurou também.

– O que está lhe parecendo?

– Que ela fugiu sozinha.

Wilde contou sobre as roupas desaparecidas, a mochila e a mensagem para o pai dizendo que não se preocupasse.

– A mensagem eu descarto – disse Hester. – Se alguém a sequestrou, pode ter pegado o telefone e mandado qualquer coisa.

– Certo.

– Mas as roupas e o passado sugerem que ela fugiu.

– Concordo.

– De qualquer modo, e não sei como dizer isso com sutileza...

– Esse não é o seu ponto forte, Hester.

– ... isso não é mais da nossa conta. A não ser que você precise do dinheiro.

– Não preciso.

– Então?

– Duas coisas.

– Deixe-me adivinhar – declarou Hester. – Primeira: você conheceu a Naomi. Gostou dela. Quer ajudá-la, mesmo que ela tenha fugido. Está preocupado com a garota.

– É.

– E a segunda?

– Você sabe qual é a segunda, Hester.

Houve um suspiro.

– Matthew – disse ela.

– Ele não nos contou tudo na primeira vez. Deixamos pra lá quando encontramos a Naomi. O pai disse que ela estava com hematomas. Como se alguém tivesse batido nela.

– Ah, qual é, você não acha que o Matthew...

– Claro que não. Mas também não acho que ele tenha nos contado tudo.

– E você gosta da garota.

Wilde pensou nisso.

– Gosto. E ela está sozinha. Não tem ninguém.

– E aquela professora em quem você deu uns pegas?

Wilde franziu a testa.

– Você disse mesmo "deu uns pegas"?

– Prefere "com quem andou tendo um caso"?

– É melhor do que "deu uns pegas". Podemos tentar falar com a Ava, mas ela é só uma professora, não uma parente ou amiga.

– E qual é o seu plano?

– Vou conversar com o Matthew.

– Agora? Eu não pressionaria o garoto.

– Não vou pressionar. Você tem algum contato na companhia telefônica?

– Posso ter.

– Consegue rastrear o telefone da Naomi? Descobrir a localização dele?

– Posso tentar.

– Ou pode pedir ao Oren que faça isso – disse Wilde. – Depois de dar uns pegas nele.

– Engraçadinho.

Wilde pôs o telefone no bolso. A mata jamais ficava silenciosa. Alguns dias ele se sentia intuitivo e cheio de ideias em relação a isso, aos efeitos da quietude sem silêncio, mas para ele era diferente. Não era necessariamente agradável: era do que ele precisava. Não perdia a cabeça quando ia para a "cidade grande" nem nada disso. Às vezes gostava de mudar de ares. Mas ali era seu lar. Se ficasse longe por muito tempo – se não escapasse para essa quietude por longos períodos –, a situação era parecida com a de um mergulhador sofrendo de doença da descompressão.

Parecia papo-furado nível zen. Talvez fosse.

Matthew estava esperando Wilde na cozinha.

– A mamãe não está em casa – disse Matthew.

Wilde sabia. Laila tinha dito a ele que ficaria fora até tarde.

– A Naomi sumiu de novo.

Matthew não respondeu.

– Você notou? Na escola, por exemplo?

– Notei.

– E?

Um encolher de ombros.

– E achei que ela fugiu ou algo assim. A semana passada foi brutal. Imaginei que ela precisava de uma folga.

– Da outra vez você ficou muito preocupado.

– E acabou não sendo nada.

– Por que ficou tão preocupado?

Matthew mexeu os pés.

– Eu te contei.

– Você ficou sabendo do tal Jogo do Desafio.

– Isso.

– Só que eu não engulo essa, Matthew.

Os olhos do garoto se arregalaram.

– Acha que estou mentindo?

– Provavelmente por omissão. Mas acho.

Matthew balançou a cabeça, fingindo estar ofendido. Depois disse:

– Não é nada.

– Me conte assim mesmo.

– Não me sinto confortável...

– Então sinta-se desconfortável.

– Ei, você não é meu pai, sabia?

– É sério? – Wilde lançou um olhar duro. – Quer usar isso contra mim?

Matthew baixou os olhos. Sua voz saiu fraca:

– Desculpe.

Wilde esperou.

– Eu fiz mal a ela.

Wilde sentiu a pulsação acelerar, mas ficou quieto.

– Teve um baile. Tipo uma festa.

– Quando?

– Há dois meses.

Matthew parou.

Depois de algum tempo, Wilde perguntou:

– Onde foi a festa?

– Na casa do Crash Maynard. Era *tipo* uma festa, mas na verdade não era. Estava mais para um evento da escola. Há alguns anos uns caras ficaram bêbados num baile da escola, por isso a gente não pôde mais fazer festas no ginásio. Aí os Maynards ofereceram a casa. A turma inteira estava lá.

– A Naomi também?

– Sim, a turma toda.

Matthew manteve o olhar no chão.

Wilde cruzou os braços e falou:

– Continue.

– A Naomi levou um bicho de pelúcia. Um pinguim. Acho que, para ela, era tipo um animal de estimação terapêutico, alguma coisa assim. Não sei. Não era como se ela fosse pirada com aquilo. Era pequeno. Ela deixava dentro da bolsa. Mas mostrou a umas garotas. Elas começaram a rir. Bem, aí o Crash foi até ela e começou a conversar. Estava sendo legal, mostrando a ela aquele anel idiota de caveira. O que significava alguma armação. Enfim, era só para distrair a Naomi. Ela estava sorrindo e feliz... e aí dois outros caras correram e arrancaram a bolsa dela. Ela gritou e saiu correndo atrás deles na direção da mata que fica atrás da casa. Todo mundo ficou rindo.

Matthew fez uma pausa.

– Até você?

– É, mas não achei engraçado.

– Mas você viu isso acontecer?

– Eu estava conversando com a Sutton Holmes.

Sutton Homes. Wilde e Matthew não tinham muito papo de homem para homem, mas Wilde sabia da paixonite de Matthew. A única pessoa que já estivera na ecocápsula de Wilde era Matthew. Quando o garoto precisava se afastar do mundo, Wilde o levava para lá. Alguma coisa que tinha a ver com ar livre, acampar, estar em comunhão com a natureza, qualquer rótulo que você queira usar, parecia sempre levar a pessoa a se abrir.

– Estava escuro – continuou Matthew. – Os Maynards alugaram umas luzes portáteis, como as que a gente vê nos jogos de beisebol ao ar livre. Metade dos garotos tinha garrafinhas. Eles misturavam bebidas destiladas com qualquer bebida doce que os Maynards estivessem servindo. Mas eu fiquei olhando para a mata. Esperando a Naomi voltar. Uns cinco minutos se passaram, talvez dez. Então o Kyle saiu da mata. Estava levantando a mão. De início não consegui identificar o que ele estava segurando, mas quando ele chegou mais perto – Matthew fechou os olhos – vi que era a cabeça do pinguim de pelúcia. Só a cabeça.

Wilde sentiu o coração se encolher.

– Todo mundo ficou gritando e comemorando.

Wilde tentou não julgar.

– E você?

– Você quer ouvir isso ou não?

Matthew estava certo. Mais tarde haveria tempo para isso. Agora ele parecia pequeno demais. Wilde se lembrou de que Matthew era o menininho que tinha perdido o pai num acidente de carro. Só estava tentando se encaixar num grupo, algo que Wilde jamais tinha conseguido entender porque desejava o oposto.

– Eu estava bem bêbado.

– Doidão também?

– Não, não usei nenhuma droga. Mas bebi muito. Sei que isso nunca é desculpa para nada, mas acho que importa. Eu estava cambaleando para lá e para cá e, em algum momento, enquanto ia ficando cada vez mais tarde, percebi que ninguém estava indo embora. É que um pai tinha sacado que tinha muita gente chapada e achou que seria mais seguro se a gente continuasse lá até todo mundo ficar sóbrio.

Fazia sentido, pensou Wilde.

– Uma hora eu vi o Crash pegar um isqueiro. Ele acendeu. Depois colocou fogo no pinguim da Naomi. Assim. Ele estava com um sorriso enorme na cara. Olhou em volta, acho, porque queria ver a reação da Naomi, e eu percebi que ela não tinha voltado desde que tinha corrido atrás dos caras que pegaram o pinguim.

Matthew pegou uma maçã e foi para a sala. Wilde foi atrás.

– O que aconteceu depois, Matthew?

Matthew olhou a maçã aninhada na mão e Wilde se perguntou se ele estaria vendo aquele pinguim.

– Eu gostaria de explicar como me senti.

– Tente.

– Arrasado. Deprimido. Nessa hora a Sutton estava com o Crash. Os casais estavam começando a se juntar e sumir. Eu só me senti... não sei... deslocado, com raiva, idiota. E estava bêbado, então aquilo tudo... Então saí procurando por ela. Procurando a Naomi. Estava escuro. Mas, graças a você, eu sei me virar na mata. Uma hora eu tropecei e bati de cara numa árvore. Fiquei mais tonto ainda. Meu lábio sangrou. E aí achei ela. Ela estava sentada numa pedra. Dava para ver o perfil, e ao luar a Naomi estava realmente bonita. Cheguei mais perto. Ela não se virou, mas com certeza me ouviu. Não estava com lágrimas no rosto. Os olhos estavam secos. Perguntei se ela estava bem. Ela disse: "É só um boneco de pelúcia idiota." E parecia que estava falando a verdade. Como se realmente não se importasse. Cheguei mais perto e minhas pernas meio que cederam e eu despenquei ao lado dela. A gente estava perto daquele riacho atrás da casa dos Maynards. Acho que o barulho do riacho devia ser gostoso e coisa e tal, mas sabe o que eu lembro que pensei na hora?

– Não.

– O barulho me deu vontade de mijar. Então pedi licença. Fui para trás da árvore mais próxima. Para você ver como eu estava bêbado. Ali mesmo. Baixei a calça e... bem, depois fechei o zíper de novo, voltei e me sentei com ela. A gente começou a conversar. Foi legal. Eu conheço a Naomi desde pequeno. Acho que a gente nunca tinha conversado. Pelo menos não assim. E, de novo, eu estava bêbado, agora o barulho do riacho era meio relaxante, e tinha o luar, e mil coisas passavam pela minha cabeça. Não sabia que horas eram.

Vi as luzes do estádio se apagando lá longe. E aí, em algum momento, beijei ela. Ou talvez ela tenha me beijado. De qualquer modo, foi consensual. Não quero que você pense que não foi. Ela estava de boa. A gente se agarrou. E, na minha cabeça, não sei como descrever... Parte de mim estava totalmente a fim, certo? Quero dizer, a maior parte. Eu não sabia se gostava dela ou não. Nem acho que isso importa. Não consigo explicar melhor.

Adolescentes, pensou Wilde.

– Quer ouvir uma coisa horrível?

Wilde assentiu levemente.

– A gente começou a ir um pouco mais longe nos amassos. A mão dela estava na minha perna, essa coisa toda. Uma parte de mim pensava: é, isso é demais. E outra parte estava tipo uau, olha só, você está com a maior fracassada da escola. – Matthew parou, levantou a mão e balançou a cabeça. – Não estou explicando direito. E não importa. Porque nesse momento, com a mão dela na minha perna e minha mão embaixo da blusa dela, uma luz forte bateu na nossa cara. Nós dois pulamos para trás. Ouvi uma gargalhada. Era difícil identificar, mas tive certeza de que escutei o Crash, o Ryan e... a Naomi saiu correndo. Feito um coelho. Ela ficou de pé e se mandou. Nem deu para eu ver. A luz ainda estava nos meus olhos. Levantei a mão para bloquear. Todo mundo estava rindo e zombando de mim porque eu estava com *ela*. Fiquei piscando e senti os olhos se encherem de lágrimas. Só queria morrer, sabe? Estava pensando: nunca vou superar isso. E, nos dois meses seguintes, não superei. Não sei onde eu estava na escala social, mas fui jogado lá embaixo. Não tão baixo quanto a Naomi. Mas bem embaixo.

– O que você disse? – perguntou Wilde. – Aos caras que estavam rindo de você?

– Que não era nada. Que eu só estava curtindo. – Ele engoliu em seco. – Falei... falei que ela era fácil.

– Que elegante.

Matthew fechou os olhos. Wilde recuou.

– Você conversou sobre isso com a Naomi?

– Não.

– Sério?

Matthew não respondeu.

– Quando você a viu de novo?

– Na escola. Mas nós nos evitamos. – Matthew pensou. – Para ser honesto, eu é que estava evitando mais. Fiquei mal de verdade durante umas semanas.

– Isso tudo é horrível – disse Wilde. – Mas ainda não sei direito por que você ficou tão preocupado quando ela sumiu.

– Ainda não terminei a história.

Lágrimas inundaram os olhos do garoto. Wilde sentiu o coração se apertar.

– Vou pular as desculpas, está bem? Porque não existe desculpa. Eu tive um gostinho do que a Naomi sofreu durante anos. Só um gostinho. E não aguentei. Assim, quando o Crash me procurou oferecendo um modo de eu voltar a cair nas graças deles, aceitei. É só isso que importa. Não o porquê. Só o que eu fiz.

– O que você fez?

– Foi uma pegadinha.

– Como?

Ele não respondeu.

– Matthew?

– Pedi à Naomi que se encontrasse comigo. Tipo um encontro. Mandei uma mensagem dizendo que queria ver ela de novo, no mesmo lugar atrás da casa dos Maynards. E para não contar a ninguém.

– Como ela respondeu?

– Disse que sim. – Ele deu de ombros. – Pareceu empolgada.

Matthew fechou os olhos.

Wilde se esforçou para manter a expressão neutra.

– E?

– E eu fiz a pegadinha.

– Como?

– Tipo não apareci.

– Ei, Matthew!

Matthew levantou os olhos.

– Não é hora de usar palavras suaves. Como assim, tipo não apareceu?

– Não apareci. Eu deveria dar um bolo nela e aí, quando ela mandasse uma mensagem perguntando "Cadê você?", eu não deveria responder.

– Mas respondeu?

– Respondi.

– O que você disse?

– Disse "Desculpe".

– O que ela disse depois?

– Nada. Nunca mais falou comigo.

A lembrança de Wilde voltou àquele porão. Às palavras de Naomi sobre

Matthew: *"Ele provavelmente se culpa. Diga a ele que não deveria. Ele também só quer fazer parte do grupo."*

Talvez Naomi o tivesse perdoado, e talvez Matthew estivesse procurando absolvição, mas não seria Wilde que iria dar.

– E o que aconteceu quando a Naomi foi até o riacho sozinha?

– O Crash apareceu. Com outros do grupo.

– E?

– E não sei. Ou pelo menos não sabia. Foi por isso que procurei a Vó. No outro dia a Naomi sumiu. Eu pensei... bem, não sei o que pensei. Achei que eles tinham feito alguma coisa com ela.

– Tipo o quê?

– Tipo... não sei. – Ele levantou as mãos. – Mas, no fim das contas, a Naomi estava bem. Você a encontrou. O Crash apenas contou a ela sobre aquele jogo idiota do Desafio. Convenceu ela a topar. Só isso.

Wilde ouviu o que achou que seria um carro chegando à entrada de veículos. Foi pelo corredor e olhou através da janela. Um homem alto, com roupas nitidamente de grife, saiu pela porta do motorista de um reluzente Mercedes-Benz SL 550 preto. Foi depressa para o lado do carona, esperando bancar o eterno cavalheiro galante, mas Laila já havia aberto a porta e saído também.

Então era por isso que Laila tinha dito a Wilde que chegaria tarde.

Sem mais uma palavra, Wilde desceu a escada e saiu pela porta dos fundos. Matthew entenderia. Todos já haviam passado por isso. Laila não levaria o Roupa de Grife para dentro de casa. Pelo menos por enquanto. Não com Matthew em casa. Mas pediria a Wilde que ficasse longe dela por um tempo. Wilde faria isso e Laila tentaria, e no final a relação não iria dar certo.

Wilde não deveria desejar isso. Disse a si mesmo que não desejava, que só queria que Laila fosse feliz. Mas, por ora, Laila daria uma chance a esse cara – e Wilde iria se arranjar com outras mulheres. Ainda veria Laila platonicamente – ela jamais desejaria que ele ficasse fora da sua vida, e sobretudo da de Matthew – e um dia o Roupa de Grife iria embora e Wilde passaria a noite ali.

Talvez esse ciclo fosse bom. Talvez devesse ser assim. Ou talvez Wilde devesse ficar menos disponível e não ser uma saída tão conveniente para ela. Talvez ele tornasse fácil demais ela abrir mão de um relacionamento novo. Talvez não. Talvez ela estivesse melhor com Wilde e devesse esquecer o Roupa de Grife. Talvez Wilde estivesse racionalizando demais. E talvez, apenas talvez, ele não devesse decidir o que Laila realmente queria, precisava ou o que era melhor para ela.

E estava ficando tarde. Ele encontraria Ava O'Brien de manhã. Podia ser que houvesse mais alguma coisa aí. Talvez – pensou, parando e ouvindo o Mercedes se afastar pela entrada de veículos – ele quisesse mais alguma coisa.

capítulo dezessete

A PRIMEIRA COISA QUE WILDE fez quando acordou às cinco da manhã foi verificar as mensagens no celular. Não havia nenhuma. Naomi ainda não tinha respondido. O que isso significava? Ele não fazia ideia.

Vestiu um short e se alongou do lado de fora da ecocápsula. O ar da manhã estava frio. Respirou fundo, sentiu um arrepio. Wilde começava a maior parte dos dias com uma caminhada pela mata. Quando chegou a um pico, pegou o telefone e mandou uma mensagem para Ava O'Brien pedindo para vê-la na escola. Ainda eram 5h15, por isso ele não esperava uma resposta. Mas Ava também se levantava cedo, lembrou enquanto olhava os pontos dançantes indicando que havia uma resposta a caminho. Ela sugeriu a entrada do estacionamento dos professores atrás da escola à uma da tarde. Wilde digitou de volta:

Nós dois estamos acordados. Que tal eu ir aí agora?

De novo os pontos dançantes. Depois: Não é uma boa hora.

Wilde se lembrou do sujeito grande e barbudo e assentiu: Uma da tarde. Entrada do estacionamento dos professores.

Terminou a caminhada, abriu uma cadeira de praia e começou a ler. Era um leitor voraz desde que se entendia por gente. Quando os guardas do parque o haviam encontrado, tantos anos antes, Wilde já sabia ler, algo que deixou os peritos perplexos. Sem dúvida, disseram, a única explicação era que o menino estava mentindo ou confuso: alguém o havia alimentado, vestido e educado. Ele não podia ter aprendido a ler sozinho. Mas, pelo que Wilde sabia, tinha. Havia invadido casas e assistido à televisão, inclusive a programas supostamente educativos como *Vila Sésamo*. Além disso, numa casa ele havia encontrado fitas de vídeo educativas sobre como ensinar os filhos a ler.

Tinha certeza de que havia aprendido a ler assim.

O que o trouxe de volta ao exame de DNA do site de genealogia.

Ainda não tinha olhado o resultado. Será que queria? Será que precisava dessa confusão em sua rotina? Estava contente com a situação atual. Gostava de ser minimalista em todos os sentidos, inclusive em relação às pessoas em sua vida. Então por que abrir essa porta?

Estava curioso?

Pousou o livro. Era um romance em capa dura. Lia mais livros em papel do que num leitor eletrônico, não porque não gostasse da tecnologia ou porque gostasse da experiência tátil de virar páginas, mas simplesmente porque já usava equipamentos eletrônicos suficientes, de modo que o material impresso, lido e depois doado, lhe servia melhor.

Encontrou o e-mail do site de DNA. Dois meses antes, havia se inscrito usando nome falso e cuspido no tubo de ensaio. Wilde tinha várias identidades falsas. Os documentos estavam em caixas de metal à prova de fogo e água, segundo os anunciantes, enterradas no bosque a menos de 100 metros dali. Nas caixas também havia dinheiro, além de contas bancárias em todos aqueles nomes – um bocado de meios fáceis para desaparecer, se necessário.

Clicou no link e digitou o nome de usuário e a senha que tinha criado ao mandar a amostra de DNA. Isso o levou a uma página onde estava sua Composição de Ancestralidade, que, no seu caso, se espalhava por todo canto, com a maior porcentagem sendo vagamente "leste-europeia". E o que isso lhe dizia? Nada. Será que mudava o modo como se sentia ou o levava mais para perto da verdade? Definitivamente não.

A faixa menor, embaixo de sua Composição de Ancestralidade, dizia:

Você tem mais de cem parentes! Clique no link para saber mais!

Deveria clicar?

Sua mãe ou seu pai poderiam estar atrás daquele clique. Uau, só de pensar nisso... Afinal, e se eles estivessem? A maioria das pessoas procurava essas respostas porque sentia que faltava alguma coisa, que as respostas poderiam de algum modo preencher algum vazio indistinto. A maioria queria mais gente em sua vida – mais familiares, mais parentes. Wilde não queria. Portanto, por que abrir essa caixa de Pandora?

Ainda assim, a ignorância nunca era uma bênção. Wilde acreditava nisso com firmeza. Então por que não clicar no link? Não precisava dar mais do que uma olhada rápida por enquanto. Só clicar e ver se a informação estava ali.

Clicou no link.

Sentiu-se como um concorrente numa gincana pela TV esperando o apresentador puxar uma cortina, podendo haver um carro novo atrás dela ou simplesmente nada.

Estava mais para nada.

Não havia uma mãe identificada nem um pai identificado, nenhum irmão identificado, nenhum meio-irmão identificado. Na verdade, o parente mais próximo era um primo em segundo ou terceiro grau com as iniciais PB, que compartilhava 2,44% do DNA de Wilde e oito segmentos. Havia um pequeno gráfico com a seguinte explicação:

Você e PB podem ter os mesmos bisavós. Também podem ser de gerações diferentes (primos distantes) ou compartilhar apenas um ancestral (meios-primos).

Era um pouco mais do que nada, porém não muito mais. Wilde achou que poderia contatar PB e começar a trabalhar em alguma espécie de árvore genealógica, mas nesse momento, com Naomi fugindo, Matthew se sentindo merecidamente atormentado pelo que tinha feito com ela e Laila namorando o Roupa de Grife (não que ele se importasse com esse último, lembrou-se), a ideia o deixou esgotado.

Isso poderia esperar.

Wilde não voltava à Escola Sweet Water desde a formatura. À medida que se aproximava, os fantasmas foram se juntando a ele. Ou pelo menos um fantasma. Quase podia sentir David, o pai de Matthew, chegando ao seu lado. Os dois tinham caminhado assim praticamente todo dia até que David tirou a carteira de motorista no primeiro ano do ensino médio e eles passaram a ir de carro. As memórias se aproximaram para desferir o golpe mortal, mas Wilde lutou contra isso.

Agora não. Sem distrações.

Na época em que Wilde estudava ali, não havia guardas de segurança. Agora era diferente. Os seguranças particulares uniformizados eram sérios e estavam armados. Puseram os olhos nele no instante em que Wilde chegou à rua principal. Wilde se aproximou do modo mais visível, sorrindo e mantendo as mãos à vista.

Mãos à vista ao se aproximar de uma escola do ensino médio. Que mundo!

– O que podemos fazer pelo senhor? – perguntou o guarda mais alto.

– Vim me encontrar com Ava O'Brien no estacionamento dos professores.

O outro segurança tinha bigode fininho e parecia suficientemente jovem para ser, se não um aluno da escola, o cara que tinha se formado dois anos antes e passava o tempo todo circulando pela cidade num sedã caindo aos pedaços. Ele procurou o nome de Wilde na prancheta enquanto o policial mais alto tentava intimidá-lo com o olhar. Wilde não se incomodou com isso nem com a apalpada ao ser revistado, o esvaziamento dos bolsos ou a passagem pelo detector de metais. Era triste ver como o mundo estava: as pessoas queriam mesmo armar dois caras assim e colocá-los perto de uma escola? Queremos mesmo proteger nossos filhos dando armas a dois aspirantes a policial mal pagos e depois misturando-os com um bando de adolescentes metidos a espertos? Parecia uma receita para o desastre. Wilde tinha trabalhado no ramo da segurança, por isso sabia que muitos dos seus concorrentes atiçavam os temores dos pais de modo a obter grandes contratos com escolas.

Crie o problema; depois monetize a solução.

O jovem guarda armado deu um telefonema e dois minutos mais tarde Ava O'Brien o estava guiando por um corredor. Wilde gostava do jeito de andar de Ava, o que parecia uma coisa estranha para pensar, mas tudo bem. Ela era linda e forte.

Devia ser o intervalo entre aulas, porque o único som era o dos pés deles no assoalho. Wilde voltou rapidamente ao tempo em que cruzava aqueles corredores. Ainda conhecia o caminho, claro. Será que alguém esquece? Quando passaram pelo ginásio, Ava indicou os retratos na parede.

– Vejo sua cara todo dia.

Havia provavelmente cinquenta rostos sob o cabeçalho "Hall da Fama Esportivo da Escola Sweet Water". Wilde aparecia ali como competidor de atletismo. Não compareceu à cerimônia de nomeação. Não era chegado a essas coisas. No último ano tinha estabelecido quase todos os recordes de corrida da escola: obstáculos, velocidade, fundo. O técnico de futebol americano tentou convencê-lo a jogar como zagueiro, mas Wilde não gostava dos esportes em equipe, apesar de toda a camaradagem e dos cumprimentos empolgados. Não gostava particularmente do time de futebol americano. Era tribal demais.

– Você parece bravo na foto – disse Ava.

– Eu estava bancando o macho.

Ela examinou a foto por um segundo.

– Eu diria que você não alcançou o objetivo.

– Raramente alcanço.

Seu olhar examinou as placas procurando Lola Naser. Não demorou. O sorriso luminoso de Lola – sem nenhuma tentativa de bancar o macho – o atingiu como uma queimadura de sol. Lola Naser era assim: luminosa, eloquente, intensa, entusiasmada, mesmo em casa. Praticamente o oposto de Wilde. Talvez fosse uma fachada forçada, seu modo de compensar a criação que tivera. Mas, se era isso, raramente Wilde a vira sair da personagem.

– Capitã do time de futebol – disse Ava acompanhando o olhar dele e lendo a placa de Lola. – Uau, ela ficou entre as melhores amadoras do país?

– Lola foi a melhor jogadora de futebol que a escola já teve.

– Era sua amiga?

– Irmã – disse Wilde. E depois: – Irmã adotiva.

Ava o levou a um ateliê de artes. Havia manchas de cor em todo canto. A sala era reconfortante, com as criações dos ultra-amadores misturadas com as dos superdotados, as esculturas desajeitadas junto a obras que poderiam ter lugar num museu. Havia simplesmente vida ali dentro. Bastante vida.

– Eu já verifiquei – começou Ava.

Seu tom era casual. Wilde esperou.

– A Naomi não aparece desde a quinta-feira passada – disse ela. – As ausências não foram justificadas. A escola mandou avisos por e-mail.

– Ouvi dizer que a coisa ficou feia quando ela voltou depois do último sumiço.

– Ouviu *quem* dizer?

– O pai dela.

Não havia motivo para pôr Matthew na conversa. Wilde a colocou rapidamente a par do resto: o pedido de ajuda de Bernard Pine, o quarto de Naomi, as roupas e a mochila faltando.

– É, foi feio – disse ela quando ele terminou. – Como seria de esperar.

– Como a Naomi reagiu?

– Ao bullying?

– É.

– A Naomi... não sei, talvez tenha ficado retraída. Tentei fazer com que ela se abrisse, mas ela não falou muita coisa.

– Mais alguém com quem ela possa ter falado?

– Não que eu saiba. – Ava inclinou a cabeça. – Ela disse que foi você que a encontrou. Disse que vocês conversaram no porão da casa dela.

– Foi.

– Ela gostou de você, Wilde.

– Também gostei dela.

– Ela contou por que topou fazer aquele jogo horroroso?

– Ela esperava que fosse um recomeço.

– Recomeço?

– Um modo de começar do zero com os colegas. Achou que talvez, se conseguisse, se realmente fizesse um estardalhaço, todo mundo fosse olhá--la de modo diferente.

Ava balançou a cabeça.

– Entendo, mas...

Wilde não disse nada.

– Eu gostaria que essa garotada entendesse como o ensino médio é curto – comentou ela.

– Eles não entendem.

– Eu sei. Meu avô, que mora no Maine, fez 92 anos recentemente. Perguntei a ele como era chegar a essa idade. Ele falou que é um estalar de dedos. Disse: "Um dia eu fiz 18 anos. Entrei para o Exército. Fui fazer treinamento básico no Sul. E agora estou aqui." Rápido assim. Foi o que ele disse. Como se tivesse entrado num ônibus com a mala de roupas em 1948 e tivesse saído agora.

– Parece um sujeito legal – disse Wilde.

– E é. Não sei por que contei isso a você. Mas se para nós, dois adultos, é difícil acreditar que a vida vai passar tão depressa, é impossível convencer uma garota de 16 anos que sofre bullying de que o mundo não é esta escola idiota.

Wilde assentiu.

– E você tem alguma ideia de onde a Naomi possa estar?

– Acho que nós dois concordamos que ela provavelmente fugiu.

– Provavelmente.

– Você tentou falar com a mãe dela? – perguntou Ava.

– Achei que você tivesse dito...

– É, eu sei. Mas isso foi antes. O que a Naomi disse a você sobre recome-çar... ela me disse uma coisa assim também. Mas, depois do que aconteceu com aquele Jogo do Desafio, ela sabia que isso não poderia acontecer aqui, nesta cidade. O recomeço implicava um lugar novo.

– Então você acha que ela pode estar com a mãe?

– A Naomi disse que a mãe ia viajar. Na ocasião não pensei muito nisso, mas talvez houvesse um pouco de saudade na voz dela.

– Você sabe para onde a mãe ia?

– Só sei que era para fora do país.

– Certo, vou tentar descobrir.

Ava olhou o relógio. Wilde captou a deixa.

– Você provavelmente tem uma aula – disse.

– É. – E depois: – Com relação àquelas mensagens que mandei para você na outra noite...

Wilde sabia do que ela estava falando, claro. Venha esta noite. Vou deixar a porta destrancada. E depois: Sinto saudade de você, Wilde.

– Não se preocupe com isso.

– Eu não estava querendo nada além daquilo que nós tivemos. Só... quero dizer, eu tive um momento de solidão.

– Eu também costumo ter.

– É?

Ele não viu motivo para repetir.

– Foi estranho – disse ela. – O que a gente teve. Agora não é hora. Mas...

– Foi bom. Bom de verdade.

– Mas não podia durar, não é?

Ela não perguntou lamentando, nada do tipo.

Wilde não respondeu.

– Foi como uma daquelas criaturas vibrantes que só sobrevivem por pouco tempo. Um ciclo de vida inteiro em poucos dias.

Ele achou que era uma boa imagem.

– É, por aí.

Eles se levantaram. Nenhum dos dois tinha certeza do que fazer. Ava foi até ele e lhe deu um beijo no rosto. Ele a encarou e quase disse que estava disponível. Quase. Mas não disse.

Mudando de assunto:

– Você conhece o filho do Maynard?

Ela piscou e deu um passo para trás.

– O Crash? Só pela reputação.

– E como ela é?

– Péssima. Ele costumava atormentar a Naomi. Talvez houvesse alguma coisa mais.

– Mais?

– Quem desdenha quer comprar – disse Ava.

– Como se tivesse uma queda por ela?

– Eu não diria bem isso. Ele namora a Sutton Holmes. Mas acho que a Naomi fascina o Crash de um jeito que ele provavelmente não seria capaz de expressar.

– O Crash Maynard está na escola hoje?

– Provavelmente. Por quê?

– Que horas os alunos saem?

capítulo dezoito

HESTER COLOCOU A TOUCA de silicone e nadou por 45 minutos na piscina coberta no piso inferior do prédio do seu escritório. A natação – indo em estilo livre e voltando de peito – vinha sendo sua principal atividade física nas últimas duas décadas. Antes disso, ela não gostava muito de piscina. Trocar o maiô é um saco. Você fica fedendo a cloro, que acaba com o cabelo. É entediante a ponto de entorpecer. Mas foi esse último ponto – o tédio de entorpecer – que acabou conquistando Hester. Momentos de pura solidão, de puro silêncio, de, sim, puro tédio – braçadas que você repetirá centenas de vezes (talvez milhares nessa mesma semana) – acabavam sendo o que outras pessoas consideravam zen. Com o corpo envolto em água e produtos químicos, Hester ensaiava apresentações de processos, testemunhos e interrogatórios.

Hoje, porém, sozinha naquela piscina, o corpo cortando a água suavemente, ela não pensava no trabalho. Pensava em Oren. Pensava nessa noite.

É só um jantar, lembrou.

Ele a havia convidado para sair.

Não é um encontro. É só uma refeição com um velho amigo.

Errado. Um homem não vai até o seu trabalho e convida você para compartilhar uma refeição como velhos amigos. Isso não era um treino. Era um *encontro*. A coisa de verdade.

Hester tomou uma chuveirada, secou o cabelo, vestiu seu melhor terninho. Quando saiu do elevador, Sarah McLynn, sua assistente, lhe entregou um punhado de mensagens que precisavam de atenção. Hester as pegou, foi para sua sala e fechou a porta. Sentou-se à mesa, respirou fundo e abriu o navegador da internet.

– Não, Hester – disse em voz alta.

Mas desde quando Hester Crimstein aceitava conselho de alguém, especialmente de Hester Crimstein?

No campo de busca, digitou "Cheryl Carmichael".

É. A ex de Oren.

Metade de Hester flutuou para fora do corpo e fez "tsc-tsc", desaprovando. A outra metade – a que ainda estava na cadeira – franziu a testa para a metade flutuante e contrapôs: "Ah, tá, como se você fosse boa demais para isso."

Apertou o enter e deixou a tela carregar. Os primeiros resultados mostravam uma Cheryl Carmichael que trabalhava como professora na CUNY. Não, definitivamente era a Cheryl Carmichael errada. Hester examinou a página. Não sabia direito o que encontraria na internet sobre uma mulher divorciada com 60 e muitos anos. Mas, quando encontrou a certa – Cheryl Carmichael que morava em Vero Beach, Flórida –, o que descobriu foi muito pior do que tinha imaginado.

– Meu Deus...

Cheryl Carmichael estava em todas as redes sociais. Sua conta no Instagram tinha mais de 800 mil seguidores. Sua bio no Instagram, ou sabe-se lá como isso se chamava, dizia:

> Figura pública
> Modelo de fitness
> Influenciadora e Espírito Livre
> "Adoro a vida!"
> #Maisde60eFabulosa

Tô passada!, pensou Hester.

Embaixo da biografia havia um endereço de e-mail "Para Pedidos". Pedidos? Que tipo de pedidos? A mente de Hester viajou loucamente até perceber que com "pedidos" ela queria dizer endossos pagos.

As empresas pagavam a Cheryl para posar com os produtos delas.

Olhar as fotos deu um nó no estômago de Hester. Cheryl, que antigamente tinha cachos que desciam até o meio das costas – Hester se lembrava dela no campo da liga juvenil de futebol vestindo short justo e uma blusa mais justa ainda, enquanto os pais das outras meninas fingiam que não estavam olhando –, agora usava aquele cabelo moderno, curto, espetado. Seu físico, que estava à mostra em muitas fotos ousadas com hashtags como #gatadebiquíni, #boaforma, #agachamento, #ratadepraia, era tudo isso e mais ainda.

Argh. Cheryl Carmichael ainda era de parar o trânsito.

O celular de Hester tocou. Ela olhou o número e viu que era Wilde.

– Articule – disse.

– O que você está fazendo?

– Me sentindo totalmente por baixo.

– Oi?

– Deixa pra lá. E aí?

– A companhia telefônica disse alguma coisa?

Wilde estava se referindo ao telefone de Naomi.

– Estão monitorando. Até agora não há nenhuma atividade.

– Quer dizer que o telefone está desligado?

– É.

– Eles sabem quando e onde ele foi desligado?

– Vou verificar. Falou com o Matthew ontem à noite?

– Falei.

– E?

– Talvez seja melhor você conversar com ele diretamente.

Wilde não queria trair a confiança de Matthew. Hester entendia.

– Há outra coisa que você pode fazer por mim – disse ele.

– Não estou muito a fim de colocar um bocado de recursos nisso. Quero dizer, a não ser que você tenha alguma prova real de que a Naomi não fugiu simplesmente.

– É justo. Você pode dar mais um telefonema para a mãe da Naomi?

Ele a colocou rapidamente a par da conversa com Ava O'Brien, a professora de artes.

– Mas, se a mãe estivesse com a garota, ela não contaria ao pai? – perguntou Hester.

– Quem sabe? Um telefonema rápido poderia encerrar o caso. Se você estiver ocupada demais...

– Então o quê? Você vai ligar? E dizer o quê? "Oi, sou um homem solteiro de quase 40 anos que está procurando sua filha"?

– Bem pensado.

– Eu faço isso.

– Está tudo bem, Hester?

Ela estava olhando uma foto de Cheryl Carmichael de maiô que poderia muito bem estar na capa da *Sports Illustrated*.

– Na melhor das hipóteses, estou na média.

– Parece mais mal-humorada do que o normal.

– Talvez. Onde você está?

– Ainda na escola. Quero tentar interrogar o filho do Maynard.

Wilde desligou o telefone e se virou para Ava.

– Tem certeza?

– Tenho.

– Pode pegar mal para você.

Ava deu de ombros.

– Eu vou sair no final do ano, de qualquer jeito. Todo o pessoal que trabalha em meio expediente vai sair. Cortes no orçamento.

– Sinto muito.

Ela descartou isso com um gesto.

– Está mesmo na hora de voltar para o Maine.

Continuavam na mesma sala de artes. Wilde havia circulado devagar, verificando os vários trabalhos dos alunos. Em certo sentido, era o melhor museu que ele já vira. Havia desenhos, aquarelas, esculturas, móbiles, cerâmicas e bijuterias, e, ainda que o nível de talento fosse naturalmente variado, o empenho e a criatividade eram simplesmente hipnotizantes.

Pararam junto à porta e esperaram a última campainha tocar.

– Quando eu estudava aqui, este lugar não era um ateliê de artes – disse ele.

– O que era?

– A oficina do Sr. Cece.

Ela sorriu.

– Você fez um abajur ou um banquinho?

– Abajur.

– Onde está?

Wilde tinha dado o abajur aos Brewers, seus pais adotivos, que haviam se aposentado e ido para um condomínio fechado em Jupiter, na Flórida. Wilde e sua irmã adotiva, Lola, tinham ajudado os Brewers a se mudar oito anos atrás, alugando um furgão para a longa viagem pela Interestadual 95. Lola ficava querendo parar para ver as curiosidades de beira de estrada por todo o caminho, como o Centro de Recepção de Óvnis, na Carolina do Sul, e a menor igreja dos Estados Unidos, na Geórgia.

Wilde não voltou à Flórida desde então.

Quando a campainha tocou, Wilde entrou num armário de suprimentos. Ava ficou perto da porta.

Dois minutos depois, Crash Maynard entrou.

– Queria me ver, Srta. O'Brien?

Wilde abriu uma fresta na porta do armário para olhar. Ava respondeu:

– Sim, obrigada.

Crash tocou uma escultura de argila perto do banco.

– Isso ainda está secando – alertou Ava.

– Não entendo por que mandou me chamar. Não faço aula de artes desde o primeiro ano.

– Não quero falar sobre artes. Por que não se senta?

– Minha mãe está me esperando, então...

– Você sabe onde a Naomi Pine está?

Wilde gostou disso. Não havia motivo para rodeios.

– Eu? – perguntou Crash, como se a simples ideia de que ele poderia saber fosse a coisa mais chocante e incompreensível do mundo. – Por que eu saberia?

– Você e a Naomi são colegas de turma.

– É, mas...

– Mas?

Crash deu um risinho que parecia ao mesmo tempo nervoso e presunçoso.

– Nós não somos exatamente amigos nem nada.

– Mas vocês se falam.

– Não.

Ava cruzou os braços.

– Por que ela me diria que vocês se falavam?

– A Naomi disse isso?

– Disse.

Crash pensou por um instante. Dava para ver as engrenagens girando enquanto um sorriso sem graça se espalhava no rosto dele.

– Eu não deveria contar.

– Mas?

– Acho que a Naomi é meio a fim de mim.

– E se for?

– Bem, quero dizer, se ela disse que a gente se falava... – ele deu de ombros – ...não sei. Talvez ela estivesse querendo se mostrar ou algo assim.

– Se mostrar?

– É. Ou, não sei, eu sou legal com ela e coisa e tal. E tipo... se ela me diz oi, eu digo oi de volta.

– Uau. Isso é *mesmo* legal.

Ele nem percebeu o sarcasmo.

– Mas a gente não tem nenhuma interação de verdade, tá entendendo?

– Acho que estou. Agora fale da noite em que o Matthew deu bolo nela na sua casa.

Silêncio.

– Crash?

Ele mostrou o telefone para ela e tocou num botão. Wilde não gostou disso.

– Minha mãe está me mandando uma mensagem, Srta. O'Brien.

– Está bem.

– Preciso ir.

– Primeiro responda à minha pergunta.

– Não sei do que a senhorita está falando.

– Sabe, sim. A Naomi me contou...

– Ela contou?

– Contou...

– Então não tem motivo para me perguntar – disse Crash com o que Wilde precisou admitir que era uma réplica bem decente. – É melhor eu ir agora, Srta. O'Brien.

– Eu quero saber...

Crash girou na direção dela, chegando um pouco perto demais.

– Não sei nada sobre a Naomi Pine! – O sorriso sem graça havia desaparecido. – Nada!

Ava não recuou.

– Você a viu naquela noite.

– E se vi? Ela estava na minha propriedade.

– Por que você disse ao Matthew Crimstein para fazer uma pegadinha com ela?

– O Matthew contou isso? – Ele balançou a cabeça. – Olhe, eu tenho o direito de ir embora. A senhorita não pode me forçar a ficar, pode?

– Não, claro que não...

– Então vou indo.

Wilde pensou: *Por que não?* Abriu a porta do armário e disse:

– Eu posso impedir.

Em seguida, atravessou a sala e se posicionou de costas para a porta, literalmente bloqueando a saída do adolescente. Ava lançou-lhe um olhar de reprovação e balançou a cabeça. O olhar e o balanço de cabeça diziam que essa não era a melhor maneira de lidar com a situação.

Crash fez uma careta.

– Que negócio é esse?

– Diga onde a Naomi está – ordenou Wilde.

Os olhos dele se estreitaram.

– Você foi à minha casa naquela outra noite. Foi você que tirou a arma do meu segurança.

Ava lançou outro olhar para Wilde. Ele o ignorou.

– Você não está encrencado – disse Wilde, o que podia ser verdade ou não. – Só precisamos encontrar a Naomi.

A porta atrás de Wilde se abriu de repente, acertando-o nas costas e o desequilibrando. Thor entrou baixando o ombro como um zagueiro de futebol americano. Wilde xingou a si mesmo. Claro, o garoto teria um segurança. Claro, ele usaria o telefone para pedir ajuda. Idiotice de Wilde ser apanhado desprevenido.

Agora estava seriamente encrencado.

Thor saltou para cima de Wilde. Sem hesitação. Wilde ainda estava tentando se orientar.

Mas era tarde demais.

Thor o envolveu com os braços musculosos, o ombro na cintura de Wilde, e o empurrou para trás. Apertando e levantando Wilde, Thor manteve as pernas em movimento, pronto para jogá-lo no chão.

Definitivamente aquilo não era bom.

Thor estava furioso. Provavelmente por ter sido humilhado quando Wilde o desarmou diante do chefe. Isso era vingança.

Wilde pensou no próximo movimento. Realmente não havia nenhum. Estava com os pés no ar, num abraço de urso, a milissegundos de bater no chão. Se estivessem de pé ou indo mais devagar, ele poderia tentar dar uma cabeçada no nariz do sujeito. Mas Thor tinha baixado o rosto para o seu peito.

Não funcionaria.

Nada funcionaria.

Ele precisaria se preparar para o golpe e se recuperar. Planejar o movimento seguinte.

No último instante, Wilde torceu o corpo com força. Isso não o impediu de ser jogado no chão. De jeito nenhum. Foi impelido contra a fórmica com força. O ar saiu dos pulmões num sopro. Mas, ao torcer o corpo, Wilde afrouxou o aperto de Thor a ponto de, em vez de o braço de Thor bater com a parte carnuda embaixo do antebraço, foi seu cotovelo que sofreu todo o impacto da queda.

E isso certamente doeu.

Um homem estava com o cotovelo machucado. Mas o outro – Wilde – não conseguia respirar.

Distância, pensou Wilde.

Foi seu único pensamento. Distância. Afastar-se do agressor. Colocar o máximo de espaço possível entre ele e Thor.

Recuperar-se.

Ainda no chão, Wilde tentou ignorar o desejo... não, a absoluta *necessidade* de respirar. Aí é que está. Já tinha ficado sem ar antes. Era paralisante e assustador, mas havia aprendido com a experiência que a paralisia era causada principalmente pelo medo: você *sente* que vai sufocar, que nunca mais vai respirar. Isso bloqueia tudo. As ordens do cérebro para os pés ou para as pernas são interrompidas. Mas agora Wilde sabia, apesar de todos os instintos primitivos dizendo o contrário, que sua respiração acabaria voltando, e mais rápido se ele não entrasse em pânico. Por isso lutou contra a tentação de simplesmente ficar onde estava e se enrolar numa bola até recuperar o fôlego.

Com os pulmões explodindo, rolou para longe.

– Larga ele! – gritou Ava.

Mas Thor era implacável. Mergulhou em cima de Wilde, apertando os joelhos contra as costas dele. O golpe provocou o que pareciam cacos de vidro subindo pela coluna. Ava tentou afastar Thor, mas ele se livrou dela como se fosse um pouco de caspa. Wilde quis girar, mas Thor não deixou. Ele enfiou o braço embaixo do de Wilde e a luta ficou séria. Quando a gente assiste a filmes antigos ou de treinamento, é tudo pancadaria. Os homens permanecem de pé e trocam socos, às vezes chutes. Mas a maioria das lutas acaba no chão, em disputas de agarramento. Thor tinha a vantagem do tamanho e do peso. Tinha o elemento surpresa. Tinha o fato de Wilde ainda estar tentando recuperar o fôlego.

A chave para a vitória costumava envolver sacrifício. Wilde tinha assistido a jogos de futebol americano suficientes para saber que os *quarterbacks* que não se encolhiam nem quando um defensor de 150 quilos estava para derrubá-los como um trem de carga eram os que obtinham êxito. Os melhores recebiam o golpe sem jamais perder o foco no alvo.

Foi isso que Wilde fez nesse momento.

Deixou o grandalhão acertar alguns golpes. Porque tinha um alvo.

Um dedo.

Ele se moveu, sabendo que Thor precisaria agarrá-lo perto do ombro para mantê-lo no lugar. Esperou por isso. Concentrou-se nisso – na mão de Thor indo para o seu ombro – e só nisso. E, quando Thor tentou o movimento,

Wilde partiu com as duas mãos, agarrou um dos dedos dele e o dobrou para trás com toda a força que tinha.

O dedo se quebrou com um estalo audível.

Thor uivou.

Distância, pensou Wilde.

Rolou de novo para longe. Podia ver a mistura tóxica de fúria e dor no rosto de Thor. O grandalhão se preparou para lançar-se de novo, mas uma voz cortou o ar como uma foice:

– Já chega.

Era Gavin Chambers.

capítulo dezenove

ASSIM QUE CHEGARAM AO ESTACIONAMENTO, Gavin Chambers enfiou Thor, que estava aninhando o dedo quebrado como se fosse um bichinho ferido, num Cadillac Escalade preto e o mandou embora. Colocou um acanhado Crash num Mercedes-Benz S-Class coupé dirigido pela mãe do garoto. A mãe – Wilde sabia que o nome dela era Delia – não estava gostando nada daquilo. Saiu do carro e exigiu uma explicação de Gavin. Wilde estava longe demais para ouvir o que era dito – mas suficientemente perto para ser perfurado pelas ocasionais adagas lançadas pelos olhos maternos.

Alunos da escola tinham se juntado ao redor. Wilde reconheceu Kyle, Ryan, Sutton e alguns outros garotos de quem Matthew havia falado ao longo dos anos. Matthew também estava lá, parecendo adequadamente mortificado. Ele encarou Wilde como se dissesse: *Qual é?* Wilde não devolveu nada.

Depois de um tempo, Delia Maynard entrou no carro, bateu a porta e foi embora com Crash no banco do carona. Os espectadores, inclusive Matthew, se dispersaram. Gavin Chambers voltou até Wilde e disse:

– Vamos dar uma volta.

Caminharam entre uma cerca e a parede de tijolos nos fundos da escola. Wilde podia ver o campo de futebol americano e, mais relevante para o seu passado, a pista de 400 metros que o rodeava. Era o local de seus supostos "dias de glória", ainda que nenhuma onda de nostalgia o tenha atingido. Não se viu subitamente como um atleta adolescente nem nada do tipo. A gente segue em frente na vida. De vez em quando pode dar um oi para o eu antigo, mas o eu antigo foi embora e não vai voltar. Quase sempre isso é bom.

– Achei que a garota tivesse sido encontrada – disse Gavin.

– Sumiu de novo.

– Se incomodaria de me contar sobre isso?

– Me incomodaria, sim.

Gavin balançou a cabeça.

– O que você fez aqui, confrontando o garoto desse jeito, ferindo meu funcionário, me deixa em maus lençóis. – Ele parou. – Achei que tivéssemos um acordo.

– Isso foi antes de a Naomi sumir de novo.

– E você tem alguma prova de que o Crash está envolvido?

Wilde não disse nada.

Gavin levou a mão à orelha.

– Não estou escutando.

– É por isso que eu estava fazendo perguntas a ele.

– Acho que você foi um pouquinho longe demais, não foi? A mãe dele está furiosa. Quer denunciar a professora de artes.

– A culpa é minha, não dela.

– É nobre da sua parte, mas não sei se a diretoria da escola vai concordar.

– Ameaçar o emprego da professora – disse Wilde com um pequeno movimento da cabeça – está meio abaixo do seu nível, não?

Gavin sorriu.

– Está, sim. Eu me informei sobre você, Wilde. A maior parte da sua ficha militar é confidencial. Mas, bem, eu tenho meus meios. É muito impressionante. Toda a sua história de vida é. Mas, como eu já disse, tenho os recursos humanos e materiais. Portanto, eis o nosso novo acordo. Eu vou interrogar o garoto para você. Se Crash Maynard souber alguma coisa sobre essa garota, eu lhe direi.

Eles continuaram andando.

– Tenho uma pergunta – disse Wilde.

– Estou ouvindo.

– A última vez que conversamos, você disse que havia muito mais em jogo do que uma briga de adolescentes.

– Isso é uma pergunta?

– O que está em jogo?

– Você não quer saber.

– Sério?

Gavin Chambers sorriu.

– Não tem nada a ver com a Naomi Pine.

– Tem alguma coisa a ver com Rusty Eggers?

Outro Cadillac Escalade preto parou diante deles. Gavin deu um tapinha nas costas de Wilde e foi na direção do carro.

– Mantenha contato – disse a Wilde. – Mas fique longe.

Quando Wilde entrou na mata a caminho da ecocápsula, Matthew estava esperando, andando de um lado para outro, os punhos fechados com força.

– Que negócio foi aquele?

– Você parece chateado – disse Wilde.

Wilde foi andando pela trilha. Matthew o acompanhou.

– E então?

– Então o quê?

– O que você estava fazendo na minha escola?

– Perguntei ao Crash Maynard sobre a Naomi.

– Na minha escola? Está de brincadeira comigo?

– Isso é um problema, Matthew?

– Eu estudo lá. Você entende isso, não é?

Wilde parou.

– O que foi? – perguntou Matthew.

– Já esqueceu o que fez com ela?

Isso calou o garoto. Wilde viu o sangue sumir do rosto de Matthew. A floresta estava silenciosa, solene. A voz de Matthew, quando ele a encontrou, saiu fraca:

– Não.

Seu queixo estava abaixado – e, droga, igualzinho ao David. Nesse momento o reflexo do pai era tão forte no rosto do filho que Wilde quase deu um passo para trás. Alguns segundos depois o queixo de Matthew se ergueu. Ele viu a expressão no rosto de Wilde e disse com rispidez:

– Pare com isso.

– Não estou fazendo nada.

– Está, sim – disse Matthew. – Você sabe que eu odeio quando você me vem com esse olhar de "Ah, meu Deus, ele é a cara do pai".

Wilde não conseguiu deixar de sorrir.

– É justo.

– Apenas pare com isso.

– Certo, desculpe. – Wilde fez a mímica de apagar a expressão do rosto. – Viu?

Matthew suspirou.

– Tem hora que você é muito mané.

Wilde sorriu.

– O que foi?

– É o tipo de coisa que o seu pai diria.

Matthew revirou os olhos.

– Quer parar?

Wilde costumava alertar Matthew de que falaria sobre seu pai, quer ele gostasse ou não. Não adiantava apaziguar o fantasma de David nem nada disso – no mundo de Wilde, morto era morto –, a não ser para Matthew. O pai de Matthew fora roubado do garoto. Isso não significava que sua lembrança ou sua influência também devessem ser roubadas.

– E o que São Papai diria sobre isso? – perguntou Matthew no tom mais carrancudo que conseguiu.

– Sobre o quê?

– Sobre o que eu fiz com a Naomi?

– Ele ficaria puto da vida.

– Iria me colocar de castigo?

– Ah, iria. Também iria obrigar você a se desculpar.

– Eu tentei. – E depois: – Eu vou me desculpar.

– Maneiro. E o seu pai não era santo. Ele fazia muita besteira. Mas também consertava.

Estavam passando pela ravina, não longe da ecocápsula, quando Matthew disse:

– Sempre?

– Sempre o quê?

– Ele sempre consertava?

Wilde sentiu alguma coisa se agitar no peito.

– Tentava.

– A mamãe acha que você está escondendo alguma coisa sobre a noite do acidente.

Wilde não interrompeu o passo, mas as palavras foram como uma ferroada.

– Ela disse isso?

– Você está?

– Não.

Matthew o encarou. Esqueça David – quando o garoto assumia um ar cético, ficava mais parecido com Laila. Então Matthew piscou e disse:

– Não importa, não é? Ele está morto, de qualquer jeito.

Wilde pensou nisso e decidiu que o comentário não exigia resposta.

Matthew perguntou:

– E o que o Crash contou?

A mudança de assunto o desestabilizou por um momento.

– Não muita coisa. Mas ele pareceu nervoso.

– Então você acha... o quê? Que o Crash fez alguma coisa com a Naomi?

– Todos os sinais ainda indicam que ela fugiu por conta própria.

– Mas?

– Mas para mim alguma coisa não está batendo.

Matthew sorriu ao ouvir isso.

– Você não me ensinou que sempre existe o caos?

– As anomalias são esperadas, mas ainda existe um certo padrão no caos.

– Um padrão no caos – repetiu Matthew. – Não faz muito sentido.

Verdade, pensou Wilde.

– Fico pensando... – Matthew gaguejou. – Fico pensando no que eu fiz com a Naomi naquela noite, quando não apareci. Me sinto culpado, acho. Em certo sentido, isso tudo é minha culpa, não é?

Matthew esperou. Wilde esperou.

Então Wilde perguntou:

– Quer que eu diga alguma coisa reconfortante?

– Só se for sincera.

– Então é melhor não.

Chegaram à ecocápsula. Matthew, o único visitante que ele já tivera, gostava de fazer o dever de casa no espaço apertado. Dizia a Wilde que assim tinha menos distrações.

Matthew queria estudar para um teste de física. O garoto era bom em ciências. Wilde ficou do lado de fora, lendo seu livro.

Duas horas depois, Matthew saiu e eles voltaram caminhando para a casa de Laila. Quando chegaram, Wilde disse que queria um copo d'água. Normalmente iria embora depois de se certificar de que Matthew estava dentro de casa, mas, com tanta coisa estranha envolvendo Naomi e até mesmo Crash, talvez valesse a pena ficar até que a mãe dele chegasse.

Além disso, queria ver Laila por dois motivos. O primeiro era o que Matthew tinha acabado de contar: Laila ainda questionava o relato oficial do que havia acontecido naquela estrada traiçoeira tantos anos antes.

– Matthew?

– O quê?

Wilde pensou na conversa de Ava com Crash.

– Tem alguma coisa que você não está me contando?

– Hein?

– Sobre a Naomi.

– Não.

Matthew lhe entregou o copo d'água. Depois subiu para o quarto e fechou a porta. Não disse a Wilde o que ia fazer e Wilde não perguntou. Wilde sentou-

-se na sala de estar e esperou. Às sete da noite o carro de Laila deslizou pela entrada de veículos. Ele se levantou quando ela abriu a porta.

– Oi – disse Laila ao vê-lo.

– Oi.

– Eu estava querendo falar com você.

Esse era o segundo motivo – e o mais importante – para Wilde vê-la.

– É, eu sei.

Laila parou.

– Sabe?

– Eu estava aqui na outra noite, com Matthew, quando você chegou. Saí pelos fundos.

– Ah.

– É.

– É só o início. Não sei se vai dar em alguma coisa...

– Não precisa explicar...

– ... mas pode dar.

Laila olhou para ele. Wilde captou a mensagem. Ela estava pronta para levar o relacionamento com o Roupa de Grife ao próximo nível. O nível físico, para quem não tiver entendido.

Ele fez que sim com a cabeça.

– É melhor eu ir.

– Não vai ser esquisito, certo?

– Nunca é, não é?

– Às vezes é, sim. E às vezes você fica muito tempo longe.

– Não quero me intrometer.

– Você não vai se intrometer. Mas Matthew continua precisando de você. *Eu* ainda preciso de você.

Ele atravessou a sala e beijou o rosto dela com ternura quase excessiva.

– Estarei aqui quando você precisar.

– Eu te amo, Wilde.

– Também te amo, Laila.

Ele sorriu. Ela sorriu. Wilde sentiu alguma coisa no peito rachar um pouco. Laila... bem, ele não soube o que ela sentiu.

– Boa noite – disse e saiu pela porta dos fundos.

capítulo vinte

Hester escolheu o restaurante: o RedFarm, um chinês moderninho que misturava delicioso com casual e um toque de humor culinário. Seus bolinhos prediletos, por exemplo, eram chamados de Pac-Man e pareciam as criaturas fantasmagóricas do jogo de videogame. O RedFarm não fazia reservas, mas Hester vinha com frequência, por isso conhecia um sujeito que lhe conseguia uma mesa de canto quando ela precisava. O clima era criativo e descolado em vez de romântico e silencioso, mas... ei, era o primeiro encontro.

Sem pressão, certo?

Oren tinha confiado em Hester para fazer o pedido. Agora a mesa estava coberta de bolinhos, vegetais de três cores, camarão com manga, sopa de porco com caranguejo (outro predileto), rabada crocante, frango com trufas pretas.

– Celestial – murmurou Oren entre os bocados.

– Está gostando?

– É tão delicioso que quase esqueço como a companhia é maravilhosa.

– Bela frase – disse Hester. – Posso perguntar sobre sua ex-mulher?

O hashi dele tinha acabado de agarrar um bolinho.

– Sério?

– Não sou boa com sutilezas.

– Deu para notar.

– E está na minha cabeça.

– Minha ex-mulher está na sua cabeça?

– Só tenho algumas perguntas. Posso ficar sentada aqui deixando que elas me distraiam ou posso simplesmente fazê-las.

Oren pegou o *dim sum*.

– Não quero que você fique distraída.

– Encontrei a página de Cheryl no Instagram.

– Ah.

– Você já viu?

– Não. Não curto redes sociais.

– Mas sabe sobre a página?

– Sei.

– Ainda pensa nela?

– Eu deveria responder que não, certo?

– Eu vi as fotos.

– Hum.

– Por isso não condeno você.

– Claro que ainda penso nela, mas não assim. Nós fomos casados por 28 anos. Você ainda pensa no Ira?

Hester não respondeu de imediato. Tinha experimentado uma dezena de roupas antes de se decidir por esse vestido. Só quando captou seu reflexo numa vitrine na rua percebeu que era um vestido que Ira sempre dizia que a deixava sensual.

– Nós dois temos um passado, Hester.

– Eu só... – Ela não sabia direito como dizer. – Cheryl e eu somos diferentes demais.

– É.

– Sei que isso é só um primeiro encontro, mas ela é tão... sexy.

– Você também.

– Não diga isso só para me agradar, Oren.

– Não é isso. Eu entendo. Mas não se trata de uma competição.

– Graças a Deus. Você disse que Cheryl o abandonou.

– Sim e não.

– Como assim?

– Acho que eu a abandonei antes. Pelo menos emocionalmente. Ela me deixou porque em parte eu a deixei. – Ele pousou o hashi e passou o guardanapo no queixo. Agora seus movimentos eram deliberados. – Quando as crianças saíram de casa, acho que Cheryl ficou sem chão. Você conhece a nossa cidade. É um lugar para criar filhos. Quando essa fase chega ao fim... bem, você, Hester, tem uma carreira. Mas Cheryl olhou em volta, as crianças tinham ido embora e eu ainda ia trabalhar todo dia, e ela ou estava em casa, ou jogando tênis, ou indo fazer zumba, ou sei lá o quê.

– Então ela simplesmente acabou com o relacionamento?

– Não é preciso que um de nós leve a culpa. O divórcio não significa que o casamento fracassou.

– Ah, desculpe se discordo, mas o divórcio me parece a própria definição de um casamento fracassado.

Oren trincou o maxilar e se virou para outro lado por um instante.

– Cheryl e eu passamos 28 anos juntos. Criamos três filhos ótimos. Temos um neto e outro está a caminho. Pense do seguinte modo: se você teve um carro durante 28 anos e então ele quebra, isso faz com que o carro seja um fracasso?

Hester franziu a testa.

– Essa analogia é forçada.

– Então que tal esta? Se a vida é um livro, nós dois estamos começando capítulos novos. Ela sempre será importante para mim. Sempre vou desejar a felicidade dela.

– Ela simplesmente... para continuar com essa analogia... não está mais nos seus capítulos?

– Exato.

Hester balançou a cabeça.

– Meu Deus, isso é tão maduro que dá vontade de vomitar.

Oren sorriu.

– Não antes de eu experimentar esse *dim sum* de rabada crocante, por favor.

– Certo. Uma última pergunta.

– Tudo bem, vá em frente.

Hester pôs as mãos em concha diante do peito.

– Cheryl fez plástica nos seios, não fez? Quero dizer, eles desafiam a lei da gravidade!

Oren riu enquanto Hester sentia seu telefone vibrar. Ela contou os toques na cabeça.

– Três toques – disse. – Preciso atender.

– O quê?

– Um toque é só um telefonema comum. Dois significa que é trabalho. Três é alguma coisa importante e eu preciso atender.

Oren sinalizou com as duas mãos.

– Então atenda.

Ela levou o telefone ao ouvido. Era Sarah McLynn, do escritório.

– O que foi? – perguntou Hester.

– Você está num encontro?

– Você está interrompendo.

– Tire uma foto dele disfarçadamente. Quero ver.

– Havia outro motivo para este telefonema?

– Precisa haver?

– Sarah.

– Certo. Falei com a mãe da Naomi, como você pediu.

– E?

– E ela se recusa a falar com você. Disse para cuidar da sua vida e desligou.

Gavin Chambers estava junto à janela de seu escritório num arranha-céu em Midtown Manhattan olhando os "manifestantes" – um grupo desorganizado que provavelmente não passava de vinte pessoas com cara de roqueiros velhos – reunidos no pátio do prédio. As palavras de ordem – "Liberem as gravações!" – não chegavam a empolgar. Os semimendigos seguravam cartazes para todas as causas de esquerda. Duas mulheres usavam gorros de tricô rosa desbotado. Segundo os vários cartazes, eles queriam Libertar a Palestina, Resistir e Abolir a Polícia de Imigração, mas hoje pareciam não estar com o coração naquilo.

Delia se juntou a ele.

– Aquele não é...?

– Saul Strauss – respondeu Gavin, assentindo.

Não era difícil identificar seu velho colega de guerra, já que Saul tinha quase 2 metros e usava um rabo de cavalo comprido e grisalho que só era apropriado ali.

Dash encerrou um telefonema e foi para perto da esposa. Havia sempre naturalidade entre Dash e Delia, algo que fluía bem, e, ainda que Gavin tivesse tido vários relacionamentos na vida, invejava aqueles dois. As pessoas podem enganar a gente – enganam todo dia –, mas Gavin estava perto dos Maynards por tempo suficiente para reconhecer que a relação de Dash e Delia era para valer, o tipo de amor que faz com que o da gente pareça um tanto inadequado, por melhor que seja. Não era só o que eles diziam. Não era só como se olhavam ou se tocavam casualmente. Havia algo intangível, aquela mistura de grande amizade e atração física, e talvez Gavin estivesse fantasiando, mas quando se fala em alma gêmea, uma pessoa no mundo que é perfeita para você e quase impossível de encontrar, Dash e Delia pareciam ser exatamente isso um para o outro.

– O que os manifestantes querem? – perguntou Delia.

– Dá para escutar – disse Gavin. – Eles querem as gravações.

– Não existem gravações – declarou Delia.

– Eles não acreditam nisso.

– E você, Gavin? – indagou ela.

– Não importa.

– Isso não é resposta.

– Vou proteger vocês de um jeito ou de outro.

Finalmente Dash falou:

– Não foi isso que ela perguntou.

Gavin olhou para Dash, depois de volta para Delia.

– É claro que existem gravações – disse. – Mas se elas são tão prejudiciais para Rusty quanto nossos amigos vestidos de cânhamo lá embaixo gostariam de acreditar... não cabe a mim dizer.

Dash voltou para sua mesa.

– Então você entende a situação.

Gavin não se deu o trabalho de responder.

– Não estamos seguros – disse Delia, acompanhando o marido. – Se Crash pôde ser abordado daquele jeito na própria escola...

– Isso não vai acontecer de novo.

Dash passou o braço em volta dos ombros da mulher. De novo Gavin não pôde deixar de notar a desenvoltura, a naturalidade, a ternura nesse gesto cotidiano.

– Não basta.

– Quem era aquele homem? – perguntou Delia.

– O Crash não contou?

Delia balançou a cabeça.

– Crash disse que ele ficou perguntando sobre a Naomi Pine.

– As pessoas o chamam de Wilde.

– Espere aí, é aquele cara esquisito, da montanha, que encontraram na floresta?

– É.

– Não entendi. O que ele tem a ver com a Naomi Pine?

– Ele é uma espécie de pai substituto do Matthew Crimstein. Por algum motivo, Matthew e a família estão interessados no paradeiro da Naomi.

– Crimstein – repetiu Dash. – Alguma relação com Hester?

– Sim.

Ninguém gostou disso.

– Crash jura que não sabe nada sobre a Naomi – contou Delia. Como Gavin não reagiu, ela perguntou: – Você acha que ele sabe?

– O Crash esteve em contato com ela. Como vocês provavelmente sabem, ela sumiu há cerca de uma semana fazendo um jogo chamado de Desafio.

– Algumas mães estavam falando sobre isso.

– O Crash... a encorajou a fazer o jogo.

– Está dizendo que ele a forçou?

– Não, mas a pressão do grupo foi um fator importante.

– Acha que Crash fez alguma coisa ruim com essa garota?

– Duvido muito – respondeu Gavin. – Ele é monitorado demais.

Os dois ficaram visivelmente aliviados.

– Mas isso não quer dizer que ele não saiba de nada a respeito.

– Então o que vamos fazer? Eu não gosto disso. – Delia olhou de novo para o pátio. Saul Strauss estava olhando direto para cima, quase como se pudesse vê-los através das janelas com vidro espelhado. – Não gosto nada disso.

– Minha sugestão é que a família se afaste um pouco desta cidade. Talvez em uma viagem para fora do país.

– Por quê?

– As pessoas percebem Rusty Eggers como uma ameaça existencial.

Gavin Chambers esperou que um deles questionasse o argumento. Nenhum dos dois fez isso.

– Gavin? – disse Delia.

– Sim.

– Estamos seguros, não é? Você não vai deixar que nada aconteça com nosso filho.

– Vocês estão seguros – respondeu Gavin. – Ele está seguro.

capítulo vinte e um

MATTHEW FEZ UM SANDUÍCHE de pasta de amendoim com geleia. Sentou-se sozinho à mesa da cozinha, comeu, continuou com fome, fez um segundo e estava comendo quando alguém bateu na porta dos fundos.

Olhou pela janela e ficou surpreso – quase chocado – quando viu Crash Maynard. Preparado para qualquer coisa, abriu com cuidado a porta até a metade.

– Oi – disse Crash.

– Oi.

– Posso entrar um segundo?

Matthew não se mexeu nem abriu mais a porta.

– O que foi?

– Eu só... – Crash usou a manga para enxugar os olhos. Olhou para o quintal. – Lembra quando a gente jogava bola aqui?

– No quinto ano.

– A gente se sentava junto na aula do Sr. Richardson. Ele era esquisitão, não era?

– Era.

– Mas também era incrível.

– Sim – concordou Matthew.

– Na época a gente vivia junto, lembra?

– É. Acho que sim.

– Era mais fácil.

– O quê?

– Tudo. Ninguém se importava com quem tinha uma casa grande nem com o que os outros pensavam. A gente só... se importava em jogar bola.

Matthew sabia que isso não era exatamente verdade. Podia ser uma época mais inocente, mas não era tão inocente assim.

– O que você quer, Crash?

– Pedir desculpas.

Lágrimas escorreram pelo rosto dele. Agora sua voz era mais parecida com um soluço:

– Eu estou muito arrependido.

Matthew deu um passo para trás.

– Por que não entra?

Mas Crash não se mexeu.

– Tem muita merda acontecendo na minha casa neste momento. Sei que isso não é desculpa, mas é como se eu morasse em cima de um vulcão esperando ele entrar em erupção.

Tinham desaparecido a confiança de corredor de escola, a bravata, o riso de desprezo. Matthew não soube direito o que deduzir, mas alguma coisa parecia muito estranha.

– Entre – tentou de novo. – A gente bebia Yoo-Hoo, não era? Acho que minha mãe ainda tem um pouco na geladeira.

Crash balançou a cabeça.

– Não posso. Devem estar me procurando.

– Quem?

– Eu só queria que você soubesse, tá? Sinto muito mesmo por fazer mal a você. E à Naomi. O que eu fiz...

– Crash, entre aqui...

Mas Crash já estava correndo para longe.

Wilde ainda não sentia vontade de voltar para a ecocápsula.

O local que ele costumava frequentar – seu "point" – era um bar localizado no saguão da torre de vidro do hotel Sheraton na Rota 17 em Mahwah, Nova Jersey. O hotel se anunciava como "sem frescuras mas sofisticado", o que parecia bem próximo da verdade. Era um hotel para pessoas a trabalho que vinham passar uma noite, talvez duas, e isso se aplicava tanto aos hóspedes quanto a Wilde.

O bar do Sheraton dava uma ótima sensação de espaço aberto, já que ficava num átrio de vidro. Os funcionários, como Nicole McCrystal, que lhe deu um sorriso de boas-vindas quando ele entrou, permaneciam os mesmos, ao passo que a clientela, na maioria jovens executivos tentando relaxar, mudava constantemente. Wilde gostava dos bares de hotéis pelo último motivo: a natureza transitória, a abertura, os quartos e as camas convenientemente localizados a apenas uma subida de elevador, caso fossem necessários.

Seria cedo demais?

Provavelmente. Mas quanto tempo Wilde deveria dar? Uma semana? Duas? A espera parecia arbitrária e desnecessária. Ele não estava de coração partido. Nem Laila.

– Wilde! – exclamou Nicole, obviamente feliz em vê-lo.

Ela trouxe uma cerveja. Em se tratando de cerveja, ele era, como o hotel, "sem frescuras", mas curtia o chope local que estivesse disponível. Hoje era uma *blonde lager* da cervejaria Asbury Park. Nicole se inclinou por cima do balcão para dar um beijinho no rosto dele. Tom, na outra ponta, acenou.

– Já faz um tempo – disse Nicole.

E sorriu. Tinha um sorriso simpático.

– É.

– De volta à caça?

Ele não respondeu porque ainda não sabia a resposta.

Ela se inclinou para ele.

– Algumas conquistas do passado andaram perguntando por você.

– Não as chame assim.

– Como prefere que eu chame? – Um sujeito encostou a barriga na outra ponta do balcão e levantou a mão. Nicole disse: – Pense nisso. Eu já volto.

Wilde tomou um bom gole da caneca e ouviu o zum-zum-zum do hotel. Seu telefone vibrou. Era Hester.

– Wilde?

Ele mal conseguia ouvi-la por causa do ruído de fundo do outro lado.

– Onde você está? – perguntou.

– Num restaurante.

– Sei.

– Num encontro.

– Sei.

– Com Oren Carmichael.

– Sei.

– Você tem um papo ótimo, Wilde. Que entusiasmo!

– Quer que eu grite "Uhu!"?

– A mãe da Naomi não quer falar comigo.

– O que você quer dizer com isso?

– O que acha que eu quero dizer? Que ela não vai falar comigo. Está se recusando a retornar meus telefonemas. Disse que a filha dela não é da minha conta.

– Então a Naomi está com ela?

– Não sei. Eu ia mandar meu investigador à casa dela, mas veja só: ela está de férias no sul da Espanha.

– Então talvez a Naomi esteja viajando com ela. Talvez a Naomi precisasse escapar de todo o bullying, por isso a mãe a levou para a Espanha.

– Onde você está, Wilde?

– No bar do Sheraton.

– Cuidado. Em matéria de bebida, você é mais fraco que uma mina na primeira festinha com a patota.

– O que é patota?

– Você é jovem demais para saber.

– Aliás, o que é uma mina?

– Hilário. A gente se fala de manhã. Preciso voltar para o Oren.

– Você está num encontro – disse Wilde. E depois: – Uhu!

– Palhaço.

Em determinado momento, Wilde se pegou conversando com Sondra, uma ruiva de 30 e poucos anos com calça justa e riso fácil. Estavam sentados na extremidade silenciosa do bar. Ela havia nascido no Marrocos, onde seu pai trabalhava na embaixada.

– Ele era da CIA – contou Sondra. – Praticamente todos os funcionários da embaixada são espiões. Não só os americanos, mas os do mundo inteiro. Pense bem. Se você pode levar quem quiser para um local protegido no coração de um país estrangeiro, claro que vai mandar seu melhor pessoal de contrainteligência, certo?

Na infância, Sondra tinha mudado um bocado de país, de embaixada em embaixada, principalmente na África e no Oriente Médio.

– Meu cabelo fascinava as pessoas. Existem muitas superstições em relação aos ruivos.

Ela havia estudado na Universidade da Califórnia, em Los Angeles, e se formou em hotelaria. Era divorciada e tinha um filho de 6 anos em casa.

– Não viajo muito, mas faço esta viagem todo ano.

O filho estava com o pai. Ela se dava bem com o ex e gostava de se hospedar nesse Sheraton. Sempre ganhava um upgrade e ficava com a suíte presidencial.

– Você precisa ver – disse, num tom capaz de alterar a censura de um filme de 14 para 18 anos. – Último andar. Dá para ver a linha do horizonte de Nova York. São três cômodos, de modo que se a gente só quisesse tomar uma bebida na sala de estar... quero dizer, não quero que você pense...

Por fim, Sondra entregou a ele um cartão-chave.

– Eles me deram dois quando cheguei – explicou rapidamente.

Ainda segurando seu segundo chope, Wilde assentiu.

– De qualquer modo, estou sem sono por causa da mudança do fuso horário. Vou trabalhar um pouco na sala, se você quiser subir mais tarde e tomar a saideira...

Saideira. Patota. Mina. Era como se ele estivesse vivendo em 1963.

Agradeceu, mas não prometeu nada. Sondra se dirigiu ao elevador. Wilde olhou para o cartão-chave para não olhar para ela. Uma bebida, ela disse. Na sala, não no quarto. Talvez fosse só isso. Talvez não fosse nada além.

Então um homem alto, com rabo de cavalo, disse:

– Você vai subir?

O sujeito alto ocupou o banco ao lado dele, apesar de haver vinte livres.

– Ela é muito bonita – disse o homem alto. – Gosto de ruivas. Você não?

Wilde não disse nada.

O homem alto estendeu a mão.

– Meu nome é Saul – disse ele.

– Strauss – acrescentou Wilde.

– Você sabe quem eu sou?

Wilde não respondeu.

– Bom, estou lisonjeado.

Wilde tinha visto Strauss algumas vezes no programa de Hester. Ele era um bom comentarista – uma mistura cativante de professor universitário superprogressista com o crédito de ter sido herói de guerra. Wilde não era fã de especialistas de TV. Eles apareciam nos programas para confirmar nossa narrativa ou nos irritar, e, de um jeito ou de outro, isso não era saudável para ninguém.

– Não captei o seu nome – disse Strauss.

– Mas sabe qual é.

– Alguém sabe? – Ele lançou um olhar inquisitivo que devia fascinar as meninas. – Chamam você de Wilde, não é? O famoso menino do bosque.

Wilde tirou as notas necessárias da carteira e as colocou no balcão.

– Foi um prazer – disse, levantando-se.

Strauss não se abalou.

– Então você vai ao quarto dela?

– Sério?

– Não quis ser indiscreto.

– Ei, Saul... posso chamar você de Saul?

– Claro.

– Por que a gente não pula as preliminares e vai direto ao ponto?

– Esse será o seu plano quando subir? – Strauss levantou rapidamente a palma da mão. – Desculpe, foi mal.

Wilde começou a se afastar. Strauss disse:

– Soube que você teve um desentendimento com o garoto do Maynard hoje.

Wilde se virou para ele.

– Você pediu que eu pulasse as preliminares, não foi? – disse Strauss.

– Soube por quem?

– Tenho minhas fontes.

– E elas são?

– Anônimas.

– Então tchau.

Strauss pôs a mão no braço de Wilde. Seu aperto era surpreendentemente forte.

– Pode ser importante.

Wilde hesitou, mas depois sentou-se de novo. Estava curioso. Strauss era um ativista apaixonado – hoje em dia quem não era? –, mas, para Wilde, ele também parecia um sujeito que acertava o alvo. Instintivamente, Wilde havia pensado que o melhor caminho era apenas descartá-lo, porém, pensando melhor, começou a se perguntar o que teria a perder se ficasse para ouvi-lo.

Nada.

Wilde disse:

– Estou procurando uma adolescente que provavelmente fugiu de casa.

– Naomi Pine.

Wilde não deveria ter ficado surpreso.

– Suas fontes são boas.

– Você não é o único ex-militar aqui. O que Crash Maynard tem a ver com Naomi Pine?

Agora Strauss parecia totalmente profissional.

– Talvez nada.

– Mas?

– Ela é uma excluída. Ele é o Sr. Popular. E houve alguma interação.

– Poderia ser mais específico?

– Por que não pergunta à sua "fonte"?

– Você sabe alguma coisa sobre o relacionamento de Maynard com Rusty Eggers?

– Sei que Maynard foi produtor dele.

– Dash Maynard criou Eggers.

– Certo.

Strauss se inclinou mais para perto.

– Faz ideia de como Eggers é perigoso?

Wilde não viu motivo para responder.

Então Strauss insistiu:

– Faz?

– Digamos que sim.

– E ouviu falar das gravações do Maynard?

– Não vejo a conexão.

– Pode não haver nenhuma. Wilde, posso lhe pedir um favor? Na verdade, não é um favor. Você é patriota. E quer que aquelas gravações sejam divulgadas, tenho certeza.

– Você não sabe o que eu quero.

– Sei que quer a verdade. Sei que quer justiça.

– E não sei se você promove alguma dessas coisas.

– A verdade é algo absoluto. Ou costumava ser. As gravações do Maynard precisam ser divulgadas porque as pessoas devem saber a verdade sobre Rusty Eggers. Quem pode questionar isso? Se as pessoas souberem a verdade, toda a verdade, e ainda quiserem entregar as chaves do país a esse niilista, tudo bem, isso é uma coisa.

– Saul?

– Sim.

– Vá direto ao ponto.

– Só me mantenha informado. E eu mantenho você informado. É a sua melhor chance de encontrar a garota. Você serviu de modo admirável porque ama este país. Mas Eggers é uma ameaça diferente de tudo que este país já enfrentou. Ele está tapeando a nação com seu carisma, mas seu suposto "manifesto" é no fundo um chamado à anarquia. Vai levar à escassez de comida, ao pânico mundial, a crises constitucionais e até à guerra. – Saul deslizou um pouco mais para perto e baixou a voz: – Suponha que as gravações do Maynard revelem o verdadeiro Rusty Eggers. Suponha que elas abram os olhos das pessoas para os sérios perigos que estão diante delas. Isso é maior do que qualquer missão que nós realizamos no estrangeiro, Wilde. Você precisa acreditar em mim.

Ele entregou a Wilde um cartão com o número do seu celular e o endereço de e-mail. Depois deu-lhe um tapinha nas costas e passou pela recepção a caminho da porta.

Wilde pôs o cartão de Saul Strauss no bolso e se levantou.

Foi em direção ao banheiro do saguão e urinou por um tempo bastante longo. Depois – para parafrasear Bruce Springsteen – verificou sua aparência no espelho e sentiu vontade de trocar de roupa, de cabelo, de fisionomia. Jogou água no rosto e se arrumou do melhor modo possível. Foi até o elevador de vidro e apertou o botão para subir. Nicole, a garçonete, captou seu olhar e assentiu levemente. Ele não soube como interpretar nem se aquilo significava alguma coisa, por isso assentiu de volta.

Para chegar ao último andar era necessário passar um cartão-chave na fenda. Ele fez isso com o cartão que Sondra tinha dado. Subiu encostado no vidro olhando para baixo à medida que o saguão ia ficando cada vez menor. Rostos redemoinhavam na sua mente – Matthew, Naomi, Crash, Gavin, Saul, Hester, Ava, Laila. *Laila.*

Merda.

Saiu e seguiu pelo corredor. Parou na frente da porta com placa de latão que dizia SUÍTE PRESIDENCIAL em letras chiques. Olhou o cartão-chave. Olhou para a porta. Sondra era linda. Você poderia criticar esse tipo de relacionamento, rotulá-lo, considerar que era vazio ou fazer qualquer julgamento que quisesse, mas era só uma questão de perspectiva. Ele e Sondra poderiam se conectar e ter alguma coisa especial. Só porque não era duradouro não queria dizer que fosse menos significativo. É um clichê, claro, mas tudo morre. Uma rosa belíssima vive pouco tempo. Alguns cupins podem sobreviver sessenta anos.

Wilde olhou mais uma vez para a porta, pensou em Sondra e naquele cabelo ruivo e comprido espalhado sobre seu peito. Depois balançou a cabeça. Essa noite, não. Desceria de volta ao saguão e ligaria para ela do telefone interno. Não queria que Sondra ficasse esperando.

Foi então que a porta se abriu.

– Há quanto tempo você está parado aí? – perguntou Sondra.

– Um minuto ou dois.

– Quer falar sobre isso?

– Provavelmente não deveria.

– Falar?

– Não sou muito bom em falar.

– Mas eu sou uma ótima ouvinte.

Ele assentiu.

– É, é verdade.

Ela deu um passo para trás.

– Entre, Wilde.

E ele obedeceu.

capítulo vinte e dois

Ao ACORDAR, A PRIMEIRA COISA que Wilde pensou – mesmo antes de perceber que estava num quarto de hotel estranho porém familiar, não em sua ecocápsula – foi em Laila.

Merda.

Sondra estava sentada numa poltrona com os pés dobrados embaixo do corpo. Olhava pela janela, o rosto iluminado pelo sol da manhã. Durante um longo instante nenhum dos dois se mexeu. Ele observava o perfil dela. Tentou decifrar sua expressão – serenidade? arrependimento? contemplação? – e percebeu que qualquer coisa que deduzisse estaria provavelmente errada. Os seres humanos nunca eram simples de interpretar.

– Bom dia, Sondra.

Ela se virou para ele e sorriu.

– Bom dia, Wilde. – E depois: – Você precisa ir embora logo?

Apesar do alerta que tinha dado a si mesmo sobre os seres humanos, ele tentou decifrá-la de novo. Será que ela queria que ele fosse embora ou estaria lhe dando uma deixa para sair, caso ele quisesse aproveitar?

– Não tenho planos – respondeu. – Mas se você tiver...

– Que tal pedirmos o café da manhã?

– Parece ótimo.

Sondra sorriu para ele.

– Aposto que você conhece de cor o cardápio.

Ele não respondeu.

– Desculpe. Não quis dizer...

Wilde descartou o pedido de desculpas com um gesto. Ela perguntou o que ele queria comer. Ele disse. Ela foi para a sala da suíte e pegou o telefone. Wilde saiu nu da cama. Estava indo para o banheiro quando seu telefone entrou em erupção.

Não zumbiu, tocou ou vibrou. Entrou em erupção.

Ele o pegou rapidamente e interrompeu o toque.

– Tudo bem? – perguntou ela.

Ele olhou para a tela. A resposta era não.

Deslizou a tela para a esquerda. Não era o Tinder – era seu sistema de segurança. Um carro tinha entrado em sua estrada oculta. Não era grande coisa. O alarme não disparava por causa disso. Só acionava os outros detectores de movimento. Dois tinham sido acionados. Enquanto olhava a tela, um terceiro se acendeu. Isso significava que algumas pessoas, pelo menos três, estavam andando na mata, procurando sua casa. Deslizou a tela para a esquerda outra vez. Surgiu um mapa. Um quarto alarme disparou. Eles se aproximavam da ecocápsula vindo do sul, do leste e do oeste.

– Você precisa ir – concluiu Sondra.

Wilde quis explicar:

– Alguém está tentando descobrir onde eu moro.

– Tudo bem.

– Quero dizer, não é uma desculpa esfarrapada.

– Eu sei – disse ela.

– Por quanto tempo você fica na cidade?

– Vou embora hoje.

– Ah.

– "Ah" ou "ufa"? – Ela ergueu a mão. – Desculpe, foi desnecessário. Sei que você não vai acreditar, mas isso é novo para mim.

– Eu acredito.

– Mas não é novo para você.

– Não, não é.

– Você não dormiu bem – comentou ela. – Falou um bocado. Rolou para lá e para cá como se os cobertores estivessem prendendo você.

– Desculpe se atrapalhei o seu sono.

Realmente não havia mais nada a dizer. Wilde se vestiu rapidamente. Não houve beijo de despedida. Não houve uma despedida de verdade. Ele preferia assim. Sondra ficou no outro cômodo da suíte enquanto ele se arrumava, de modo que talvez ela também preferisse assim.

Não havia tempo para ir a pé, por isso Wilde pegou um táxi na frente do Sheraton. Não deu um endereço ao motorista porque na verdade não tinha. Pediu que ele fosse pela Mountain Road. Wilde raramente passava por aquele trecho de rodovia. Eram muitas lembranças ruins. Quando o motorista fez a curva, a mesma curva em que o carro de David tinha entrado tantos anos antes, Wilde sentiu que sua mão apertava o banco. Soltou o ar. A pequena cruz branca ainda estava lá, algo que Hester provavelmente acharia irritante, se não irônico. Wilde não fazia ideia de quem a havia posto ali tantos anos atrás. Tinha se sentido tentado a retirá-la – ela estava ali por demasiado tempo –, mas quem era ele para intervir?

– Não existem casas aqui em cima – disse o motorista.

– Eu sei. Apenas pare quando eu mandar.

– Vai fazer uma caminhada?

– Algo assim.

Quase 1 quilômetro depois, ele deu o sinal ao taxista. Entregou 20 dólares para uma corrida de 8 e saiu perto do pico da montanha. Sua estradinha escondida – o ponto de acesso dos visitantes – ficava mais perto da base da montanha. Normalmente ele subia o morro até sua casa. Hoje iria descer verificando o mapa da segurança no telefone. Pelo que podia perceber pelos detectores de movimento, os visitantes estavam se aproximando da eco-cápsula devagar e com cautela, vindos de todos os lados com uma precisão quase militar.

Perturbador.

Por que vinham atrás dele? E, igualmente importante, se é que não mais importante: *quem* vinha atrás dele?

Alguém poderia pensar que tinha sido uma sorte Wilde estar fora de casa na noite da invasão, mas não era o caso. Se ele estivesse em casa, os alarmes o teriam despertado. Ele teria partido antes de eles chegarem a 500 metros da ecocápsula. Havia estabelecido rotas de fuga e esconderijos muito antes, para o caso de alguém tentar atacá-lo.

Poderia ir embora num instante.

Ninguém conhecia aquele bosque como ele. Ali, no meio das árvores, eles não teriam chance. Não importava quantos fossem.

Mas as perguntas permaneciam: quem eram eles e o que queriam?

Wilde foi descendo a montanha, deixando que a gravidade facilitasse a jornada. Desviou-se à direita perto de uma árvore bifurcada e foi em direção ao detector de movimento mais próximo que tinha sido disparado. Na mata, em meio aos animais e à vida selvagem, o detector de movimento poderia ser acionado por acidente com bastante facilidade. Um cervo passando. Um urso. Até esquilos ou guaxinins às vezes. Mas Wilde tinha um sistema, um alarme levando a outro antes que algum alerta fosse dado, que provava que os movimentos deviam ser calculados e, portanto, provavelmente humanos. Pelo toque acionado pelo carro parado na sua estrada e os seguintes, ele sabia que esse alarme não era falso. Não era um homem, nem mesmo dois ou três. Deviam ser cinco ou mais.

Vindo atrás dele.

Eram oito da manhã. A mata estava fresca, com a friagem matinal ainda no ar. Wilde se movia com um silêncio de pantera. Não tinha realmente um plano. Era principalmente reconhecimento. Manter distância. Informar-se sobre os adversários. Verificar as posições e o número deles.

Tentar descobrir que raios queriam com ele.

Diminuiu a velocidade quando chegou à formação rochosa que tinha um detector de movimento. Verificou o dispositivo, só para ver se havia algum tipo de defeito que pudesse explicar por que tantos tinham sido disparados. O detector estava intacto. Acelerou o passo.

E lá estavam eles.

Dois homens trabalhando em dupla. Inteligente. Wilde poderia pegar um, tirá-lo de combate antes que ele se comunicasse com os outros. Mas pegar dois seria muito mais difícil. Estavam vestidos de preto da cabeça aos pés. Giravam a cabeça, um indo à frente e olhando adiante, o outro cuidando da retaguarda. Estavam bem distanciados, de modo que, de novo, não poderiam ser dominados por um único atacante.

Profissionais.

Wilde se aproximou para olhar mais de perto. Os dois usavam fones de ouvido com microfones. Provavelmente estavam se comunicando com os outros. Vinham do norte. Havia equipes vindo do sul, do leste e do oeste. Supondo que fossem dois homens por equipe, isso significava no mínimo oito oponentes.

Wilde era bom em rastrear, obviamente melhor do que qualquer um daqueles sujeitos, mas isso não o tornava invisível. O excesso de confiança leva a erros. Os homens estavam armados. Seus olhos examinavam constantemente o terreno e, para ser realista, se Wilde não tivesse cuidado, havia uma boa chance de ser avistado.

De vez em quando o homem mais alto verificava algo na tela do smartphone e mudava ligeiramente a direção dos dois. Qualquer que fosse o aplicativo usado, claramente os conduzia para a ecocápsula. Wilde não tinha ideia de qual seria a tecnologia, mas, de novo, se alguém quisesse mesmo encontrar sua casa, havia dispositivos de rastreamento que acabariam levando até ela. Sempre soubera disso. Tinha se preparado.

Conhecer o destino final dos homens facilitava as coisas. Wilde não precisava segui-los de perto. Desviou-se na direção de uma das suas caixas secretas. Tinha seis delas na floresta, todas escondidas em locais que ninguém encontraria, todas podendo ser abertas com sua impressão palmar. Essa estava em cima de uma árvore. Subiu, encontrou-a presa embaixo de um galho grande, abriu-a. Pegou a arma. Já ia fechá-la sem tirar os documentos de identidade falsos, mas pensou melhor. E se precisasse fugir?

Melhor se garantir.

Desceu da árvore e foi em direção à ecocápsula. Agora ia rápido, querendo chegar antes da equipe que caminhava com cuidado e que ele estivera seguindo.

E depois?

Pensaria nisso quando chegasse a hora. Apressou-se, movendo-se com facilidade.

Localizou a colina mais ou menos a 200 metros de onde estava a ecocápsula. Subiu numa árvore de modo a estar suficientemente alto para ver a clareira. Quisera colocar a cápsula numa parte mais densa da mata, mas isso bloqueava o sol, o que tornava muito mais difícil armazenar energia solar. No entanto, seria vantajoso agora. Assim que chegasse ao topo da árvore, poderia ver os homens se aproximando.

Agarrou um galho, içou o corpo e olhou para baixo.

Droga. Já estavam lá.

Quatro homens. Cercando a cápsula. Armados. Outros dois – os que Wilde estivera seguindo – entraram na clareira. Portanto, agora eram seis.

O líder se aproximou cautelosamente da cápsula.

Wilde o reconheceu.

Rolou o histórico de chamadas no telefone e apertou o botão. Gavin Chambers estava estendendo a mão para a porta da ecocápsula quando deve ter sentido a vibração no bolso. Pegou o telefone, olhou-o, espiou em volta. Apertou o botão para atender e levou o telefone ao ouvido.

– Wilde?

– Não toque na minha casa.

Gavin olhou em volta com mais atenção, mas de jeito nenhum poderia ver Wilde na árvore.

– Você está dentro desta coisa?

– Não.

– Preciso abri-la.

– Por quê?

– Aconteceu uma coisa. Uma coisa séria.

– É, imaginei isso.

– Como?

– Está brincando? Você está com pelo menos quatro equipes armadas em volta da minha casa na mata. Não é necessário ser um detetive treinado para deduzir que "uma coisa séria" aconteceu. O que foi?

– Os Maynards.

– O que é que tem?

– Preciso olhar dentro da sua casa. Depois preciso levar você até eles. Você está perto ou me olhando através de algum tipo de câmera que deixei passar? – Ele levantou os olhos de novo, protegendo-os do sol. – De qualquer modo, não vou encontrá-lo, vou?

– Não.

– Estou invadindo o seu território.

– Não diga.

– Eu precisava fazer isso, Wilde. Precisava tirar você daí, de um jeito ou de outro.

– E agora?

– Eu poderia meter um machado na sua casa e ver o que tem lá dentro.

– Não é do seu estilo.

– Não, não é. Olhe só. Vou mandar meus homens embora.

– Parece um bom começo.

– Mas depois preciso ver você.

Wilde não respondeu. Gavin Chambers gritou algumas ordens. Os homens obedeceram sem reclamar. Tão logo foram embora, Gavin Chambers levou o telefone de novo ao ouvido.

– Saia agora. Precisamos conversar.

– Por quê? O que houve?

– Outro adolescente desapareceu.

capítulo vinte e três

HESTER AINDA SENTIA uma agitação por dentro quando acordou.

A agitação tinha começado na noite anterior, às onze horas, quando Oren a havia levado até a porta da casa dela – ele não iria simplesmente deixá-la na calçada ou mesmo no elevador, era cavalheiro demais – e lhe dado um beijo. Ou teria sido ela que o beijou? Não importava. Foi um beijo. Um beijo de verdade. Ele passou um braço pela cintura dela. É, foi bom. Mas com a outra mão – a mão grande –, com a outra mão grande e maravilhosa, ele segurou sua nuca, inclinou seu rosto para cima e, numa palavra...

Vertigem.

Hester se derreteu. Ali mesmo. Hester Crimstein, advogada, sabia que era velha demais para se derreter, ter vertigem ou sentir a mesma agitação na barriga que tinha sentido aos 13 anos quando Michael Gendler, o garoto mais bonito da turma, escapuliu com ela do bar mitzvah de Jack Kolker e os dois se agarraram na salinha atrás do escritório do rabino. O beijo de Oren era muitas coisas ao mesmo tempo. Atravessou-a por inteiro, deixando-a inebriada, tonta e totalmente perdida no momento, mas outra parte dela estava fora do corpo, os olhos escancarados, espiando com espanto e pensando: *Puta merda, estou sendo desmantelada por um beijo!*

Quanto tempo durou o beijo? Cinco segundos? Dez? Trinta? Um minuto inteiro? Um minuto inteiro não. Não sabia. Será que suas mãos também perambularam? Tinha repassado o beijo (O Beijo, já que merecia maiúsculas) cem vezes e ainda não tinha certeza. Lembrava-se das suas mãos nos ombros fortes e torneados dele, de como aquilo parecia certo, seguro e, ah, Hester adorava aqueles ombros... mas que diabo havia de errado com ela, afinal?

Lembrou-se de como O Beijo tinha começado de modo suave, como Oren se afastou delicadamente, como os dois se reaproximaram, como O Beijo ficou mais faminto, mais passional, como terminou com tamanha ternura. Ele tinha mantido a mão na sua nuca. Olhou-a nos olhos.

– Boa noite, Hester.

– Boa noite, Oren.

– Posso convidar você para sair de novo?

Ela conteve várias réplicas afiadas e optou por:

– Pode. Eu adoraria.

Oren esperou até ela estar dentro do apartamento. Hester sorriu para ele enquanto fechava a porta. Depois, sozinha, começou a fazer uma dancinha feliz. Não conseguia se conter. Sentia-se volúvel e boba. Foi se deitar ainda atordoada. Tinha certeza de que o sono não viria, mas veio rápido, já que a onda de adrenalina a havia deixado exaurida. Na verdade, dormiu lindamente.

Agora de manhã, Hester sentia agitação. Só isso. Agitação. Agora a noite passada parecia surreal, como um sonho, e ela não sabia se esse sentimento era algo que ela desejava ou temia. Será que precisava disso em sua vida? Já estava contente, satisfeita, tanto na vida pessoal quanto na carreira. Por que se arriscar? Não era só uma questão de estar velha demais para emoções tão imaturas. Agora estava estabilizada. Gostava disso. Será que realmente queria uma coisa assim virando tudo de cabeça para baixo? Queria se arriscar a sofrer, passar vergonha ou qualquer dos milhões de coisas que poderiam dar errado e provavelmente dariam?

A vida era boa, não era?

Pegou o celular e viu uma mensagem de Oren:

> É cedo demais para mandar uma mensagem? Não quero parecer desesperado.

Vertigem. Vertigem de novo.

Digitou em resposta:

> É assédio.

Viu os três pontos sinalizando que ele escrevia de volta. Depois os três pontos sumiram. Ela esperou. Não houve resposta. Sentiu uma breve onda de pânico.

> Eu estava brincando! Não, não é cedo demais!

Não houve resposta.

> Oren?

Era exatamente disso que ela estava falando: quem queria se sentir desse jeito? Quem queria ficar com o coração na boca e se preocupar porque talvez tivesse feito a coisa errada, ou talvez isso fosse só um jogo para ele e, ei, foi só um encontro e um beijo (O Beijo), portanto se acalme aí, p...

O telefone tocou. Hester esperou que fosse Oren, mas o número era desconhecido. Apertou o botão para atender e levou o aparelho ao ouvido.

– Wilde?

– Preciso da sua ajuda.

Wilde apareceu perto da ecocápsula. Segurava o celular no alto.

Gavin Chambers franziu a testa.

– O que você está fazendo?

– Estou numa chamada de vídeo – respondeu Wilde.

– Com quem?

Wilde andou na direção de Gavin. Gavin estreitou os olhos para a tela.

– Oi, Gavin. Meu nome é Hester Crimstein. Nós nos encontramos uma vez num jantar na casa de Henry Kissinger.

Gavin Chambers olhou para Wilde como se dissesse *Tá de sacanagem?*

– Não faça essa cara, queridinho – disse Hester. – Estou gravando tudo. Entendeu?

Gavin fechou os olhos e soltou um longo suspiro.

– Verdade?

– Não, mentira. Veja bem, quero que saiba que, se alguma coisa acontecer com o Wilde...

– Não vai acontecer nada com ele.

– Ótimo, lindinho, então não teremos problema.

– Isso não é necessário.

– Ah, tenho certeza que não é, porém, quando você tem uma dezena de homens armados indo para a casa do meu cliente, uma casa que em seguida você ameaçou destruir... pode me rotular de paranoica, mas, como advogada dele... E, só para deixar claro e oficial, eu sou sua advogada, correto, Wilde?

– Correto – respondeu Wilde.

– Portanto, como advogada dele, quero que isto seja gravado. Você, capitão Chambers, se aproximou da casa do meu cliente com homens armados...

– Esta terra é pública.

– Capitão Chambers, quer mesmo discutir juridiquês comigo?

Gavin suspirou.

– Não, não quero.

– Porque eu posso fazer isso. Não estou com pressa. Você está com pressa, Wilde?

– Tenho o dia inteiro – respondeu Wilde.

– Ótimo, desculpe – disse Gavin. – Sem juridiquês. Vamos em frente.

– Hum, o que eu estava dizendo mesmo? – continuou Hester. – Certo, você se aproximou da casa do meu cliente com homens armados. Ameaçou invadir a casa dele e até mesmo destruí-la. Não revire os olhos. Por mim, eu mandaria prendê-lo, mas o meu cliente, indo contra meu valiosíssimo conselho, ainda está disposto a conversar. Parece que ele tem o que eu consideraria uma confiança equivocada em você. Vou honrar o desejo dele ao mesmo tempo que esclareço nossa posição: se algum mal for feito ao Wilde...

– Nenhum mal será feito a ele.

– Quieto, escute. Se algum mal for feito a ele ou se ele for mantido em algum lugar contra a vontade, se eu telefonar para ele e não conseguir contatá--lo ou se você fizer qualquer coisa diferente do que ele exigir, eu me tornarei uma parte permanente da sua vida, capitão Chambers. Como herpes. Ou hemorroidas. Só que pior. Estou sendo clara?

– Claríssima.

– Wilde?

– Obrigado, Hester. Posso desligar?

– Isso é com você – respondeu ela.

– Ok, obrigado.

Ele apertou um botão e enfiou o celular no bolso.

Gavin Chambers fez uma careta.

– Você ligou para a mamãe?

– Poxa, agora você feriu meus sentimentos.

– O que eu queria dizer a você deveria ser em sigilo absoluto.

– Então, da próxima vez, ligue para mim em vez de vir com homens armados.

Gavin sinalizou para a cápsula.

– Fiquei meio surpreso por termos encontrado sua casa com tanta facilidade. Achei que você montaria uns chamarizes falsos. Já ouviu falar do Exército Fantasma da Segunda Guerra Mundial?

Wilde tinha ouvido.

– As Tropas Especiais do Vigésimo Terceiro Quartel-General.

– Uau! Essa me impressionou.

O Vigésimo Terceiro, chamado de Exército Fantasma, era uma força de elite composta por artistas e criadores de efeitos especiais que trabalhavam com "ilusão tática". Usavam coisas como tanques infláveis e aviões de borracha e até criaram uma trilha sonora de guerra, tudo para montar a versão de um cavalo de Troia do século XX.

– Como você encontrou? – perguntou Wilde.

– Um drone com sensor. – Gavin Chambers indicou a ecocápsula. – Por favor, abra a porta.

– Não tem ninguém lá dentro.

– E abri-la irá provar isso.

– Não confia em mim?

Gavin bufou, exausto.

– Podemos apenas riscar esse item da lista, por favor?

– Quem você está procurando?

– Ninguém.

– Você acabou de dizer...

– Isso foi antes de você decidir abrir o bico para alguém que tem um programa de TV.

– Ela é minha advogada. Se eu disser para ela não contar a ninguém, ela não contará.

– Você não pode ser tão ingênuo. – Gavin Chambers desviou os olhos e balançou a cabeça. Estava avaliando uma decisão, mas era fato consumado. Só havia um modo de a conversa prosseguir. – Tem a ver com o Crash Maynard.

– O que aconteceu com ele?

– Desapareceu.

– Fugiu de casa ou...

Gavin sacou a arma.

– Só abra a porcaria da porta, Wilde.

– Está falando sério?

– Pareço estar no clima para continuar com isto? – Não parecia. Lembrava uma roupa gasta se esgarçando nas costuras. – Eu contei a você que o Crash desapareceu. Deixe-me descartar a sua toca, para podermos encontrá-lo.

Wilde não estava com medo da arma nem se sentia tentado a sacar a sua, mas também não via motivo para contrariar o sujeito ainda mais. Conseguiu saber o que estava acontecendo: Crash Maynard tinha sumido e Wilde era tão suspeito quanto qualquer pessoa.

A porta da ecocápsula se abria com o mesmo tipo de controle remoto usado para destravar uma porta de carro. Wilde enfiou a mão no bolso, pegou o controle e apertou o botão com o polegar. Gavin pôs a arma no coldre enquanto a porta subia. Enfiou a cabeça lá dentro, olhou ao redor e saiu.

– Desculpe pela arma.

Wilde não disse nada.

– Vamos.

– Aonde?

– Os Maynards querem falar com você. Na verdade, eles insistem.

– Vai sacar a arma de novo se eu recusar?

– Você realmente vai ficar jogando isso na minha cara? – Gavin foi andando pelo caminho. – Eu pedi desculpas.

Nenhum dos dois falou durante a curta caminhada até a Mansão Maynard. Ao sol da manhã, o casarão reluzia sobre uma clareira de grama tão uniformemente verde que podia ter sido pintada com tinta spray. O gramado meticulosamente aparado parecia um quadrado quase perfeito, a casa bem no centro, com o que Wilde avaliou que seriam cerca de 300 metros de grama de cada lado até começar a mata. Havia uma piscina olímpica à direita, uma quadra de tênis à esquerda e, nos fundos, um campo de futebol com marcações de cal recém-pintadas.

O SUV parou junto de uma cocheira ornamentada. Gavin saiu do veículo. Wilde foi atrás.

– Antes de continuarmos, preciso que você assine isto.

Gavin entregou a Wilde uma folha de papel numa prancheta com uma caneta.

– É um acordo de confidencialidade padrão.

– Que bom – disse Wilde, devolvendo a prancheta.

– Se você não assinar, não poderei lhe contar mais nada do que está acontecendo.

– Tchau, então.

– Meu Deus, você é um pé no saco. Certo, esqueça o acordo. Venha.

Gavin começou a andar na direção da mata no canto esquerdo dos fundos da propriedade.

– Você realmente achou que eu sequestrei o garoto? – perguntou Wilde.

– Não.

– Ou que o escondi na cápsula?

– Na verdade, não, mas era uma possibilidade.

Gavin continuou andando. Parou no gramado lateral, no meio do caminho entre a casa e o bosque.

184

– Foi aqui que nós o perdemos.

– Poderia ser mais específico?

– Hoje de manhã o Crash não estava no quarto. Nós verificamos as imagens das câmeras. A segurança aqui é bem abrangente, como você pode imaginar. As câmeras cobrem o exterior a partir da casa até mais ou menos onde estamos. – Ele pegou seu celular, passou o dedo na tela e o virou para Wilde. – Este aqui é o Crash passando por onde estamos agora, provavelmente indo naquela direção.

Ele apontou para o bosque e apertou o botão para iniciar o vídeo. A câmera devia ter visão noturna. Na tela, Wilde viu Crash se afastar da casa e passar por onde estavam agora, aparentemente indo para a mata. O registro de horário no canto inferior esquerdo do vídeo indicava 2h14.

– Mais alguém apareceu nas imagens antes ou depois dele? – perguntou Wilde.

– Não.

– Então você acha que o Crash fugiu.

– Provavelmente. Tudo que sabemos com certeza é que ele foi na direção daquelas árvores. – Gavin se virou para Wilde. – Mas alguém com grande conhecimento do bosque poderia estar esperando.

– Ah. É aí que eu entro.

– Até certo ponto.

– Mas você de fato não acha que eu tive alguma coisa a ver com isso.

– Como eu disse, só estava verificando as possibilidades.

– Então estou aqui porque, por acaso, interroguei o Crash ontem.

– Tremenda coincidência, não acha?

– E a Naomi Pine também está desaparecida.

– Tremenda coincidência, não acha?

– Quer dizer que existe alguma conexão?

– Dois adolescentes da mesma turma de escola desaparecem – disse Gavin. – Se não existe uma conexão...

– ... é uma tremenda coincidência, não acha? – terminou Wilde para ele. – O que mais você tem?

– Eles andaram se comunicando.

– Naomi e Crash?

– É.

– Recentemente?

– Não sei. O garoto se mantém fora do nosso monitoramento. WhatsApp,

Signal, sei lá que aplicativos eles usam, são todos criptografados. Meu trabalho não é espionar a família. É protegê-la.

– Por quê?

– Por que o quê?

– Por que você os está protegendo, Gavin? E estou falando de você, especificamente. Você se informou sobre mim. Eu me informei sobre você. Você não faz mais trabalho de campo e Dash Maynard é só um produtor de televisão. Portanto você não está aqui simplesmente para proteger o garoto e a família. Está aqui por causa do Rusty Eggers.

Gavin sorriu.

– Que bela dedução! Devo aplaudir?

– Só se achar adequado.

– Não acho. Não importa por que estou aqui. Dois adolescentes desapareceram. Você quer encontrar uma, eu quero encontrar o outro.

– Juntar nossos recursos?

– Temos o mesmo objetivo.

– Imagino que você tenha me trazido aqui por algum motivo.

– Na verdade, os Maynards insistiram. Já que você está aqui, pensei em aproveitar sua ajuda.

Wilde olhou para a mata e viu uma trilha.

– Você acha que o Crash foi pra lá?

– Pelo ângulo da caminhada no vídeo, sim. Porém, mais do que isso, também é o lugar onde ele recentemente encontrou a Naomi Pine invadindo a propriedade.

Crash não tinha "encontrado" Naomi: tinha armado uma pegadinha, intimidado e sido agressivo com ela. Ou, pelo menos, era como Matthew havia descrito o que aconteceu. Mas não era hora de discutir semântica. Wilde foi na direção da trilha na mata para observar melhor.

– Presumo que suas câmeras não tenham nenhuma cobertura de onde estamos agora – disse Wilde.

– Correto. Só nos preocupamos com quem está perto da casa. Não estamos interessados em pessoas, especialmente membros da família, que optam por sair voluntariamente.

– Então a sua teoria é que o Crash encontrou a Naomi aqui e os dois estão escondidos juntos em algum lugar?

– Parece provável.

– Mas ainda assim vocês entraram em pânico.

– Não entramos em pânico.

– Você mandou homens armados invadirem minha casa.

– Pare com o drama. Estes não são tempos comuns, Wilde. A família está sofrendo um estresse e uma pressão enormes. Foram feitas ameaças, violentas e terríveis. Talvez você tenha visto alguma coisa a respeito nos noticiários.

Wilde assentiu e comentou:

– Os Maynards têm gravações que poderiam destruir Rusty Eggers.

– Não é verdade, mas as pessoas acreditam em qualquer besteira conspiratória que veem na internet.

Os dois entraram na mata pela trilha. Wilde verificou o chão em busca de pegadas. Havia um bom número; na maioria, recentes.

– Você e seus homens passaram por aqui hoje de manhã?

– Claro.

Wilde franziu a testa, mas, de certa forma, isso não importava. Crash Maynard tinha vindo para cá sozinho. Não havia mais ninguém na gravação. Será que Naomi ou outra pessoa estaria esperando por ele? Era difícil dizer a partir das evidências físicas. Havia uma pequena clareira à esquerda, com a pedra onde Matthew e Naomi tinham se encontrado. Wilde foi até lá. Ajoelhou-se, tateou embaixo e em volta dela e encontrou algumas guimbas, tanto de cigarro comum quanto de baseado.

– Se este lugar não é coberto pelas câmeras, como você sabia sobre o "encontro" do Crash com a Naomi?

– Um dos meus homens estava percorrendo o terreno. Ouviu uns garotos rindo.

– E não interveio?

– Ele é segurança, não babá.

Um barulho familiar a Wilde atravessou o ar. Ele olhou para cima, através dos galhos, até alcançar o céu azul. O som entrecortado dos rotores ficou mais alto. Wilde não sofria de transtorno de estresse pós-traumático – pelo menos não do tipo que pudesse ser diagnosticado clinicamente –, mas não existia alguém que tivesse servido e não se encolhesse diante daquele som.

Voltou para a clareira enquanto o helicóptero pairava acima do pátio lateral. Enquanto o aparelho descia, Wilde olhou de relance para Gavin Chambers esperando decifrar a situação, mas sua expressão não revelou se ele sabia daquela chegada. Mesmo daquela distância, enquanto o helicóptero Bell 427 de dois motores – talvez o mais comumente usado para voos curtos de, digamos, Nova York até ali – descia, Wilde pôde sentir o vento dos rotores. O motor foi desligado. Quem quer que estivesse ali dentro esperou até os rotores pararem de girar completamente. Então o piloto saiu e abriu a porta.

Hester Crimstein desceu do helicóptero. Viu Wilde e Gavin, sorriu e abriu os braços.

– Eu sei ou não sei fazer uma entrada triunfal, rapazes?

capítulo vinte e quatro

CINCO MINUTOS DEPOIS, estavam todos acomodados na biblioteca no topo da torre. Hester sentou-se de frente para Dash e Delia. Gavin Chambers permaneceu de pé atrás dos Maynards. Havia uma poltrona de encosto alto, de couro cor de vinho, vazia ao lado de Hester, supostamente para Wilde, mas ele também optou por ficar de pé.

– Podemos lhes oferecer algo de beber? – perguntou Dash Maynard.

Hester olhou para Wilde, arqueando a sobrancelha diante da expressão "algo de beber", como se estivesse compreensivelmente incomodada com a formalidade numa conversa informal.

– Estamos bem – respondeu Hester.

– Agradecemos que a senhora tenha concordado em se reunir conosco tão em cima da hora – continuou Dash.

– Você mandou um helicóptero e se ofereceu para pagar o dobro do que eu cobro normalmente – disse Hester. – Como uma garota recusaria isso?

Delia Maynard ainda não tinha falado. Havia um ligeiro nervosismo em seu rosto pálido. Seus olhos estavam voltados para o nada, sem foco. Durante um longo instante ninguém falou.

– Ei, escutem, pelo dobro do meu preço usual supercaro eu até posso esperar o dia todo. A mamãe aqui vai aproveitar para comprar um par de Louboutins novos, estão me entendendo?

Dash olhou para Delia. Wilde olhou pela janela atrás deles. A vista era magnífica. A mansão ficava tão no alto que dava para ver os arranha-céus de Manhattan acima da linha das árvores.

– Estou brincando – disse Hester.

– Perdão?

– É, você ofereceu me pagar o dobro do que eu cobro. Mas eu não trabalho assim. Vou cobrar a mesma hora que cobraria a qualquer outro cliente. Nada mais, nada menos. E não gosto de perder tempo, mesmo estando dentro do horário combinado. Não preciso tanto assim de dinheiro. Já sou rica. Não tanto quanto o senhor, Sr. Maynard.

– Me chame de Dash.

– Certo, Dash, legal. Já que você parece um tanto hesitante, deixe-me estabelecer algumas regras básicas para começarmos, está bem?

– Está – respondeu ele, pigarreando. – Pode ser útil.

– Primeira coisa: você disse ao telefone que gostaria de contratar meus serviços.

– Sim.

– Portanto, agora sou sua advogada. Maravilhoso, *mazel tov*. – Ela olhou para Gavin Chambers por cima do ombro de Wilde. – Por favor, saia. Esta é uma reunião particular entre meu cliente e eu.

– Ah, não – disse Dash. – Tudo bem se o Gavin...

– Para mim não está bem – retrucou Hester. – Agora sou oficialmente sua advogada. O que você revelar fica protegido pelo sigilo entre advogado e cliente. Resumindo, ninguém pode me obrigar a revelar o que você vai dizer. O Sr. Chambers aqui não tem a mesma obrigação legal. Ele pode, querendo ou não, ser compelido a revelar o conteúdo desta conversa. Portanto quero que ele saia. – Hester olhou para a direita. – Você também, Wilde. Pode dar no pé.

Dash disse:

– Mas nós confiamos no Gavin...

– Dash? Você disse para eu chamá-lo de Dash, não é? Dash, isto é muito simples. Eu estou estabelecendo as regras, como falei. Regra número um: se quer me contratar, terá que me ouvir. Se não quiser me ouvir, bem, meu chofer está vindo para cá. Abro mão daquele helicóptero barulhento na volta, obrigada. Volto para a cidade, cobro pela visita e seguimos caminhos separados. Isto aqui não é uma democracia. A primeira regra está clara?

Dash parecia a ponto de questionar, mas Delia pôs a mão na perna dele.

– Está clara – disse ela.

– Ótimo.

Gavin disse:

– Não gosto disso.

– Em outra vida eu me importaria, realmente – disse Hester. – Derramaria lágrimas. Mas, por ora, cale o bico e saia.

Dash assentiu para Gavin. Gavin levantou as mãos e foi em direção à porta. Wilde foi atrás.

– Esperem – disse Delia.

Os dois homens pararam.

Delia olhou para Hester.

– Nós temos informações completas sobre o passado de Wilde.

– Não diga.

– Ele ainda é investigador credenciado pela empresa de segurança CRAW – disse Delia. – A senhora costumava contratá-lo para alguns serviços, correto?

– E?

– Contrate-o de novo. Para o nosso caso. Assim, qualquer coisa que ele ouvir será enquadrada na relação entre advogado e cliente, não é?

– Ei, ótimo raciocínio. – Hester girou e olhou para Wilde. – Quer trabalhar para mim?

– Claro – respondeu Wilde.

– Então sente-se. Não fique de pé espreitando. Isso me dá tontura.

Um instante depois Gavin Chambers estava fora da sala. Os quatro ocupavam poltronas de couro, Delia e Dash de um lado da mesinha de centro de teca, Hester e Wilde do outro.

– Não entendo – disse Dash. – Se você pode contratar o Wilde como investigador, por que não pode contratar o Gavin?

– Porque sim. Suponho que você me trouxe para cá num helicóptero porque sua situação é urgente. Vamos direto a ela, está bem?

Wilde levantou a mão.

– Ainda não.

Hester se virou para ele.

– O quê?

– O capitão Chambers estava tentando monitorar as comunicações do seu filho.

– Claro que estava – declarou Dash. – Isso faz parte do serviço dele.

Mas Hester já havia posto as duas mãos nos braços da poltrona e se levantava com um grunhido.

– Vamos lá para fora.

– Por quê? – perguntou Dash.

– Pelo que sabemos, seu novo chefe de segurança pode ter posto dispositivos de escuta nesta sala.

Isso deixou Dash e Delia perplexos por um momento.

– Vocês não entendem – disse Dash. – Nós confiamos no Gavin.

– Você não entende – contrapôs Hester. – Eu não confio. E não tenho tanta certeza de que sua esposa também confie. – Ela foi em direção à porta. – Venham, vamos respirar um pouco de ar puro. Está bonito lá fora. Vai fazer bem a todos nós.

De novo Dash olhou para Delia. Ela assentiu e pegou sua mão. Desceram por uma escada em espiral, passando pelo perplexo Gavin Chambers, e saíram. As gêmeas estavam treinando com um técnico no campo de futebol.

– As meninas não sabem o que está acontecendo – informou Dash. – Gostaríamos de manter a coisa assim.

Foram em direção ao centro do pátio, quase pegando o mesmo caminho que seu filho deixou registrado na gravação das câmeras de segurança na noite anterior. O dia estava estupendo, era quase uma afronta. Wilde viu Hester mirar a silhueta de Manhattan, seu lar agora, e ela olhava para os arranha-céus como se fossem velhos amigos.

Quando estavam suficientemente longe da casa, Hester começou:

– Então, por que estou aqui?

Dash foi direto ao ponto:

– Hoje cedo, quando acordamos, nosso filho, Crash, tinha sumido. Os primeiros sinais indicavam que ele ia visitar algum amigo ontem, tarde da noite, ou que, na pior das hipóteses, estava fugindo. O Sr. Wilde aqui sabe da situação.

– Certo – disse Hester.

Delia pôs a mão acima dos olhos para se proteger do sol. Olhou para Wilde.

– Por que você encurralou nosso filho na escola ontem?

– Epa. – Quem reagiu foi Hester. – Não responda. Deixe-me ficar a par de tudo antes de pegarmos qualquer uma dessas vias, está bem?

– A via é simples – disse Delia. – Por causa de nossa situação atual...

– Que situação?

– Ontem à noite Saul Strauss foi o convidado do seu programa – disse Delia.

– Ok. E daí?

– Ele fez acusações que nos envolviam.

– Presumo que esteja se referindo ao fato de vocês possuírem gravações incriminadoras.

Delia assentiu.

– Supostamente sobre Rusty Eggers, sim.

– Eu achei que ele estivesse só falando besteira – disse Hester. – Elas existem?

– Não – respondeu Delia. – Não existem.

Sem hesitação, notou Wilde. O que não significava que ela estivesse dizendo a verdade, claro. Mas não houve nenhuma pausa, nenhuma linguagem corporal errada. Apenas uma negativa direta.

– Continue – pediu Hester.

– Quando descobrimos que Crash havia sumido – contou Dash –, o capitão Chambers e sua equipe começaram imediatamente uma busca. Todos os primeiros indícios apontavam que nosso filho teria fugido sozinho. Há gravações em que ele aparece saindo da mansão, aparentemente por vontade própria. – Dash virou o olhar irritado para Wilde. – Mesmo assim, e acho que essa seja uma reação natural, o capitão Chambers quis se certificar de que o homem que ontem reteve nosso filho contra a vontade na escola não estava envolvido. A senhora sabe disso, claro, Sra. Crimstein. Viu pelo FaceTime. Queremos saber o motivo pelo qual o Sr. Wilde aqui sentiu necessidade de confrontar nosso filho na escola. Acho que nossa preocupação é compreensível.

Hester assentiu.

– Então foi por isso que vocês pediram ao Chambers que trouxesse o Wilde para cá.

– Isso.

– E acharam que, me contratando, conseguiriam fazer com que ele abrisse o bico.

Então Delia falou:

– Não. Nós a contratamos porque as coisas mudaram.

– Como assim?

– Não achamos mais que Crash tenha fugido por conta própria.

– Por quê?

– Porque acabamos de receber um pedido de resgate.

O pedido tinha chegado através de um e-mail anônimo.

Dash entregou seu celular a Hester, que se curvou sobre o aparelho de modo que seu corpo bloqueasse a claridade do sol. Wilde leu por cima do ombro dela:

Estamos com seu filho. Se não fizerem exatamente o que mandamos, ele será executado. Não queremos isso, mas acreditamos na liberdade, e a liberdade sempre tem um preço. Se vocês envolverem o FBI ou a polícia, ficaremos sabendo e executaremos Crash imediatamente. Se acham que podem falar com as autoridades sem que saibamos, estão enganados. Fomos capazes de sequestrar seu filho apesar de toda a sua caríssima segurança. Saberemos e seu filho sofrerá muito.

Nossa exigência é simples. Acreditamos que a verdade irá libertá-los. Por esse motivo, queremos que nos entreguem as gravações que têm sobre Rusty Eggers. Todas elas, especialmente as mais antigas. Não haverá negociações em relação a isso. Há muito em jogo.

Por favor, sigam estas instruções de modo preciso.

No final deste e-mail há um link para uma caixa postal anônima que funciona no que é conhecido como Dark Web, passando por vários VPNs. O link ainda não foi ativado.

Exatamente às 16 horas, cliquem no link e façam o upload de todos os vídeos que vocês têm sobre Rusty Eggers seguindo as instruções.

Vocês verão uma pasta especial separada para a gravação realmente prejudicial. Sabemos que ela existe, portanto não finjam que não. O link estará inacessível de novo às 17 horas em ponto.

Se não obtivermos exatamente o que queremos, seu filho sofrerá as consequências.

Era isso. No final havia mesmo um hiperlink com um monte confuso de números, letras e símbolos de todo tipo.

Hester leu a mensagem várias vezes. Wilde ficou observando-a e esperou. Depois de um tempo, ela devolveu o telefone a Dash. As mãos dos dois estavam tremendo.

– Querem meu conselho? – perguntou Hester.

– Claro.

– Chamem o FBI.

– Não – disse Delia.

– Vocês leram a mensagem – acrescentou Dash. – Nada de polícia.

– Entendo. Mas, no meu ponto de vista, envolver profissionais lhes dará a melhor chance. Só nós quatro vimos esse e-mail, certo?

Os dois assentiram.

– Então o Wilde parte agora. Nós conhecemos agentes do FBI. Bons profissionais que vão manter a coisa em sigilo. Wilde contará a um deles o que está acontecendo...

– Não – disse Dash. – De jeito nenhum.

– Delia? – perguntou Hester.

– Concordo com meu marido. Por enquanto vamos fazer isso sozinhos.

Eles não iriam mudar de ideia, pelo menos por enquanto, por isso Wilde trocou de marcha:

– Segundo a indicação de horário, o e-mail foi enviado há pouco mais de uma hora. A que horas vocês o viram pela primeira vez?

Dash fez uma careta.

– O que isso tem a ver?

Delia respondeu:

– Quase imediatamente.

– Foi quando ligaram para mim? – perguntou Hester.

– Foi.

Hester viu aonde Wilde queria chegar.

– E será que podemos fazer uma observação? – indagou ela.

– Claro.

– Vocês não contaram sobre isso ao seu chefe de segurança.

Dash soltou um suspiro.

– Eu quis contar.

– É, mas sua esposa não. – Hester encarou Delia. – Porque você vê o que eu vejo.

– E o que as duas damas enxergam que eu não consigo enxergar? – perguntou Dash com alguma irritação.

– Gavin Chambers trabalha para Rusty Eggers. A lealdade dele é ao Eggers, não a vocês. Eu não o mandei para fora da sala só porque ele poderia ser legalmente compelido a falar. Queria que ele ficasse de fora porque vocês não são a prioridade dele, que é proteger Rusty Eggers. Entende?

– Entendo – respondeu Dash. – Mas, mesmo concordando com isso, nossos interesses aqui são os mesmos.

Hester inclinou a cabeça.

– Tem certeza? Quero dizer, vamos pensar, hipoteticamente, que a escolha seja entre seu filho morrer ou todas as suas gravações serem divulgadas. De que lado vocês acham que Rusty Eggers ficaria?

Silêncio.

– E quero que considerem outra coisa – continuou Hester. – Se isso é mesmo um sequestro, quem seria o principal suspeito?

– Os radicais – respondeu Dash.

– Bem, isso é muito vago, mas vamos aceitar. Digamos que tenham sido os radicais. Então esses radicais descobriram um modo de fazer seu filho sair sozinho para o bosque e depois... espere... eles o agarraram na sua propriedade e o arrastaram... não sei... apontando uma arma ou algo assim? – Hester coçou o queixo. – Parece provável?

– O que você está dizendo, então? – indagou Delia.

– Por enquanto, nada. Estou só levantando hipóteses. Honestamente. É só. Pode ser, por exemplo, que seu filho tenha armado tudo isso.

Delia pareceu cética.

– Acho que não.

– Talvez o Crash tenha simplesmente fugido. Talvez ele esteja bem, seguro e escondido. Talvez ele tenha mandado esse e-mail.

– Por que ele faria isso?

– Não sei. Só estou levantando hipóteses, lembra? Mas é uma possibilidade, certo? Outra possibilidade é que a Naomi Pine esteja envolvida. Já sabemos que ela fugiu. Será que ela deu a ideia a ele? Será que os dois estão juntos? Sabemos que o Crash e a Naomi são colegas de turma. De modo que talvez eles estejam nisso juntos. Não sei, mas é outra possibilidade. Estão me acompanhando até aqui?

Dash fez uma expressão contrariada, mas Delia disse:

– Acho que sim.

– Agora vamos supor que o sequestro seja real. Não quero parecer fria e calculista, mas, por enquanto, tentemos afastar a emoção do raciocínio, pode ser? Digamos que alguém tenha descoberto um modo de atrair seu filho para a mata e capturá-lo. Uma possibilidade é que, sim, seja exatamente o que parece ser. Muitos... radicais querem derrubar Rusty Eggers. Portanto uma equipe de especialistas, treinados pela CIA ou pelas Forças Armadas, realizou essa operação. É duvidoso, mas quem sabe. O que me leva a uma última possibilidade que não sai da minha cabeça.

– Estamos ouvindo – disse Delia.

– Gavin Chambers está por trás disso – explicou Hester. – Ele está totalmente por dentro. Conhece o sistema de câmeras. Conhece tudo. Ele disse ao seu filho para ir encontrá-lo no bosque... e o raptou.

Dash fez um som de escárnio.

– Isso é ridículo.

– Qual seria o motivo? – perguntou Delia, ignorando a reação do marido.

– Talvez Rusty tenha mandado. Talvez Rusty queira descobrir qualquer segredo que vocês possam ter. – Hester pensou que talvez tivesse marcado um ponto, pelo menos com Delia. Deu um passo mais para perto. – Escute, Delia, você sentiu alguma coisa, não foi? Por isso não contou a Gavin Chambers. Alguma coisa nele fez você hesitar.

– Eu não iria tão longe assim – disse Delia.

– Então...

– É só que... ele trabalha para Rusty Eggers. Como você disse. Eu agi por excesso de cautela, não porque realmente suspeite que ele tenha levado nosso filho.

Hester se virou para Wilde e captou o olhar dele.

– Tem algo a acrescentar?

– Algumas coisas estranhas no e-mail pedindo resgate.

– Continue.

– Primeiro: o que eles querem dizer com "especialmente as gravações mais antigas"?

– Não tenho certeza – respondeu Dash. – Mas presumo que sejam as que foram feitas na primeira temporada.

Wilde esperou. Queria dar uma piscina de silêncio a eles. Às vezes as pessoas mergulhavam nela. Dash e Delia não fizeram isso.

Passados mais alguns segundos, Hester disse:

– O que mais, Wilde?

– Se os sequestradores só querem a verdade, por que não exigiram que vocês divulgassem as gravações para a mídia ou postassem num meio público? Por que os sequestradores pediriam que vocês as enviassem primeiro para um local particular?

– Não estou entendendo – disse Dash.

– Pode não ser nada – explicou Wilde. – Ou pode ser que os sequestradores queiram controlar a informação, não divulgá-la.

Os quatro ficaram parados por um longo tempo. Um cortador de grama despedaçou o silêncio. Depois outro.

– Mas não há nada nas gravações – disse Dash. – Isso é o fundamental. Não temos nenhuma sujeira.

Delia assentiu.

– Na pior das hipóteses, o que temos é ligeiramente embaraçoso para o Rusty. Só isso.

Wilde ouviu os dois e chegou a uma conclusão simples.

Estavam mentindo.

capítulo vinte e cinco

TINHAM QUASE SEIS HORAS até o link ser ativado.

Wilde conhecia algumas regras básicas sobre negociação com sequestradores. Regra número um: jamais concorde com a primeira oferta. Uma vida podia estar em jogo, mas toda negociação tem a ver com poder e controle. O sequestrador tinha a maior parte disso, mas você, a família da vítima, é o único comprador no mercado para o "produto" específico que eles estão vendendo. Por isso você também tem algum poder. Abra um diálogo. Todas as outras regras – manter as emoções fora disso, começar por baixo, ser paciente, exigir prova de vida – decorrem dessa premissa básica.

Só havia um problema.

Wilde não tinha como falar com os sequestradores.

Não havia e-mail, número de celular, nada. Ele tentou responder ao e-mail que pedia o resgate, mas a mensagem voltou.

O relógio estava correndo, por isso eles dividiram as tarefas. Dash prepararia os vídeos para o caso de decidirem fazer upload de alguns ou de todos. Delia falaria com os amigos mais próximos de Crash para saber se algum deles tinha visto o garoto recentemente ou sabia onde ele poderia estar.

– Seja discreta – sugeriu Hester a Delia. – Você é uma mãe aflita que não sabe direito onde o filho passou a noite, só isso.

Wilde continuaria procurando Naomi porque a primeira teoria continuava sendo a melhor: havia uma conexão entre o desaparecimento de Naomi e o de Crash. Resumindo, se encontrasse Naomi Pine, provavelmente encontraria Crash Maynard.

Havia outra questão que Wilde precisaria abordar. Ele viu Gavin Chambers parado perto da quadra de tênis fumando um cigarro.

– Estou surpreso por saber que você fuma – disse Wilde.

– Os caras maus sempre fumam. – Chambers jogou a guimba no chão e pisou com o calcanhar. – E jogam lixo no chão. – Ele franziu os olhos na direção do sol. – Foi ideia sua levar a reunião para fora?

Wilde não viu motivo para responder.

– A biblioteca não está grampeada. Pode mandar alguém fazer uma varredura.

– Está bem.

– Está oficialmente me jogando para escanteio?

– Não.

– Então quer me colocar a par do que está acontecendo?

– Quando eu puder.

– Ei, Wilde?

Wilde o encarou.

– Não me insulte com seu papo-furado, ok? Sei que Hester não está preocupada somente com o sigilo. Eu sou considerado um homem do Rusty Eggers.

– Hum. Tem certeza de que você não estava escutando?

Gavin gostou dessa.

– Qualquer um teria deduzido isso. Foi o Rusty que me trouxe para cá, portanto alguém pode achar que minha lealdade é a ele.

– E não é?

– Adiantaria se eu dissesse que não?

– Provavelmente não.

– De qualquer modo, eu só quero encontrar o garoto. Então, qual é o plano?

– A maioria dos seguranças daqui foi contratada antes de você chegar.

– Certo. Eu trouxe três homens, inclusive o Bryce.

– Bryce?

– O louro com quem você vive se embolando.

– Sei. Então o Bryce e os outros dois estão fora.

– E aí vocês ficam com os seguranças sem treinamento?

– Vou trazer um pessoal meu – disse Wilde.

– Ah, entendi. – Gavin Chambers sorriu. – Da sua antiga agência?

Wilde já havia ligado para Lola, que se mostrara mais do que disposta. Na verdade, ela já estava a caminho com uma equipe.

– É.

– Vocês já cuidaram de algum sequestro? – perguntou Gavin. – Porque, sem ofensa... vão fazer merda.

– Engraçado.

– O quê?

– Antes você parecia ter certeza de que o Crash tinha fugido, não sido sequestrado.

– É, isso foi antes de os Maynards chamarem Hester Crimstein e me tirarem da jogada. E isso foi antes de eu entrar na biblioteca e ver a cara deles. Eles estavam tentando segurar as pontas, é isso que o Dash e a Delia fazem, mas obviamente não estavam conseguindo. – Chambers enfiou a mão no bolso do paletó e pegou seus óculos de sol. – Aliás, você contou a eles?

Wilde esperou. Como Chambers não disse nada, foi em frente:

– Certo, vou engolir a isca. Contei o quê?

– Que se encontrou com Saul Strauss no bar do Sheraton.

Wilde não deveria ter sido apanhado desprevenido, mas foi. Além disso, ficou bastante chateado consigo mesmo por não ter visto o olheiro deles. Será que sua conversa franca com Laila o havia abalado tanto assim?

– Impressionante.

– Na verdade, não.

– Pergunta: se os seus homens vinham me seguindo, vocês sabiam que eu não estava na minha cápsula hoje de manhã. Também sabiam que eu não tinha pegado o garoto.

– Isso é uma pergunta?

– Para que serviu a grande demonstração de força na floresta se você sabia que eu não estava lá?

– Nós não sabíamos.

– Você disse que estavam me seguindo...

– Você não, Wilde.

Strauss. Eles estavam seguindo Strauss.

– Saul Strauss é um maluco. E uma ameaça – disse Gavin. – Você consegue ver isso?

– Consigo.

– E o que ele queria com você?

Wilde pensou em como responder.

– Eu não vou embora – disse Gavin Chambers. – Nós podemos trabalhar juntos, como dissemos antes. Eu sei mais sobre o Crash, você sabe mais sobre a Naomi. Ou eu posso abrir caminho à força para representar o interesse do Rusty sem a sua cooperação.

Wilde não tinha certeza de qual seria o caminho certo, mas o velho provérbio sobre manter os amigos perto e os inimigos mais perto ainda ecoou em sua cabeça.

– O Strauss sabia que a Naomi estava desaparecida – disse.

– Como?

– Não sei. Mas ele sabia que havia uma conexão entre a Naomi e o Crash.

– Por que raios Saul Strauss se importaria com Naomi Pine?

Outra coisa veio à cabeça de Wilde, uma das primeiras que Saul Strauss disse a ele: *"Soube que você teve um desentendimento com o garoto do Maynard hoje."*

Saul Strauss sabia que Wilde estivera na escola.

Como?

Havia testemunhas no estacionamento, claro, mas a única pessoa que poderia saber mais do que isso, a única que poderia realmente dizer o que havia acontecido na sala de artes, era Ava O'Brien.

Mas como Ava estaria envolvida nisso?

Não poderia estar. Era só uma professora em meio expediente.

Wilde perguntou:

– Você se relaciona com ele, não é?

– Com o Saul Strauss? Nós servimos juntos. Eu o vi ontem quando ele estava protestando perto do escritório dos Maynards.

– Então talvez o primeiro passo seja encontrá-lo – disse Wilde.

– Acha que não pensei nisso?

– Então...

– Você se lembra de como ele saiu do Sheraton?

Wilde assentiu.

– Pela porta dos fundos.

– Talvez – disse Gavin.

– Como assim?

– Meus homens viram o Strauss entrar. Não o viram sair. Nós o perdemos.

Os Maynards tinham dado um Lexus GS para Wilde usar. Quando ele se acomodou no banco do motorista, ligou para Ava O'Brien. Caiu na caixa postal. Ninguém que ele conhecia jamais verificava a caixa postal, então mandou uma mensagem de texto para ela:

Precisamos conversar. É urgente.

Não houve resposta imediata, nenhum pontinho dançando. De qualquer jeito, ele não sabia o que perguntar a ela. Se Ava O'Brien tinha alguma ligação com Saul Strauss... não, isso não fazia sentido.

Por falar no Strauss...

Enquanto parava na entrada de veículos da casa de Bernard Pine, pegou o cartão de visita de Saul Strauss e digitou o número. A ligação caiu direto na caixa postal.

– É o Wilde. Você disse para ligar se eu tivesse alguma informação. Eu tenho. Você vai querer ouvir.

Não era bem verdade, mas achou que a mensagem atrairia a atenção de Strauss. Pensou em Ava. Pensou em Strauss. Pensou em Gavin, Crash e, claro, em Naomi.

Estava deixando passar alguma coisa.

Bernard Pine, pai de Naomi, abriu a porta da frente antes que Wilde tocasse a campainha.

– Você conhece um homem chamado Saul Strauss? – perguntou Wilde.

– Quem?

– Saul Strauss. Ele aparece às vezes na TV. Talvez a Naomi tenha falado nele.

Pine balançou a cabeça.

– Nunca ouvi falar. Descobriu alguma coisa?

– E você, descobriu?

– Não. Vou falar com a polícia de novo. Mas acho que eles não vão escutar.

– Sabe se o passaporte da Naomi ainda está aqui?

– Posso olhar. Entre.

Pine deu um passo para trás e deixou Wilde entrar. A sala de estar tinha um cheiro rançoso. Na mesinha de centro Wilde viu o copo pela metade e a garrafa de bourbon pela metade. Bernard percebeu que ele percebeu isso.

– Estou tirando um dia de folga – disse Bernard.

Wilde não viu motivo para responder.

– Por que você precisa do passaporte dela?

– Há alguma chance de a Naomi estar com a mãe?

Alguma coisa passou pelo rosto dele.

– Por que está perguntando isso?

– Nós ligamos para ela.

– Vocês ligaram para a Pia?

Não havia motivo para esclarecer que o telefonema fora dado do escritório de Hester.

– Na outra vez que ligamos, sua ex-esposa disse logo que a Naomi não estava com ela. Dessa vez ela não quis atender. Além disso, ficamos sabendo que sua ex está fora do país.

– Por isso você me perguntou sobre o passaporte dela. – Pine levou Wilde até um cômodo que funcionava como escritório, nos fundos da casa. Equipamento padrão: mesa, computador, impressora, gaveteiro. Wilde viu uma conta de luz e algo da empresa de TV a cabo do lado direito. O talão de cheques estava à mostra. O protetor de tela era uma foto genérica de um oceano, provavelmente uma imagem padrão do sistema. O peso de papel era um prêmio de acrílico com o nome de Bernard, algo do tipo "vendedor do mês". Havia uma foto clássica de quatro jogadores de golfe em algum campeonato semiprofissional, com Bernard sorrindo na extrema direita, segurando seu taco.

Não havia fotos de sua filha.

Bernard Pine remexeu na gaveta, baixando a cabeça para olhar melhor.

– Aqui.

Pegou o passaporte. Wilde estendeu a mão. Bernard hesitou, depois entregou o passaporte de Naomi. Só havia um carimbo estrangeiro: aeroporto de Heathrow, em Londres, três anos antes.

– A Naomi não está com a minha ex – disse Pine. Não havia dúvida em sua voz. – Posso mostrar uma coisa?

Wilde assentiu.

– Não quero que você ache que sou esquisito nem nada. – Bernard Pine se virou para o gaveteiro. Pegou uma chave, destrancou-o e abriu a gaveta de baixo. Enfiou a mão no fundo e pegou uma revista com um plástico protetor. A revista se chamava *SportsGlobe*. A data de publicação era de duas décadas atrás. Na capa havia uma modelo em roupa de banho.

Um Post-it amarelo marcava uma página. Pine a abriu com cuidado.

– Pia – disse ele, com uma nostalgia que fez até mesmo Wilde parar. – Linda, não é?

Wilde olhou a modelo de biquíni.

– Esta foto foi tirada um ano depois de nos conhecermos. A Pia posava principalmente de lingerie e biquíni. Ela fez testes para a edição de roupas de banho da *Sports Illustrated*. Você se lembra de como a revista era importante?

Wilde não disse nada.

– A Pia foi fazer um teste, ou sei lá como dizem, e sabe o que a *Sports Illustrated* disse a ela?

Ele parou e esperou que Wilde respondesse. Para manter as coisas em movimento, Wilde respondeu:

– Não.

– Que ela era curvilínea demais. Foi a palavra que usaram. Curvilínea. Eles acharam que ela... – ele pôs as mãos em concha diante do peito – ... tinha feito cirurgia. Dá para acreditar? Disseram que eram tão fantásticos que deviam ser implantes. – Ele indicou a foto. – Mas são naturais. Incrível, não é?

Wilde não disse nada.

– Estou parecendo um tarado, não é?

Wilde optou pela mentira que iria mantê-lo falando:

– Na verdade, não.

– A Pia e eu nos conhecemos numa boate no East Village. Eu não conseguia acreditar na minha sorte. Quero dizer, todos os caras estavam a fim dela. Mas nós nos demos bem de cara. Ela era linda demais. Eu não conseguia parar de olhar para ela. A gente se apaixonou. Na época, eu trabalhava na Smith Barney, ganhava uma boa grana. A Pia trabalhava como modelo só o suficiente. Não quero dizer que tudo fosse perfeito. As mulheres lindas, mulheres com essa aparência, sempre têm um pouco de loucura. Faz parte do pacote, eu acho. Mas na época eu achava isso empolgante, você sabe, e ela era supergata. Nós estávamos apaixonados, tínhamos dinheiro, tínhamos a cidade, não tínhamos responsabilidades...

Bernard fechou a revista com cuidado, como se fosse uma relíquia frágil, e a enfiou de volta no plástico protetor. Virou-se de novo para o gaveteiro, colocou a revista no fundo da gaveta e o trancou.

– Fazia mais ou menos um ano que estávamos juntos quando a Pia disse que não podia ter filhos. Pode parecer esquisito, mas nós nunca tínhamos falado sobre isso. Não sei, acho que ela temeu a minha reação. Mas, talvez você se surpreenda, eu fiquei empolgado. A gente estava curtindo todas. Eu não queria que um bebê estragasse tudo e, cara, isso vai parecer babaca, eu gostava demais do corpo dela. Tinha amigos com esposas gatas. Não tanto quanto a Pia. Mas gatas. E depois de parir... bem, saca o que eu quero dizer?

– Ahã – disse Wilde.

– Só estou sendo honesto.

Wilde disse "Ahã" de novo.

– E aí a gente se casou. Tremendo erro. A Pia e eu estávamos ótimos antes de oficializar a relação. Mas aí a gente começou a andar com outros casais casados e todos estavam tendo filhos. A Pia... bem, aquilo que eu achava que era ela sendo excêntrica e talvez um pouco temperamental... agora parecia mais depressão, bipolaridade ou algo assim. Ela passou a ficar na cama o dia todo. Não pegou mais trabalhos. Até ganhou uns quilos.

Wilde sentiu vontade de dizer "Que droga", mas ficou quieto.

– De modo que então, claro, a Pia queria um filho. Eu não sabia se era a melhor escolha, mas eu a amava. Queria que ela fosse feliz. E não seríamos os primeiros a pensar que um bebê poderia salvar o casamento, não é? Por isso começamos a falar sobre alternativas e coisa e tal, e, no fim das contas, achei uma agência de adoção no Maine. Você paga um pouco mais, mas eles facilitam as coisas. A agência disse que conseguiríamos um bebê saudável em seis meses. A Pia... bem, a coisa funcionou. Ela ouviu essa notícia e começou a se cuidar de novo. Nós estávamos de volta. Só que ela começou a ficar obcecada com a vinda da criança. De repente não queria mais morar na cidade. Dizia que a cidade era suja. Que não era lugar para criar um filho. Aí encontrou este lugar – Bernard estendeu a mão como que para mostrar a casa – na seção de imóveis do *Times*. Você sabe. Tipo casas incomuns. Então nós a compramos e nos mudamos para cá dois dias antes da chegada da Naomi. Tudo ia ser ótimo.

Bernard Pine parou.

– E o que aconteceu? – perguntou Wilde.

– Eu li em algum lugar que até as mães adotivas podem sofrer de depressão pós-parto ou algo parecido. Não sei se foi isso, mas a Pia meio que se perdeu. Foi horrível. Ela não conseguia se conectar com a filha de jeito nenhum. Nem mesmo fisicamente. Era como se a criança fosse um rim transplantado que o corpo da Pia estivesse rejeitando.

Modo interessante de colocar a coisa, pensou Wilde.

– E o que vocês fizeram?

– Contratei babás. A Pia demitia todas. Tentei fazer com que ela consultasse um psiquiatra, mas ela se recusou. E eu ainda tinha um emprego. Levava pelo menos uma hora para ir e outra para voltar. – Ele fechou os olhos com força, depois abriu. – Um dia, cheguei em casa e vi um hematoma no braço da Naomi. A Pia disse que ela havia caído. Outro dia, havia um corte acima do olho. A Pia disse que a garota era desastrada.

Bernard fechou o punho e o aproximou da boca.

– É muito difícil falar sobre isso.

– Quer um copo d'água?

– Não, quero acabar com isto antes que eu perca a coragem. Nunca contei essa história. A ninguém. Acho que eu deveria ter feito mais. Deveria ter insistido para que a Pia recebesse ajuda ou...

Bernard parou de novo, exausto, e por um momento Wilde teve medo de que ele não continuasse.

– Já chegamos até aqui – disse Wilde. – Conte o resto.

– Comecei a temer pela saúde da Naomi. Então, um dia não fui trabalhar. Fingi que estava indo pegar o ônibus, mas fiquei por perto. Não sei dizer bem por quê. Naquela manhã, alguma coisa parecia estranha. Ou talvez eu tenha tido uma premonição, não sei. Voltei para casa uma hora depois de ter saído. Algo totalmente inesperado. Pude ouvir os gritos já na entrada de veículos. As duas. Gritando. Corri para dentro. Estavam no andar de cima. A Pia estava dando banho na Naomi. A água... estava tão quente que dava para ver o vapor subindo.

Ele fechou os olhos com força.

– Foi isso. A gota d'água. Obriguei a Pia a procurar ajuda, mas "ajuda" é um termo relativo. Nós nos divorciamos. Discretamente. Não havia motivo para deixar que o mundo soubesse o que estava acontecendo, não é? A Pia abriu mão de todos os direitos de guarda. Talvez para comprar meu silêncio. Ou talvez soubesse que jamais iria se importar. Isso foi há quinze anos. A Naomi nunca mais viu a mãe.

Wilde tentou deixar para trás tudo que tinha ouvido, aquela história horrível, e prosseguir com a investigação. Então perguntou:

– Tem certeza?

– Como assim?

– A Naomi e sua ex poderiam ter começado a se ver sem que você soubesse?

– Acho que não. A Pia ainda tem sérios problemas mentais, mas conseguiu fisgar um marido rico. Sabe o que eu acho? Que ela parou de pensar na Naomi há muito tempo.

capítulo vinte e seis

HESTER LIGOU PARA AARON GERIOS, ex-agente especial do FBI que tinha trabalhado com sequestros e situações com reféns.

– Tenho uma situação hipotética para você.

– Hipotética – repetiu Gerios.

– É. Você sabe o que significa "hipotética", não sabe, Aaron?

– Quando você liga, significa que a situação é real, não hipotética, mas que você não pode me contar quem é a pessoa.

– Vou fingir que você disse isso hipoteticamente.

Hester explicou a situação do sequestro e do pedido de resgate. As sugestões feitas por Aaron eram bem parecidas com o que Wilde já havia estabelecido. Resumindo, eles estavam fazendo tudo certo, considerando as circunstâncias. Além disso, Gerios questionou a probabilidade de ser um sequestro verdadeiro.

– Parece mais que o garoto está pregando uma peça nos pais.

– Pode ser.

– Ou que alguma garota gostosa o seduziu para fazer isso.

– Um homem pensando primeiro com o pau – disse Hester. – Eu não sabia que essas coisas aconteciam.

– Você sempre foi uma criatura ingênua, Hester.

– Verdade. Obrigada, Aaron.

– Tranquilo. Mas posso dar mais um conselho?

– Claro.

– Convença esses pais hipotéticos a chamarem o FBI real. Mesmo que não seja nada, essas situações costumam acabar mal quando não estamos envolvidos.

Aaron desligou.

Hester ainda caminhava pelo terreno da Mansão Maynard. Não havia dúvida de que a propriedade era grandiosa no estilo antigo que mantinha, mas alguns toques modernos destoavam. Nesse momento, Hester estava passando por um "jardim de esculturas" com estátuas meio cafonas da família Maynard feitas vários anos antes. As gêmeas, que agora estavam com 14 anos – Hester não conseguia se lembrar dos nomes, algo com K, tipo Katie ou Karen –, pareciam ter 7 ou 8 anos no bronze. Uma soltava uma pipa de bronze e a outra chutava uma bola de bronze. O Crash de bronze tinha cerca de 12 ou 13 anos e carregava um bastão de lacrosse no ombro, como Huck Finn com uma vara de pescar. Delia de Bronze e Dash de Bronze olhavam os filhos de bronze e riam. Toda a Família Maynard de Bronze ria, os rostos congelados no riso, para todo o sempre, e isso era meio macabro.

O telefone de Hester vibrou. O identificador de chamadas mostrou que era Oren. Mesmo contra a vontade, as bochechas dela ainda ficavam ruborizadas só de ver o nome dele.

– Articule – disse Hester.

– Por que você atende o telefone desse jeito?

– Longa história.

– Posso ouvi-la em algum momento num futuro próximo?

Ela sorriu.

– Próximo até que ponto?

– Estou na equipe de apoio do plantão esta noite, por isso preciso ficar na área. Como está sua programação?

– Estou na cidade.

– Visitando o Matthew e a Laila?

– Outra coisa. A trabalho.

– Ah. Então está livre para jantar? Não vai ser como ontem à noite, mas sou suficientemente poderoso para conseguir uma mesa no Tony's Pizza and Sub. Vou até pagar.

– Obrigada por aquilo, por sinal.

– O quê?

– Por deixar que eu pagasse ontem à noite. Por me agradecer e não bancar o macho insistindo.

– Eu estava tentando ser um homem moderno e sensível. Como me saí?

– Muito bem.

– Na verdade, eu nunca entendi essa coisa.

– O quê?

– Isso vai parecer politicamente correto demais.

– Continue.

– Vamos ser francos. Você ganha muito mais dinheiro que eu. Não estou sendo evoluído. Pelo contrário. Mas nunca entendo os caras que ficam abalados quando a mulher ganha mais. Pelo modo como sempre vi a coisa, se eu tiver a sorte de estar com uma mulher altamente bem-sucedida, isso faz com que *eu* pareça melhor. Quanto mais bem-sucedida for a minha garota, mais a minha imagem melhora. Faz sentido?

Ele falou "minha garota". Vertigem.

– Então – disse Hester – essa coisa de você ser tão evoluído significa na verdade que está sendo egocêntrico?

– Exatamente.

De novo Hester percebeu que estava sorrindo de um modo que jamais acontecia.

– Gostei.

– Dito isso, esta noite eu pago a conta. O que vai ser menos do que a gorjeta do jantar de ontem. Lá pelas sete? A não ser que você esteja voltando para a cidade hoje à noite.

Hester pensou. Não sabia como a situação iria se desenrolar, mas, de qualquer forma, precisaria ficar por ali – e provavelmente precisaria comer. Os dois combinaram sabendo que poderiam ter que remarcar e desligaram.

Hester tomou a direção da casa. O terreno era imenso e não era atraente para ela. A tranquilidade constante a irritava.

Entrou na casa e encontrou Delia ao telefone naquela biblioteca que era um pouco Disney demais. Delia a viu e acenou, chamando-a. Pôs um dedo nos lábios para sinalizar silêncio e apertou o botão do viva-voz para Hester ouvir. Disse:

– Obrigada, Sutton, por ligar de volta.

– Eu teria ligado mais cedo, Sra. Maynard, mas estava na aula. – A garota falava como uma adolescente. – O Crash está bem?

– Por que está perguntando?

– Bem, ele não veio à escola hoje.

– Quando você falou com ele pela última vez?

– Com o Crash? A gente trocou mensagens ontem à noite.

– A que horas, Sutton?

Houve uma hesitação.

– Ele não está encrencado – disse Delia –, mas saiu ontem à noite e ainda não voltou.

– Pode esperar um segundo? – perguntou Sutton. – Vou olhar a hora exata no meu telefone.

– Claro.

Houve uma espera curta e depois Sutton disse:

– Uma e quarenta e um.

– O que ele disse?

– Que precisava sair.

– Só isso?

– É. "Preciso correr." Foi isso.

– Tem alguma ideia de onde ele possa estar?

– Não, desculpe. Tenho certeza que não é nada. Posso verificar com o Trevor, o Ryan e o resto do pessoal.

– Seria ótimo. Obrigada.

– Só tem uma coisa... – começou Sutton.

– O quê?

– Olhe, não quero que a senhora fique preocupada nem nada. Mas geralmente ele troca mensagens comigo. Muitas. Quero dizer, todos nós fazemos isso. Nós temos grupos de conversa, torpedos, Snapchat e um monte de coisas. Tipo não me lembro da última vez que ele não me mandou nenhuma mensagem de manhã.

Delia levou a mão ao pescoço.

– Você mandou alguma mensagem para ele?

– Só uma. Ele não respondeu. Quer que eu tente de novo?

– Sim, por favor.

– Aviso se eu ficar sabendo de alguma coisa.

Delia olhou para Hester. Hester disse "Naomi" sem som. Delia assentiu.

– Crash é próximo da Naomi Pine?

Silêncio.

– Sutton?

– Por que a senhora está perguntando sobre a Naomi?

– Bem, a Naomi está sumida...

– E a senhora acha que o Crash está com ela?

A incredulidade na voz era palpável.

– Não sei. Só estou perguntando. Eles são amigos?

– Não, Sra. Maynard. Não quero ser babaca, mas a Naomi e o Crash andam em círculos muito diferentes.

– Mas ele a encorajou a fazer o Jogo do Desafio, não foi?

– Preciso ir para a aula. Se eu tiver notícias do Crash, avisarei na hora.

Sutton desligou.

– Era a namorada do Crash? – perguntou Hester.

– Mais ou menos. A Sutton é provavelmente a garota mais popular da escola.

210

– E o Crash é um dos garotos mais populares.

– É.

– Então talvez o garoto popular tenha tido de repente uma queda pela garota excluída.

– Parece uma comédia adolescente ruim – disse Delia, dando de ombros. – Mas não seria a primeira vez.

– Talvez até o fato de ele ter feito bullying com ela...

– Meu filho não fez bullying com ela.

– ... ou como você quiser chamar. Talvez fosse como aquele menino do parquinho que puxa o rabo de cavalo da menina porque gosta dela.

Delia não gostou disso.

– Aquele menino geralmente cresce e vira um sociopata.

– O que há nas gravações, Delia?

A mudança de assunto pegou Delia Maynard desprevenida. Esse era o objetivo, claro. Hester estava estudando o rosto dela, procurando algo revelador. Pensou ter visto alguma coisa. Não tinha cem por cento de certeza. Hester vinha interrogando pessoas havia muito tempo. Era capaz de perceber uma mentira na maioria das vezes, mas quem afirmava ser "à prova de erros" geralmente era quem mais errava.

– Não há nada importante – respondeu Delia.

– Então chame o FBI.

– Não podemos.

– O que sugere que vocês têm algo a esconder. Desculpe, não sou boa com sutilezas, portanto deixe-me ir direto ao ponto: acho que você está mentindo. Pior, está mentindo para mim. Então serei clara. Não me importo com o que você está escondendo nem com o que há nas gravações. Se eu sei dessas coisas e sou sua advogada, tudo permanece em sigilo.

Delia sorriu, mas sem humor.

– Sempre?

– Sempre.

– Independentemente de qualquer coisa?

– Independentemente de qualquer coisa.

Delia atravessou a sala e olhou pela janela. A vista era espetacular, mas não parecia trazer muita paz, conforto ou alegria a ela no momento.

– Eu disse que assisti ao seu programa na outra noite. Quando o Saul Strauss participou.

– O que é que tem?

– O Strauss começou a levantar uma especulação do tipo "se alguém pudesse ter impedido Hitler". Você o interrompeu.

– Claro que sim. É um absurdo completo em milhares de níveis.

– Então digamos, hipoteticamente, que eu soubesse de alguma coisa capaz de impedir Hitler.

– Ah, por favor...

– ... e revelasse a você sob o sigilo entre advogado e cliente.

– Se eu contaria? – perguntou Hester. – Não.

– Mesmo se isso implicasse deixar Hitler chegar ao poder?

– Sim, mas é uma hipótese idiota. Não quero entrar muito fundo nisso, mas você já leu sobre o paradoxo de Hitler? Para resumir: se você voltasse no tempo e matasse o bebê Hitler, as mudanças poderiam ser tão gigantescas que tudo mudaria, inclusive quase todos os nascimentos em seguida, portanto você e eu não estaríamos aqui. Mas não é por esse motivo que isso é idiota. É idiota porque eu não posso prever o futuro nem voltar no tempo. O futuro é totalmente conjectura: nenhum de nós tem a menor ideia de como ele será. Por isso posso lhe afirmar que, independentemente de qual seja o seu segredo sério, não vou contar. Independentemente de qualquer coisa. Porque não sei se isso de fato impediria o próximo Hitler. Também não sei se é desejável impedir o próximo Hitler. Talvez, se eu impedisse Hitler, um psicopata mais competente surgisse, depois de aqueles cientistas alemães desenvolverem uma bomba nuclear. Talvez a coisa tivesse ficado ainda pior. Entende o que estou dizendo?

– Entendo. Existem muitas variáveis. Você pode pensar que está impedindo um massacre e acabar causando um massacre ainda maior.

– Exato. Já ouvi algumas confissões horrorosas neste trabalho. Medonhas, terríveis... – Hester fechou os olhos por um momento. – E talvez o mundo ficasse melhor se eu tivesse violado o juramento. Mas só num nível micro. A justiça para uma família, talvez. Impedir outra tragédia e talvez coisa pior. Mas, no fim das contas, preciso acreditar no sistema, por mais falho que ele seja.

Delia assentiu lentamente.

– Não há nada naquelas gravações.

– Tem certeza?

– Tenho. Há algumas coisas que os inimigos do Rusty podem tentar usar contra ele. Mas não há nenhuma prova irrefutável.

– Certo, então.

O telefone de Hester vibrou. Ela viu uma mensagem de Wilde:

Meu pessoal da segurança chega aí em meia hora.

Delia ia dar outro telefonema. Hester a observou por um momento. Delia sentiu o olhar da outra e levantou a cabeça.

– O que foi? – perguntou.

– Deixe-me acrescentar uma coisa ao que eu disse. De mãe para mãe.

– Está bem.

– Se isso implicasse salvar meu filho, eu falaria.

Delia não se mexeu.

– Eu gritaria, berraria, revelaria tudo. É aí que todas as nossas teorias de paradoxos sairiam voando pela janela. Se eu pudesse voltar no tempo, se pudesse revelar uma verdade que trouxesse meu filho de volta, faria isso num instante. Entende?

– Acho que sim.

Os olhos de Hester permaneceram secos enquanto ela assentia e se virava para outro lado.

capítulo vinte e sete

A EQUIPE DA ANTIGA FIRMA de segurança de Wilde chegou em dois veículos.

O primeiro era uma minivan Honda Odyssey verde-escura. A motorista era Lola Naser, fundadora da empresa. Quando Lola abriu a porta do carro, Wilde escutou os filhos dela berrando no banco de trás. No rádio uma música dos Wiggles dizia que salada de frutas era uma delícia.

– Mamãe já volta – disse Lola.

Nem os berros nem a música pararam com esse anúncio. Lola saiu da minivan e foi em direção a Wilde. Seu blazer azul tinha uma mancha na lapela. Ela usava tênis Puma e calça jeans confortável. Tinha uma bolsa de fraldas pendurada no ombro.

Foi pisando firme até ele, de cabeça erguida. Lola tinha cerca de 1,50 metro de altura, de modo que precisava levantar a cabeça para encará-lo. Wilde se preparou.

– Está curtindo com a minha cara, Wilde?

– O quê?

– O quê? – Lola fez uma imitação bastante boa, bastante sarcástica dele. – Corta essa, tá bem?

– Desculpe.

– Eu mereço mais de você, não mereço?

– Merece, sim.

– Então, quanto tempo faz?

– Não sei – respondeu ele.

– Sabe, sim. *Dois* anos. *Dois* malditos anos, Wilde. A última vez que vi você foi quando a Emma nasceu.

Emma era a quinta na prole de Lola: três meninos, duas meninas, todos com menos de 12 anos. Anos antes, Lola tinha sido sua irmã adotiva na casa dos Brewers. Com o passar do tempo, a família Brewer chegou a abrigar quase quarenta crianças, e todas tinham melhorado com a experiência. Algumas ficaram apenas alguns meses. Outras, como Wilde e Lola, permaneceram anos.

– E essa mancha que você fica olhando – ela apontou para a lapela – e que eu sei que você está *louco* para limpar? É a golfada da Emma, muito obrigada. O que tem a dizer sobre isso?

– Que é nojento?

Ela balançou a cabeça. O passado de Lola, como o dele, era um tanto misterioso. Sua mãe era uma árabe sunita que fugiu do reino da Jordânia e chegou grávida e solteira aos Estados Unidos. Ela havia cortado todos os laços com a família e os amigos em seu país natal. Jamais falava sobre eles. Nunca contou a ninguém, nem mesmo a Lola, quem era o pai dela.

– Que porcaria, Wilde! Dois anos.

– Desculpe – repetiu ele. Em seguida olhou para a minivan. – Como vai todo mundo?

Lola arqueou a sobrancelha.

– Tá de sacanagem.

– O quê?

– Como vai todo mundo? – repetiu Lola, imitando-o outra vez. – É o melhor que você pode fazer? Você não aparece. Não telefona.

– Eu telefonei.

– Quando?

– Hoje. Agora mesmo.

Ela ficou de queixo caído.

– Você está falando sério mesmo?

Ele não disse nada.

– Você ligou porque precisava de ajuda.

– Mesmo assim, é um telefonema.

Lola balançou a cabeça e disse, com profundo pesar:

– Ah, Wilde, você nunca vai mudar, não é?

Quando Lola pediu a ele que fosse seu sócio e trabalhasse em tempo integral, ele disse que isso não iria durar de jeito nenhum. Ela sabia e até entendia, mas sempre havia sido otimista, mesmo quando não tinha o direito de ser. Na casa dos Brewers Lola era expansiva, impetuosa, empenhada, sociável e jamais parava de falar. Adorava o frenesi das atividades, a movimentação de crianças abrigadas chegando e saindo. Em parte, pensava Wilde, porque ela odiava ficar sozinha.

Lola ansiava por uma multidão como Wilde ansiava pela solidão.

Mais do que superar obstáculos, Lola tinha se destacado: oradora da formatura no ensino médio, vice-presidente da turma, capitã do time de futebol em todos os níveis. Como atleta universitária de destaque, tinha sido recrutada pelo FBI. Aceitou, subiu na carreira rapidamente e, quando Wilde voltou do Exército, ela conseguiu convencê-lo a abrirem uma firma de investigação particular. Decidiu chamar a firma de CRAW – Chloe, Lola *And* Wilde.

Chloe, agora falecida, era a cadela dos Brewers.

– CRAW – disse Lola na época. – O nome é bonitinho, não é?

– Lindo.

Wilde tinha tentado aguentar firme, adequar-se ao ambiente e ir ao escritório, mas, no final, não conseguiu. Tentou devolver a ela suas cotas de participação na empresa, mas Lola não aceitou. Ainda queria o nome dele na porta, de modo que, de vez em quando, Wilde fazia algum trabalho extracurricular para ela.

Ele sabia que deveria ser melhor em se comunicar – telefonar de volta, estar mais presente, procurá-la de vez em quando, aceitar um convite social. E se importava com Lola, Scott e as crianças. Muito. Mas não podia fazer nada além do que fazia. Simplesmente não conseguia.

– Eu trouxe tudo – disse Lola, ativando rapidamente o modo de trabalho.

Tirou a bolsa do ombro e entregou a ele.

Wilde franziu a testa.

– Isto é uma bolsa de fraldas?

– Não se preocupe. É nova. Sem germes. Se alguém abrir, só vai encontrar roupas limpas de bebê e fraldas limpas. Você pode dizer que é um tio carinhoso, se bem que isso obviamente seria forçar muito o personagem. Precisa que eu mostre onde estão os bolsos escondidos?

– Acho que consigo descobrir.

– Coloquei quatro rastreadores por GPS e três telefones descartáveis. Você precisa de uma faca?

– Não.

– Mesmo assim, tem uma na aba com fecho de pressão. Onde eu ponho os lenços umedecidos.

– Fantástico. – Wilde olhou para o outro carro. Era um Buick preto. – Preciso de três pessoas para proteger os Maynards o tempo todo.

– Três dos nossos melhores estão no Buick – afirmou Lola.

Ela sinalizou, as portas do carro se abriram e sua equipe de segurança saiu.

– Todas mulheres – disse Wilde.

– Algum problema?

– Não.

– Você é tão progressista, Wilde! E a ruiva flamejante da direita não é mulher. Zelda é não binária.

Zelda deu um acenozinho para ele. Wilde retribuiu.

Lola informou:

– Nós quatro vamos alternar os turnos.

– Espere aí. Você?

– Eu, sim. Vou estar no primeiro grupo.

– Você não pode trazer seus filhos para a casa dos Maynards.

– Verdade, Wilde? Eu não sabia. Obrigada por avisar. Posso anotar isso? – Lola fez mímica de uma caneta numa das mãos e um bloco na outra. – Não. Trazer. Crianças. Para. Um. Sequestro. – E guardou a caneta invisível. – Pronto. Tudo certo.

– Ah, Lola – disse ele, agora imitando-a. – Você nunca vai mudar, não é?

Isso a fez sorrir.

Wilde olhou para o Honda Odyssey.

– Então quem está no seu carro?

– A Emma e os gêmeos.

Os gêmeos, lembrou ele, tinham 6 anos.

– Vou deixar a Zoe e o Elijah no aniversário de um amigo em Upper Saddle River, num lugar chamado Gravity Vault. Uma das mães disse que pode cuidar da Emma até o Scott chegar lá. Em menos de meia hora estarei na casa dos Maynards.

– Tudo bem.

– Alguma coisa que eu deva saber?

– Você conhece o procedimento.

Lola prestou continência, brincando.

– Certo.

Por um segundo, os dois ficaram parados, sem saber o que fazer.

– Preciso ir – disse Wilde, apontando desajeitadamente para trás com o polegar.

Ele se virou e partiu. Ainda ouviu o Buick preto partir a toda a velocidade e Lola dizer com calma enquanto entrava na minivan:

– Zoe, solte o cabelo do seu irmão.

Dez minutos depois, Wilde chegou ao 7-Eleven no quarteirão da escola. Ava tinha mandado uma mensagem dizendo que o encontraria ali, porque a escola propriamente dita, depois do corpo a corpo do dia anterior com Thor-Bryce, era zona proibida. Wilde entrou, olhou as salsichas de cachorro-quente girando, viu as máquinas de raspadinha. Nada muda num 7-Eleven. O tempo avança em toda parte, menos num 7-Eleven.

Quando Ava O'Brien parou no estacionamento, Wilde sentiu seu telefone vibrar. Olhou a tela e viu que era Gavin Chambers.

– Cadê você? – perguntou Chambers.

– No 7-Eleven.

– Está falando sério?

– Posso tirar uma foto de uma raspadinha como prova.

– Fique aí.

– Por quê?

– Você precisa ver uma coisa. Não se mexa.

Chambers desligou. Ava entrou e perguntou sem preâmbulos:

– O que é tão importante?

Sem um oi. Sem nenhum tipo de cumprimento. Talvez Ava estivesse chateada por causa do dia anterior. Hoje ela parecia mais nervosa, porém não menos linda. Seus olhos brilharam ao olhar para ele.

Seguindo a deixa dela, Wilde foi direto ao ponto:

– Conhece o Saul Strauss?

Ava fez uma careta.

– Aquele ativista da TV?

– É.

– Sei quem é, claro.

– Quero dizer, você o conhece pessoalmente?

– Não. Por quê?

– Você nunca falou nem se comunicou com ele de modo nenhum?

– Não. De novo, por quê?

– Porque ele soube do meu encontro com o Crash na sua escola.

– Todo mundo ficou sabendo. Nós fomos parar no estacionamento, lembra?

– Ele sabia mais do que isso.

– Não entendo. O que está perguntando realmente?

– Estou tentando descobrir quem foi o informante do Saul Strauss.

Os olhos brilhantes pegaram fogo.

– Foi por isso que você me tirou da escola no meu período livre? Eu não sou informante dele, Wilde. E por que alguém como o Saul Strauss iria se importar com isso, afinal?

Wilde ficou quieto.

Ava parecia irritada.

– Oi?

Ele não sabia quanto podia revelar. Acreditou quando ela disse que não conhecia Strauss – e, mesmo que conhecesse, ele não conseguia ver uma linha lógica. Supondo que Ava trabalhasse de algum modo com Strauss e supondo que Ava tivesse contado a Strauss que Wilde havia confrontado Crash para falar de uma adolescente desaparecida, e daí? Strauss sequestra o garoto? Isso fazia algum sentido?

Faltavam muitas peças.

– O Crash Maynard desapareceu – contou Wilde.

Isso a surpreendeu.

– Espere aí. Quando você diz "desapareceu"...

– Fugiu, está escondido, foi sequestrado, tanto faz. Ontem à noite ele estava em casa. Hoje sumiu.

Ava assimilou isso por um momento.

– Quer dizer, igual à Naomi?

– É.

Ela deu dois passos em direção ao fundo da loja, de modo que agora estavam perto das batatas chips e dos salgadinhos. Ele não a interrompeu com uma pergunta. Ainda não. Queria lhe dar tempo.

– Isso pode explicar algumas coisas – disse Ava.

– Tipo?

– Eu achava que a Naomi estava... não sei. "Mentindo" é uma palavra forte demais. "Exagerando" é fraca demais.

Wilde esperou. Como ela não disse nada, ele perguntou:

– Sobre o quê?

– O Crash.

– O que é que tem?

– Ultimamente a Naomi andou sugerindo que tinha um namorado secreto, alguém superpopular. Não levei a sério a conversa dela. Sabe aquele papo manjado do cara que diz "Ah, eu tenho uma namorada gata, mas você não conhece ela"?

Wilde assentiu e completou:

– Porque ela mora no Canadá ou algo assim.

– Isso.

– Você achou que a Naomi estava inventando.

– Ou imaginando, tanto faz. Pelo menos a princípio.

– E depois?

– Quando pressionei um pouco, ela disse que o garoto era o Crash

Maynard. Disse que o negócio do Jogo do Desafio era um disfarce e que o Crash ficou com ciúme porque ela foi para o bosque com o Matthew.

Matthew.

– O que você achou disso? – perguntou Wilde.

– Comecei a imaginar se o Crash estaria armando alguma coisa para ela de novo.

– Fingindo que gostava dela para poder humilhá-la ainda mais?

– É.

– Então você acha que talvez o Crash *goste* dela?

– Não sei – respondeu Ava, mordendo o lábio inferior. – Mas talvez a resposta mais simples seja a melhor: a Naomi e o Crash estão juntos. Talvez só queiram uns dias a sós. Talvez isso não seja da nossa conta.

Alguma coisa não se encaixava. Ou parecia se encaixar bem demais.

– Preciso voltar – disse Ava.

– Vou levar você até o carro.

Saíram para o estacionamento. Ava apertou o botão para destrancar o veículo. Wilde quis abrir a porta para ela, mas pareceria um cavalheirismo falso demais. Quando Ava sentou atrás do volante, Wilde sinalizou para ela baixar o vidro. Ele se inclinou na direção dela e disse:

– Também falei com o pai da Naomi.

– E?

– Ele disse que a mãe da Naomi a agredia.

Colocou-a a par dos detalhes da conversa com Bernard Pine. Enquanto Ava escutava, lágrimas brilharam nos olhos dela.

– Coitada da Naomi. Eu sabia que o relacionamento obviamente não era bom. Mas isso? – Ava balançou a cabeça. – É melhor eu ir.

– Você vai ficar bem?

– Vou.

– Quer que eu passe na sua casa mais tarde?

As palavras simplesmente saíram. Wilde não tinha planejado. Isso não era do seu feitio.

Ava pareceu surpresa. Enxugou os olhos e se virou para ele.

– Quando?

– Não sei. Talvez esta noite. Amanhã. A gente pode só conversar.

Ava olhou para o para-brisa, para não encará-lo.

– Sem pressão – acrescentou Wilde. – Talvez eu não esteja livre, de qualquer modo, com o negócio do Crash e da Naomi...

– Tudo bem, eu gostaria.

Ava passou a mão pela janela aberta e a encostou no rosto dele. Wilde esperou. Ela parecia a ponto de dizer mais alguma coisa, mas por fim simplesmente afastou a mão. Engrenou a marcha a ré, saiu do estacionamento e voltou para a escola.

capítulo vinte e oito

– Então, você está com o Arnie Poplin a postos? – perguntou Hester.

Ela olhava para o monitor do computador no estúdio moderníssimo na casa dos Maynards. A sala era em branco e aço, parecendo mais algo que a gente encontraria num loft reformado em Manhattan do que naquela casa antiga. Havia telas de TV cobrindo as paredes. Ela estava falando com sua produtora, Allison Grant.

Lola Naser, que Hester conhecia havia muitos anos, estava estabelecendo a conexão. Hester sempre gostou de Lola, admirava sua força diante das adversidades. Quando Lola e David eram adolescentes e estudavam na mesma escola do ensino médio, ela até havia esperado que David a convidasse para sair. Chegou a pressioná-lo um pouco (que surpresa). David não dava bola, dizendo que seria "esquisito" porque Lola era "como a irmã do Wilde".

E se David tivesse convidado? Será que tudo seria diferente? Será que ainda estaria vivo?

– Certo, ele está conectado – disse Allison.

Hester afastou os fantasmas e se inclinou na direção de Lola.

– Ouviu isso?

– Ouvi – respondeu Lola, digitando.

A ideia de Hester era simples, ainda que pouco confiável. Saul Strauss tinha dito que sua fonte para as gravações dos Maynards fora Arnie Poplin. Arnie Poplin era, no mínimo, uma prostituta que se vendia por atenção. Hester pediu a Allison que o atraísse com a promessa de uma "pré-entrevista" que poderia levar a um segmento ao vivo. Lola disse:

– Está vendo aquele monitor naquela parede?

– Quer dizer aquela TV gigante?

– É, Hester, a TV gigante.

– Estou vendo. Acho que daria para ver do espaço sideral.

– Fique lá – instruiu Lola. – Vou conectar o Arnie Poplin.

– É para ficar onde, exatamente?

– Tem uma marca no chão.

E tinha mesmo. Hester parou sobre a marca. Lola perguntou:

– Pronta?

– Mais do que nunca. Arnie vai ver você na sala?

– Não. A câmera dele só vai focalizar o seu rosto. Foi por isso que escolhi aquele monitor.

– Ótimo, obrigada. – Hester sorriu para ela. – É muito bom ver você, Lola.

– É bom ver você também, Hester. Pronta?

Hester assentiu. Lola apertou mais algumas teclas e a tela se iluminou. O rosto familiar (ainda que mais inchado) de Arnie Poplin encheu a tela, enorme e em close, close em demasia. Hester quase deu um passo para trás.

– Oi, Arnie.

Ele fez uma cara feia, exageradamente teatral.

– Que diabo é isso, Hester?

Os dois haviam se encontrado esporadicamente ao longo dos anos. Vinte e cinco anos antes, Arnie Poplin tinha estrelado um seriado de comédia de sucesso, fazendo o papel do vizinho hilário. Durante três anos foi amado e famoso. Então, puf!, tudo se foi. Como muitos, ele acabou lutando contra as dores da abstinência de dois dos vícios mais potentes da sociedade: as drogas e a fama. As pessoas subestimam a força desse farol luminoso e quente chamado fama – e como tudo fica escuro e frio quando as luzes se apagam.

Por isso Arnie tentava se agarrar desesperadamente a ele. Allison Grant brincava dizendo que Arnie Poplin aceitaria aparecer na inauguração de um banheiro público. Ele tentava participar de *realities*, de programas de jogos, de casa e decoração, de culinária – qualquer coisa para acender aquele farol, nem que fosse por alguns segundos.

– Eu queria perguntar... – disse Hester.

– Você acha que eu sou idiota?

Ele estava suando e com o rosto vermelho.

– Vi o seu programa com o Saul Strauss, Hester. Sabe do que você me chamou?

– Ex-celebridade transformada em fanático da conspiração – respondeu Hester.

A boca de Arnie se abriu no que ela supôs ser uma simulação de surpresa. Ele demorou alguns segundos para encarnar a indignação outra vez. Atores.

– Espera que eu a perdoe por isso?

– Você tem duas opções, Arnie. Pode desconectar esta ligação ou sei lá que negócio é este, ou pode me contar o seu lado da história.

– Você não vai acreditar em mim.

– Provavelmente não. Mas se conseguir me convencer, pelo menos um pouquinho, de que está dizendo a verdade, coloco você no programa.

– Segmento individual? – Arnie esfregou o rosto. – Não quero nenhum comentarista de merda fazendo contraponto.

– Entrevista cara a cara. Só você e eu.

Ele cruzou os braços e fingiu pensar por um milissegundo.

– O que quer saber?

– Conte sobre as gravações do Rusty Eggers que você diz que o Dash Maynard possui.

– Elas existem.

– Como você sabe?

– Eu participei do *The Rusty Show*. Você sabe, não é?

– Sei.

– A audiência foi enorme quando participei. Ninguém fala nisso.

Hester suspirou.

– Arnie!

– Certo, certo. Bem, eu escutei os dois. Rusty e Dash. Eles estavam falando das gravações. Dash jurou que tinha destruído todas.

– Então, se o Dash destruiu...

– Ah, qual é! Ninguém destrói gravações, Hester. Você sabe. E o Rusty sabia. Por isso ele ficou tão chateado. Sabia que o Dash jamais iria se livrar totalmente delas. Por que faria isso?

– O Dash Maynard jura que não tem nenhuma gravação prejudicial.

– É, bem, Dash é um escroto egoísta, sabe? Tem esse império enorme. Já esteve na casa dele? Parece uma coisa saída do *Grande Gatsby*.

– Você viu as gravações?

– Eu? Não.

– Então como sabe que elas existem?

– Eu ouvi.

– Ouviu as gravações?

– Não, Hester. Ouvi o Dash e o Rusty discutindo por causa delas.

– O que eles disseram exatamente?

– Era tarde da noite. Eu era o único que ainda estava por lá. Eles acharam que eu tinha ido embora. Que estavam sozinhos. Posso contar a verdade?

– É, seria bom, Arnie.

– Eu apaguei no banheiro.

– Como?

– É, eu estava no escritório do estúdio. Numa cabine do banheiro. Sentado no...

– Já captei a cena, Arnie.

– Bem, eu estava cheirando um pouco de pó, ou sei lá o quê. Apaguei. Quando acordei, o banheiro estava totalmente escuro. Eram dez da noite. Levantei a calça. Ela ainda estava nos meus tornozelos.

– Ei, obrigada pelo detalhe.

– Você quer toda a história, não é?

– Cueca samba-canção ou cavadinha?

– Hein?

– Deixe pra lá. Você levantou a calça.

– Isso, levantei a calça. Mas, como eu disse, estava totalmente escuro. Quero dizer, breu total. Tateei até achar o ferrolho. Você sabe, o que fecha a cabine.

– Sim, Arnie, eu conheço esse tipo de ferrolho. O banheiro feminino também tem.

– Pois é, ainda estava escuro. Fui tateando para fora do banheiro. Cheguei ao corredor. Fiquei preocupado, achando que talvez eles trancassem as portas à noite. Pensando que não ia conseguir sair. Sabe o que eu quero dizer?

– Sei. Continue.

– Então escutei vozes. Dois homens.

– Me deixe adivinhar: o Rusty e o Dash.

– Isso. Eles estavam discutindo. Cheguei mais perto. Ouvi o Rusty dizendo: "Você precisa se livrar da gravação. Tem que me prometer." Ele estava bêbado. Dava para perceber pela voz. Em geral, o Rusty mantém o controle, mas estava falando todo engrolado. E ficava dizendo: "Você não entende o que isso pode fazer com a gente. Você tem que destruir. Não vai querer que alguém fique sabendo."

– E o que o Dash disse?

– Só disse para ele não se preocupar, que ninguém nunca saberia, que iria garantir isso. Mas o Rusty continuou insistindo. Continuou implorando que o Dash apagasse a gravação, mas depois meio que recuou.

– Como assim, recuou?

– Ele sabia, Hester. O Rusty sabia.

– Sabia o quê?

– Que o Dash Maynard nunca apagaria realmente. O Dash se considera um documentarista sério, jornalista ou sei lá o quê. Um observador. Eu não ficaria surpreso se aquela conversa também estivesse sendo gravada. Estou dizendo. Havia microfones escondidos em toda parte. Talvez até no banheiro.

– Ahã – murmurou Hester. Aquilo estava parecendo uma clara perda de tempo. – E o que mais?

– Isso não basta?

– Na verdade, não.

– Eles sabiam que eu estava lá.

– Eles disseram alguma coisa?

– Não, mas três dias depois fui chamado para um exame de urina de surpresa. Encontraram drogas no meu organismo. Fui demitido. Eu. O cara da grande audiência. E não foi só isso: o exame vazou para a mídia. Você sabe por quê, não sabe? Era uma trama para me desacreditar. Eu estava limpo.

– Você acabou de dizer que cheirou cocaína...

– Isso tinha sido três dias antes!

Ele foi ficando cada vez mais agitado, se remexendo na cadeira, fuzilando--a com o olhar, gotas de suor lhe brotando na testa. Hester poderia apostar que Arnie Poplin estava sob o efeito de alguma substância.

– Eles precisavam me desacreditar. Precisavam se livrar de mim.

– Certo, obrigada.

– O Rusty matou alguém.

Hester parou.

– Como assim?

– É isso que o Dash tem contra ele.

– Você está dizendo – Hester começou devagar – que o Dash Maynard tem uma gravação do Rusty Eggers cometendo assassinato?

– Só posso dizer o que escutei.

– E o que foi?

– O Rusty dizendo: "Eu não queria matar o cara. Foi um acidente."

– Essas foram as palavras exatas?

– Não. Não sei. Esse foi o sentido. O Rusty matou alguém. Esse era o vínculo entre os dois. O Dash chegou a dizer isso, agora que estou pensando melhor.

– Chegou a dizer o quê?

– Que nunca contaria, porque aquele era o vínculo entre os dois. Algo assim. Que todas as coisas boas que vieram depois eram baseadas nesse vínculo. Estou dizendo, Hester. Eles são assassinos. Ou o Rusty é. O Dash tem a prova. Ele tem a obrigação legal de divulgar essa informação, não é?

Hester pensou em sua conversa com Delia sobre o que ela sabia e não queria revelar, apesar do sigilo entre advogado e cliente. Olhou para Lola. Lola deu de ombros, como se dissesse que não sabia se acreditava ou não.

– Então, vou poder aparecer no programa? – perguntou Arnie Poplin. – Estou livre hoje à noite, se você quiser.

capítulo vinte e nove

GAVIN CHAMBERS ENTROU no estacionamento do 7-Eleven num Chevrolet Cruze azul. Sozinho. Pelo menos por enquanto, haviam sumido o motorista e o SUV. Discrição? Talvez. Ele saiu do carro usando um boné de beisebol e óculos escuros. O que era sempre um disfarce idiota, Wilde pensou, porque as únicas pessoas que andam assim estão tentando se disfarçar. Mas, pensando bem, lá fora estava ensolarado. Talvez Gavin só estivesse usando aquilo porque era confortável.

Talvez nem tudo fosse uma porcaria de uma pista.

– Por que você está num 7-Eleven? – perguntou Gavin.

– A raspadinha não é motivo suficiente?

Gavin suspirou.

– Então, o que ficou sabendo?

– Fiquei sabendo que não deveria sair daqui porque você tinha alguma coisa que eu precisava ver. Pelo menos foi o que você disse ao telefone.

Gavin balançou a cabeça.

– Você me lembra a minha primeira mulher.

– Ela também era gostosa?

– Era uma gostosa bem doida.

Wilde verificou seu telefone.

– Você se importa em me dar uma carona de volta à casa dos Maynards? Podemos conversar no caminho.

– Como quiser. – Gavin apertou o botão do controle remoto. Enquanto entravam, Gavin soltou a bomba: – Sabemos que houve um pedido de resgate.

Ligou o carro e engrenou a marcha a ré.

Quatro possibilidades principais, pensou Wilde.

Primeira: Chambers estava jogando verde. Não parecia provável.

Segunda: com o pânico na casa dos Maynards, Chambers simplesmente havia suposto que devia existir um pedido de resgate. Nesse caso, era um tremendo palpite.

Terceira: ele tinha realmente grampeado algumas áreas da casa. Muito possível. Lola faria uma varredura e Wilde saberia disso em breve.

Quarta: Gavin tinha alguma fonte interna.

Qualquer que fosse a hipótese certa, Wilde não confirmaria nem negaria. Ao parar no semáforo, Gavin Chambers se virou e o encarou. Wilde o encarou de volta. Por um instante, nenhum dos dois piscou. Quando o sinal ficou verde, alguém atrás deles buzinou. Gavin balançou a cabeça e murmurou alguma coisa enquanto pegava o telefone.

– Sabe quando eu disse que o Crash se mantinha fora do nosso monitoramento com os aplicativos de mensagens, tipo Snapchat, Signal e WhatsApp?

– Sei.

– Um dos meus melhores técnicos encontrou uma mensagem no provedor de internet dele ontem à noite, às 2h07, num aplicativo novo chamado Communicate Plus. É criptografado, de modo que a mensagem e o remetente são apagados automaticamente um minuto depois de o arquivo ser aberto. Obviamente não sei dos detalhes, mas de algum modo, não me pergunte como, meu técnico conseguiu pegar o final da última mensagem antes que ela fosse apagada.

Ele entregou o telefone para Wilde. O texto dizia:

> Claro que perdoo você. Sei que você fez aquilo para enganar seus amigos. Estou esperando agora, no mesmo lugar. Empolgadíssima!!!

No final, havia três emojis de coração.

Wilde perguntou o óbvio:

– Você sabe de onde a mensagem veio ou quem mandou?

– Não. Sabemos que só podia ser de alguém que tenha esse aplicativo, mas o contato e o nome do provedor que fez o envio, ou sei lá o quê, foram deletados.

Wilde olhou a mensagem. Leu de novo.

– Alguém fez um pedido de resgate? – perguntou Gavin.

– Você disse que já sabe.

– O quê?

– Suas palavras exatas foram "Sabemos que houve um pedido de resgate". Se você sabe, não há necessidade de me perguntar.

– Pare de ser um pé no saco por cinco minutos. O Rusty quer ajudar.

– Tenho certeza que sim.

– E nós dois sabemos quem escreveu a mensagem.

Ele estava falando de Naomi, claro.

– Supondo que você esteja certo – disse Wilde –, o que quer fazer?

– Você verificou a casa da Naomi?

– Visitei o pai dela.

– Você verificou a casa inteira? Na última vez, ela estava lá o tempo todo, não é? No porão?

Wilde não disse nada. Olhou o relógio. Eram quase três da tarde, faltava uma hora para o prazo final. Quando se aproximaram do portão diante da casa dos Maynards, Wilde disse:

– Obrigado pela carona.

– Você sabe que estou certo – disse Gavin.

– Sobre?

– Sobre tudo. Sabe que a Naomi deve estar envolvida nisso.

– Ahã. Sobre o que mais você está certo?

Gavin lhe lançou um olhar fulminante.

– Que você e sua irmã não podem cuidar disso sozinhos.

– Não sou eu quem dá as ordens.

– Se você disser aos Maynards para nos colocar de volta no jogo, eles vão escutar.

Alguma coisa ali, alguma coisa em todo esse encontro, definitivamente não se encaixava.

– Obrigado pela carona, Gavin. Mantenha contato.

Lola o encontrou perto do portão da segurança num carrinho de golfe.

– Levo você até a Hester.

Wilde se sentou ao lado dela e começaram a subir pela entrada de veículos. O terreno era exageradamente bem cuidado. Muitas pessoas achariam isso lindo. Wilde não. A natureza pinta a própria tela, então a gente chega e acha que pode melhorá-la. Nada disso. A natureza deve ser selvagem. Se você domesticá-la, perde o que a torna especial.

Depois de Wilde colocá-la a par das novidades, Lola perguntou:

– E o que você precisa de mim?

– Estou pensando no bilhete pedindo resgate.

– O que é que tem?

– Ele pedia especificamente as gravações "mais antigas".

– O que significa...

– O Dash Maynard conheceu o Rusty Eggers em Washington quando eram estagiários no Capitólio. Veja se consegue descobrir alguma coisa sobre esse período.

– Tipo o quê?

– Não faço ideia. Eles dividiam um quarto? Saíam juntos? É um tiro no escuro, admito.

– Vou colocar algumas pessoas para pesquisar isso.

– Veja também se consegue localizar o Saul Strauss. Ele deve ser o Suspeito Número Um.

– Certo. Mais alguma coisa?

Wilde refletiu por um instante e então concluiu: seguro morreu de velho.

– Preciso que você vá à casa da Naomi Pine depois de escurecer.

Lola o encarou.

– Você não esteve lá agora mesmo?

– Quero que o lugar seja revistado.

– Para procurar o quê?

– O Crash e a Naomi.

Lola assentiu.

– Feito.

Hester estava sentada sozinha num banco de pedra, olhando o horizonte de Manhattan. Quando Wilde se aproximou, ela se virou para ele e protegeu os olhos. Com a outra mão, deu um tapinha no banco.

– Sente-se comigo.

Ele se sentou. Por um momento nenhum dos dois disse nada. Só ficaram olhando o horizonte por cima das árvores. O sol estava naquela altura em que tudo – prédios, árvores, nuvens – parecia ter halos de anjo.

– É bonito – disse Hester.

– É.

– E tedioso. – Hester se virou para ele. – Quer começar?

– Não.

– Foi o que pensei. Falei com o Arnie Poplin.

Inteirou-o da conversa.

– Matou alguém – disse Wilde quando ela terminou.

– Foi o que ele disse que ouviu.

– Presumo que você não tenha sido a primeira pessoa a quem ele contou isso.

– Duvido muito.

– Então por que ninguém denunciou?

– Porque o Arnie Poplin é um viciado em drogas indigno de confiança que busca atenção e tem interesses pessoais.

– Certo.

– Os jornalistas seriam cautelosos com ele em qualquer situação, mas o Rusty Eggers é melhor do que ninguém em pegar no pé dos árbitros.

– Pegar no pé dos árbitros?

Hester franziu os olhos para o sol.

– Um amigo meu foi astro do basquete universitário pela Duke. Você é fã de basquete?

– Não.

– Então não o conhece. De qualquer modo, ele me levou a alguns jogos no Madison Square Garden. Sabe o que eu sempre noto?

Wilde balançou a cabeça.

– O modo como os técnicos ficam reclamando e gritando com os árbitros. Aqueles homenzinhos de terno e gravata passam o jogo inteiro correndo de um lado para outro na lateral da quadra, tendo chiliques ininterruptos, feito criancinhas pedindo bala. Dá vergonha de olhar. Um dia perguntei ao meu amigo, o astro do basquete, que negócio era aquele. E ele disse que era uma estratégia. As pessoas, por natureza, querem ser amadas. Não você nem eu. Mas as pessoas em geral. Assim, se você grita para o juiz sempre que ele apita na sua direção, seja por um motivo legítimo ou não, é mais provável que decida a seu favor.

Wilde assentiu e comentou:

– E é isso que o Rusty faz com a mídia.

– Exatamente. Ele ataca a mídia o tempo todo, por isso os jornalistas ficam com medo de soprar o apito... para continuar com a metáfora. Todos os políticos fazem isso, claro. O Rusty só faz melhor que os outros.

– Mesmo assim, deveríamos confrontar o Dash com o que o Arnie Poplin contou a você.

– Já fiz isso.

– E?

Hester deu de ombros.

– O que você acha? O Dash negou. Disse que era "baboseira". Chegou a usar essa palavra. Baboseira.

– Lamentável. E o que você deduziu?

– O mesmo que você.

– Eles estão escondendo alguma coisa.

– Isso. – Ela deu um tapinha na perna dele. – Certo, queridinho, o que você ficou sabendo?

Wilde começou a contar o que Bernard Pine tinha dito sobre a ex-mulher maltratando Naomi. Hester apenas balançou a cabeça.

– Que mundo é este!

– Tem alguma coisa errada aí.

– Como assim?

– Não sei. Ainda acho que precisamos falar com a mãe da Naomi. Mandei a Lola encontrá-la.

– Bom. O que mais?

Wilde contou sobre a comunicação por aplicativo entre Crash e talvez Naomi, além das conversas de Ava com Naomi sobre um início de relacionamento entre os dois adolescentes.

– Todos os sinais indicam que o Crash e a Naomi estão juntos – disse Hester.

Wilde não disse nada.

– Então digamos que isso seja verdade, por enquanto – continuou ela. – Vamos supor que esses dois adolescentes se apaixonaram secretamente e decidiram fugir.

– Tudo bem.

Hester deu de ombros.

– Como isso se transforma num pedido de resgate?

Wilde não respondeu. Olhou o relógio.

– Em menos de uma hora termina o prazo do sequestrador. Devemos entrar?

– Eles pediram que nos reuníssemos às quinze para as quatro na biblioteca.

– Com "eles" você quer dizer o Dash e a Delia Maynard?

– É.

– Alguma ideia do que planejam fazer?

– Não quiseram contar antes da hora.

Wilde olhou de novo a paisagem.

– Isso não é normal.

– Não, não é.

Os dois estavam voltados para a paisagem. Hester fechou os olhos e deixou que os raios de sol a aquecessem.

– Como posso dizer isso delicadamente? – começou ela.

Wilde continuou olhando os arranha-céus distantes.

– Delicadamente – repetiu ele – não é o seu forte, Hester.

– Verdade, então lá vai: eu estava pensando em passar a noite na casa da Laila, mas não quero fazer isso se você estiver lá.

Wilde não pôde deixar de sorrir.

– Certamente, não vou estar.

– Ah.

– Mas isso não quer dizer que seja uma boa ideia ficar lá.

– Ah – disse Hester. E de novo: – *Ah*. É mesmo?

Wilde não disse nada.

– Posso ser intrometida?

– Essa é uma pergunta retórica.

– Faz seis anos que nós não nos comunicamos de verdade.

– Sinto muito por isso – disse ele.

– Eu também, e espero que não seja por causa do David.

David. Dizer o nome em voz alta silenciava até as árvores.

– Não culpo você. Nunca culpei. Você entende, não é?

Wilde não respondeu.

– Era sobre isso que você queria ser intrometida?

– Não. Não vou dizer que você é como um filho para mim porque seria exagero. Eu tenho três filhos. São os únicos que são como filhos para mim. Mas eu estava lá desde o início, desde o dia em que você saiu da mata. Todos estávamos lá. Eu, Ira, David, claro.

– Vocês foram muito bons para mim.

– Também não é por isso que puxei o assunto, portanto deixe-me ser direta. Esses exames de DNA pela internet ficaram superpopulares. Até eu fiz um há alguns anos.

– Alguma surpresa?

– Nenhuma. Sou sem graça demais.

– Mas quer saber se eu fiz um.

– Faz seis anos – disse ela. – Portanto, sim, quero saber se você fez um.

– Fiz. Na verdade, foi há pouco tempo.

– Alguma surpresa?

– Nenhuma. Também sou muito sem graça.

– Sério?

– Nem pai, nem mãe, nem irmãos. A coisa mais próxima foi um primo em segundo grau.

– É um começo.

Wilde balançou a cabeça.

– Não, Hester, não é. Se alguém estivesse procurando uma criança desaparecida... filho, irmão, qualquer coisa... estaria naquele site de DNA.

Ninguém está me procurando, portanto ninguém se importa. Não estou dizendo isso para despertar pena. Mas alguém deixou uma criança sozinha na mata durante anos...

– Você não sabe – interrompeu Hester.

Wilde se virou para encará-la, mas ela não o olhou de volta.

– Não sei o quê?

– Quanto tempo ficou por lá.

– Exatamente, não sei.

– Podem ter sido dias.

Wilde não sabia o que deduzir disso.

– O que você está dizendo? Seu filho e eu brincamos juntos durante anos.

– Anos. – Hester fez um som de escárnio. – Qual é.

– Não entendi.

– Vocês dois eram pequenos. Acha que poderiam guardar um segredo assim durante anos?

– Foi o que nós fizemos.

– É o que você *acha* que fizeram. Sabe como o tempo passa devagar quando somos crianças. Podem ter sido dias, talvez semanas, mas anos?

– Eu tenho lembranças, Hester.

– Não duvido. Mas não acha que poderiam ser de apenas alguns dias? Você sempre diz que não tem nenhuma lembrança de antes de estar no bosque. Assim, talvez... só me ouça, está bem? Talvez tenha acontecido algo com você, uma coisa tão traumática que você bloqueou tudo que veio antes. Talvez, como você não reteve nada da vida antes desse evento traumático, essas lembranças estejam aumentadas e o que podem ter sido alguns dias pareçam anos.

Não foi o que aconteceu. Wilde sabia.

– Andarilhos me viram meses antes, até mesmo anos antes.

– Eles disseram que viram um menino. Podia ser você, podia ser outra pessoa.

Mas Wilde não engolia isso. Lembrava-se de ter invadido casas – um monte de casas. Lembrava-se de ter viajado quilômetros. Lembrava-se daquele corrimão vermelho e dos gritos.

– Não importa – disse ele. – Ainda que você esteja certa, ninguém procurou o tal garoto.

– É por isso que você precisa encontrar a verdade, para se sentir inteiro.

Wilde fez uma careta.

– Você realmente disse "se sentir inteiro"?

– Não foi meu melhor momento, admito. Mas sabe o que eu quero dizer. Você tem dificuldade para criar intimidade e vínculos, Wilde. Isso não é segredo. Não é necessário ser gênio para ver que tudo começou com esse abandono. De modo que talvez, se você tivesse algum entendimento do que provocou isso, do que realmente aconteceu...

– Eu fosse mais normal?

– Você me entendeu.

– Não mudaria nada.

– Provavelmente. Mas também existe outro motivo.

– E qual é?

– Eu tenho uma curiosidade mortal! – disse Hester, levantando as mãos. – Você não?

Wilde olhou seu relógio.

– Quinze minutos para o prazo do resgate. Vamos encontrar os Maynards.

capítulo trinta

Os MAYNARDS ESTAVAM SENTADOS nas mesmas poltronas cor de vinho com encosto alto. De modo nem um pouco surpreendente, ambos pareciam extremamente estressados. A pele sem viço, os olhos injetados. De modo igualmente um pouco surpreendente, ambos estavam elegantes, com roupas caras de alta costura. Dash, que vestia uma calça marrom com um vinco capaz de cortar presunto, foi quem falou.

– Por favor, diga se há alguma novidade – pediu a Wilde.

Wilde fez o melhor que pôde. Os dois ouviram sem se mexer, quase como se estivessem tentando permanecer imóveis sem revelar nada. Ou talvez, mais provavelmente, estivessem apenas se esforçando para segurar as pontas e achassem que, se alguma parte deles rachasse, seria o fim: iriam desmoronar. Quando Wilde terminou, Dash e Delia se viraram um para o outro. Delia assentiu uma vez.

– A Delia e eu conversamos exaustivamente. Revisamos as evidências. Tentamos traçar uma linha do tempo do que nosso filho fez ontem à noite. Falamos bastante com vocês dois e examinamos as várias teorias que ouvimos.

Ele pegou a mão da mulher.

– A verdade é que não sabemos se isso é um sequestro, uma fraude ou uma coisa totalmente diferente. Vocês também parecem não saber.

– Eu não sei – disse Hester. – Wilde?

– É impossível ter certeza.

– Exatamente – disse Dash. – Motivo pelo qual, depois de uma discussão demorada, a Delia e eu decidimos que a melhor atitude, o caminho mais seguro, é mandar as gravações. Não podemos mandar todas. O arquivo seria grande demais. Além disso, bem, como alguém saberia quantas horas de gravação nós temos? Nem eu sei.

– Por que você tem tanto material? – perguntou Hester.

– Sempre fui assim – respondeu Dash.

– Antes de tudo, ele é um documentarista – acrescentou Delia.

Wilde assentiu, olhou em volta e decidiu ir fundo:

– É por isso que vocês estão nos gravando agora?

Silêncio. Depois Dash se manifestou:

– De que você está falando?

Wilde pegou o próprio smartphone.

– Eu tenho um aplicativo de rastreamento de rede que detecta se existem dispositivos de escuta ou câmeras num ambiente. Neste momento ele está identificando redes e provedores de internet que só podem ser explicados pelo fato de termos câmeras apontadas para nós.

Dash se recostou e cruzou as pernas.

– Sou documentarista. Gravo nossa vida também. Não creio que vá usar isso algum dia...

– Nós precisamos fazer isso agora? – perguntou Delia rispidamente.

– Não – respondeu Wilde. – Você está certa. Vamos nos concentrar na tarefa imediata.

Tinha sido um blefe. De fato existem aplicativos para rastrear redes e detectar câmeras escondidas. São usados para, por exemplo, certificar que os anfitriões do Airbnb não estão espionando os hóspedes. Mas Wilde não tinha um desses no celular.

Faltavam cinco minutos para o prazo das quatro horas. Havia um laptop na mesinha de centro entre eles. Dash clicou no link que tinha sido mandado. Surgiu uma tela com uma contagem regressiva indicando que o link seria ativado em quatro minutos e 47, 46, 45 segundos.

– Minha equipe irá tentar rastrear o provedor quando fizermos a conexão – disse Wilde. – Mas me disseram que até mesmo um VPN simples impediria que a gente conseguisse qualquer coisa significativa.

Em silêncio, olharam o relógio atravessar a marca de quatro minutos.

– E então, o que há nas gravações? – perguntou Hester.

– Tomadas que não entraram nos programas – respondeu Dash. – Material dos bastidores. A sala dos redatores, onde discutíamos ideias. Coisas assim.

– Ahã – disse Hester. – No e-mail do resgate eles pediram que vocês enviassem a gravação "realmente prejudicial" para uma pasta especial.

Hester esperou. Ninguém falou nada.

– Vocês vão fazer isso?

Delia respondeu:

– Vamos.

– O que há nela?

– Não vemos por que isso é relevante para vocês.

– Como é?

– Não queremos compartilhar nada disso. Estamos sendo obrigados por causa da segurança do nosso filho.

– Então vocês estão dispostos a compartilhar a gravação com um sequestrador anônimo mas não com sua advogada?

– Não vemos motivo para mostrar a ninguém – disse Dash. – Mas, como o Sr. Wilde aqui observou, essas pessoas não pediram uma divulgação pública. De modo que talvez guardem a gravação, talvez não. De qualquer forma, essa é uma confiança que não queremos trair, nem mesmo com vocês. Nós a estamos traindo, por assim dizer, em nome da segurança do nosso filho.

Hester olhou para Wilde e balançou a cabeça. Depois se virou de novo e olhou irritada para os dois Maynards.

– Espero que saibam o que estão fazendo.

Quando a contagem do relógio chegou a zero, Dash Maynard atualizou a página. Era simples. Havia dois retângulos amarelos. Em um estava escrito UPLOAD-VÍDEOS, e no outro, UPLOAD-PASTA ESPECIAL.

Embaixo as instruções diziam:

Clique nos dois links. Não vamos nos comunicar até o início do upload dos vídeos.

– Quem está por trás disso é bom – disse Wilde. – Sem negociações, sem conversa.

Dash soltou um longo suspiro. Delia pôs a mão reconfortante, familiar, no ombro dele.

– Lá vai – disse Dash.

Ele clicou primeiro no botão da pasta especial, depois no outro. Os arquivos começaram a ser enviados. Um minuto se passou. Depois outro. Finalmente um novo ícone apareceu. Um envelope. Dash levou o cursor para cima dele e clicou.

Temos que examinar os arquivos.

Se você fez o que pedimos, seu filho será devolvido amanhã exatamente ao meio-dia. Faremos contato informando a localização.

Os olhos de Delia se encheram de lágrimas.

– Ao meio-dia?

Dash pegou a mão da mulher.

– Nosso filho precisa passar mais uma noite com essas pessoas?

– Ele vai ficar bem – disse Dash. – Fizemos tudo que podíamos.

– Fizemos? – perguntou ela.

Silêncio.

Dash se virou para Wilde e Hester.

– E agora?

– Se vocês ainda não querem procurar as autoridades... – começou Hester.

– Não queremos.

Hester deu de ombros.

– Então acho que vamos ter que esperar.

Quando voltaram para o lado de fora Hester disse a Wilde:

– Não vamos esperar, não é?

– Não sei direito o que podemos fazer.

– Você vai ficar aqui? – perguntou Hester.

– Se eu não estiver na propriedade, estarei por perto.

– Eu também. Talvez eu saia para comer alguma coisa, se não for problema.

– Claro que não é.

Hester começou a torcer as mãos, girando os anéis nos dedos. Pela primeira vez Wilde notou que ela não estava mais usando a aliança de casamento. Tinha sido seis anos antes? Não conseguia lembrar.

– Com Oren Carmichael – acrescentou ela.

Hester Crimstein ficou ruborizada. De verdade.

– Segundo encontro em duas noites – disse Wilde.

– É.

– Uhu!

– Não banque o engraçadinho.

– Se você não quiser dormir na casa da Laila, talvez possa dormir na do Oren.

– Pare com isso. – O rubor se aprofundou. – Não sou dessas, você sabe.

Wilde sorriu. Era bom ser normal, nem que por apenas alguns segundos.

– Vá jantar – disse. – Aproveite.

– Ele é um homem bom, o Oren.

– E é um bonitão de ombros largos.

– É? Nem notei direito.

– Vá, Hester.

– Você vai ligar se houver alguma mudança?

– Vou.

– Wilde?

Ele se virou.

– Não houve ninguém desde o Ira.

– Então já está na hora – disse Wilde.

O Tony's Pizza and Sub tinha exatamente o estilo que o nome sugeria.

Havia um balcão com dois caras de avental branco girando pizzas. Uma placa acima da cabeça deles exibia o cardápio para quem entrava e não queria serviço de mesa. Se você pegasse um reservado, uma garçonete – sempre uma garota do ensino médio da cidade – lhe entregava um menu laminado e pegajoso. As toalhas de mesa eram de xadrez vermelho. Cada mesa estava atulhada com um porta-guardanapos, uma variedade de frascos com queijo parmesão, orégano e coisas do tipo, e uma vela pela metade enfiada no gargalo de uma garrafa de Chianti vazia. Uma televisão pendurada no teto mostrava esportes ou noticiários. Nesse momento, estava sintonizada na emissora de Hester.

Usando seu uniforme de policial, Oren estava num reservado perto do fundo. Ele se levantou no momento em que a viu, o que pareceu muito formal naquele lugar.

– Oi – disse Oren.

Ele a beijou no rosto e segurou sua mão. Hester apertou a mão dele e entrou no reservado.

– Aposto que você já esteve aqui um milhão de vezes – disse Oren.

O Tony's era um dos pilares da cidade e ficava a menos de 1,5 quilômetro da antiga casa dela. Além disso, tinha supostamente a melhor pizza num raio de 15 quilômetros.

– Não – respondeu Hester. – Na verdade, é a primeira vez que venho aqui em mais de trinta anos.

– Sério?

Hester assentiu.

– Na noite em que nos mudamos para cá, Ira e eu trouxemos os garotos para jantar aqui. Estávamos exaustos e famintos. Tinha sido um dia longo. De qualquer modo, havia apenas uma mesa livre e eles só nos deixariam entrar se prometêssemos pedir o jantar completo, nada de pizza. Não me lembro dos detalhes, mas foram grosseiros conosco. O Ira ficou furioso. Ele não era de se irritar à toa, mas quando se irritava... Bem, nós fomos embora sem comer. O Ira escreveu uma carta para o proprietário, se é que dá para acreditar. Datilografada. Mas nunca teve resposta. Por isso nos proibiu de vir ou de pedir comida para viagem aqui. Não sei quantos mil dólares eles perderam com o passar dos anos por causa daquele incidente. Os garotos eram tão leais ao Ira que, mesmo ao serem convidados para uma festa de aniversário aqui ou se o time de futebol deles viesse depois de um jogo, se recusavam a comer. – Hester levantou os olhos. – Por que estou contando essa história?

– Porque é interessante. Quer ir a outro lugar? Ao Heritage Diner, talvez?

– Posso dizer uma coisa engraçada?

– Claro.

– Eu mandei minha assistente verificar. O Tony's foi vendido há quatro anos. Se o antigo dono ainda estivesse aqui, eu não teria vindo.

Oren sorriu.

– Então podemos ficar?

– Podemos. – Hester balançou a cabeça. – Desculpe.

– Por quê?

– Por eu falar do Ira assim. No primeiro encontro, falei da Cheryl. No segundo, falo do Ira.

– Tirando todos os elefantes da sala. Gosto disso. Mas, afinal, por que você está na cidade? Veio visitar o Matthew e a Laila?

Hester balançou a cabeça.

– Trabalhando para uns clientes.

– No nosso pequeno povoado?

– Não posso dizer mais nada.

Ele entendeu. A garçonete serviu uma fatia de pizza margherita para cada um. Hester deu uma mordida e fechou os olhos. Tinha gosto de nirvana.

– Boa, não é? – perguntou Oren.

– Estou odiando o Ira neste momento.

Ele deu um risinho e pegou sua fatia.

– Suponho que sejam os Maynards.

– O quê?

– Os seus clientes. Os Maynards. Eu teria pensado só no Dash Maynard, mas você disse que estava visitando clientes. No plural.

– Não posso confirmar nem negar...

– Eu não esperaria isso.

– Por que acha que são os Maynards?

– Por causa do helicóptero. Quando eles vêm, precisam liberar o espaço aéreo conosco. Por isso sei que o helicóptero veio de Manhattan hoje de manhã. Depois você apareceu num Uber, não no seu Escalade preto dirigido pelo Tim.

– Estou impressionada.

Oren deu de ombros.

– Sou um detetive experiente.

– Mas não posso falar sobre isso.

– Não quero que fale. Só fico realmente feliz por você estar aqui comigo.

Apesar de tudo – dos fantasmas, do pedido de resgate, daquele lugar –, Hester sentiu o rosto ficar da cor do molho de tomate da pizza.

– Também estou feliz por estar aqui – disse.

Durante alguns minutos o mundo se encolheu até o tamanho do homem lindíssimo sentado à mesa diante dela e da pizza celestial na mesa entre os dois. Ela adorou o escapismo. Não era algo que Hester costumava desejar. Gostava de estar no meio da turbulência. Achava estressante ficar fora da agitação.

Algumas pessoas pararam junto à mesa, a maioria para falar com Oren, mas alguns rostos também eram familiares para ela. Os Gromans, que costumavam jogar tênis com Ira nas manhãs de sábado. Jennifer Tallow, aquela bibliotecária supergentil cujo filho era amigo de Jeff. Todo mundo conhecia Oren, claro. Quando você é policial por tanto tempo numa cidade daquele tamanho, vira uma espécie de celebridade. Ela não sabia se Oren gostava da atenção ou se era educado ao extremo por obrigação.

– Quando, exatamente, você se aposenta? – perguntou ela.

– Daqui a três meses.

– E seus planos?

Oren deu de ombros.

– São fluidos.

– Acha que vai ficar na cidade?

– Pelo menos por enquanto.

– Você morou muito tempo aqui.

– É.

– Já pensou em viver numa cidade grande?

– Já. Eu penso nisso.

Quando o telefone de Oren tocou, a expressão no rosto dele endureceu.

– É uma chamada do trabalho. Preciso atender.

Hester sinalizou para ele ir em frente. Oren pegou o aparelho e disse:

– Sim. – Alguns segundos se passaram. – Certo. Quem está mais perto do Tony's? Bom, mande ele passar aqui e me pegar.

Oren desligou o telefone.

– Desculpe, preciso ir. Talvez não demore muito, se você quiser esperar, ou...

– Não, tudo bem. Eu disse à Laila que passaria lá.

Ele se levantou.

– Tem certeza?

– Tenho, sem problema. Vou pegar um Uber.

– Está bem, obrigado. – Ele jogou duas notas de 20 na mesa. – Ligo para você mais tarde.

– Emergência? – perguntou ela.

– É só um acidente de carro na Mountain Road. Ligo quando tiver terminado.

Oren foi rapidamente para a porta enquanto uma viatura parava na frente. Ele não olhou para trás para ver o que havia deixado. Hester simplesmente ficou sentada. Não conseguia se mexer, não conseguia respirar. O sangue havia congelado nas suas veias. Os pulmões pararam. Podia ouvir a própria pulsação, as batidas do coração ficando impossivelmente altas até se tornarem o único som que ela conseguia ouvir:

– *É só um acidente de carro na Mountain Road...*

Como se isso acontecesse o tempo todo. Como se não fosse grande coisa.

Uma lágrima escapou e escorreu pelo seu rosto. Ela podia sentir mais lágrimas brotando, um grito gutural subindo na garganta, que precisaria ser liberado logo. Não teria muito tempo. Hester encontrou as próprias pernas. Conseguiu se levantar e ir cambaleando até o banheiro. Lá dentro, fechou a porta, trancou-a e abafou o grito com a mão.

Não seria capaz de dizer quanto tempo ficou ali. Ninguém bateu à porta nem nada disso, portanto ela imaginou que teria sido por apenas um minuto ou dois. Não mais do que isso. Ela se recompôs. Olhou-se no espelho, jogou água no rosto e viu o fantasma de David no reflexo.

"*É só um acidente de carro na Mountain Road...*"

Imaginou onde Oren estava naquela noite quando recebeu o telefonema. Estaria no trabalho, numa viatura, no Tony's, como esta noite... ou estaria em casa com Cheryl? Será que acordara na cama, Cheryl se virara para ele e perguntara se havia alguma coisa errada? E então talvez Oren tenha balançado a cabeça, dado um beijo suave em seu rosto e dito a ela para voltar a dormir, murmurando:

"*É só um acidente de carro na Mountain Road...*"

Tudo isso fazia sentido agora. Hester não se considerava pessimista nem otimista, mas de algum modo sabia que a coisa não poderia dar certo, que a bolha de felicidade em que estivera com Oren na noite anterior poderia estourar a qualquer momento. Agora entendia. Oren estivera lá naquela noite trágica. Gostando ou não, ele estava enredado no pior momento da sua vida – e não havia como mudar isso. Ela veria Oren, talvez o beijasse, talvez o abraçasse, e sempre seria transportada para aquela noite horrível.

Como um relacionamento poderia superar isso?

Enxugou o rosto com uma toalha de papel, pegou o telefone e pediu um Uber. O carro chegaria em oito minutos. Hester respirou fundo mais algumas vezes e se olhou de novo no espelho. Parecia velha – uma mulher velha –, e era mesmo. Às vezes era uma bosta se olhar no espelho e ver isso. A luz clara daquele banheiro idiota de pizzaria aumentava cada ruga.

Seu telefone vibrou. Ela verificou o número e viu que era Allison Grant, sua produtora. Disse:

– E aí?

– Você está perto de alguma televisão?

– Posso ir até uma. Por quê?

– Alguém vazou uma gravação com o Rusty Eggers.

Hester sentiu as costas se empertigarem.

– É ruim?

– Muito. Não tem como o Eggers sobreviver a isso.

capítulo trinta e um

RUSTY EGGERS ASSISTIA à TV em sua cobertura.

Gavin estava de pé atrás dele. As duas principais assistentes de Rusty – Jan Schnall, ex-chefe de gabinete do governador republicano da Carolina do Sul, e Lia Capasso, gerente de campanha de dois senadores democratas – estavam sentadas no sofá fazendo anotações. A legenda correndo na base da tela gritava, de modo pouco imaginativo, em maiúsculas vermelhas:

NOTÍCIA DE ÚLTIMA HORA:
VÍDEO CHOCANTE COM RUSTY EGGERS

Apresentador Scott Gallett: "Supostamente o vídeo é de dez anos atrás, da primeira temporada do The Rusty Show...*"*

– Pelo menos essa parte eles acertaram – disse Rusty.

A garota é Kandi Pate, jovem estrela da comédia adolescente de sucesso Amazing Darcy. *Naquela temporada, ela participou três vezes do* The Rusty Show. *Na época dessa gravação, ela teria 16 ou 17 anos e Rusty teria 40 e poucos. De novo, alertamos: essa história foi revelada agora. Por mais que o vídeo pareça real, ainda não verificamos sua autenticidade...*

– Como se isso fosse conter os abutres – comentou Rusty.

Gavin notou que Rusty parecia notavelmente calmo. Suas duas auxiliares não.

No vídeo, Rusty Eggers está com o braço em volta de Kandi Pate num sofá. Kandi parece se encolher ao toque dele.

Rusty Eggers: *A maioria dos caras da sua idade não sabe o que está fazendo. Quero dizer, sexualmente. Sabe o que estou dizendo?*

Kandi Pate: *Ahã. Minha agente está esperando lá embaixo.*

Rusty: *Não acho que sua agente esteja fazendo um bom trabalho com você.*

Kandi: (riso nervoso) *Ela me fez chegar aonde cheguei.*

Rusty: Papéis para criança. Agora você é uma mulher adulta. E talentosa.
Kandi: *Obrigada.*
Rusty: *Por que não passa no meu quarto de hotel esta noite para conversarmos mais sobre isso?*
Kandi: *Esta noite? Não sei...*
E então Rusty Eggers lhe dá um beijo na boca à força.

– Olhem! – Rusty apontou para a câmera. – Ela não está exatamente lutando, está?

Mas também não estava exatamente puxando-o para perto.

As duas assistentes de Rusty ficaram pálidas. Gavin perguntou:

– Você sabe onde isso foi gravado?

– Parece o estúdio do Maynard em Nova York – respondeu Rusty.

O beijo termina. Kandi Pate se levanta rapidamente, alisa a saia, enxuga a boca com as costas da mão. Força um sorriso.
Kandi: *Preciso ir.*
Rusty: *Esta noite, então? Nove horas. Só vamos conversar.*
Kandi sai rapidamente da sala.

Rusty deu as costas para o televisor e olhou para as duas assistentes.

– Respondendo à sua primeira pergunta: sim, ela apareceu lá naquela noite.

Apresentador Scott Gallett: *Kandi Pate acabou sendo demitida do* The Rusty Show, *segundo boatos por uso de drogas e insubordinação, mas temos conosco nosso painel de especialistas, que agora se perguntam sobre a veracidade daqueles boatos e se ela foi vítima de...*

Rusty desligou o aparelho.

– Painel de especialistas – repetiu. – Dá um tempo. – Ele esfregou as mãos. – Lia?

Lia Capasso parecia atordoada.

– Você está com os *bots* preparados?

– Estou – respondeu Lia.

– Ótimo. – Rusty começou a andar de um lado para outro. – Então ponha o primeiro grupo para dizer que essa gravação era uma demonstração para ensino.

– Demonstração para ensino?

– É. Foi por isso que nós filmamos. Kandi e eu estávamos representando um comportamento inadequado no local de trabalho de modo que qualquer funcionário do *The Rusty Show* soubesse que teríamos tolerância zero com esse tipo de coisa.

Jan Schnall disse:

– Você acha que isso vai colar?

– Isso é só para o primeiro grupo de robôs, Jan. Para o segundo, vamos dizer que Kandi estava trabalhando num roteiro do tipo "Me Too". Muito à frente do tempo. Kandi pediu que eu representasse uma cena com ela. Lia, mande nosso pessoal de projeto gráfico criar um roteiro de vídeo com esse exato diálogo. Use um dos programas de redação de dez anos atrás. Final Draft ou Movie Magic, talvez. Diga para acrescentarem uma página de diálogo antes, uma página de diálogo depois, esse tipo de coisa. Que façam parecer legítimo. Depois vamos vazar isso como o "manuscrito não produzido" que Kandi Pate esperava desenvolver antes que sua carreira afundasse.

Lia anotou isso.

– Entendi.

– Vamos dizer que, como um mentor para muitos jovens que apareciam no meu programa, eu estava tentando dar apoio ao ler aquelas falas com ela, mas obviamente me sentia desconfortável com o que ela queria que eu fizesse. Jan, faça com que alguns especialistas em linguagem corporal confirmem que eu estou obviamente representando e que pareço hesitar durante o beijo fingido.

– Certo.

– Em seguida vamos para a direita e para a esquerda. Jan, consiga que alguns robôs de direita digam coisas como "Por que a esquerda vive falando de liberdade sexual e que as mulheres devem fazer as próprias escolhas, mas agora está dizendo que Kandi Pate é fraca demais para decidir com quem deve namorar?". Esse tipo de comentário. Depois, Lia, faça os robôs de esquerda dizerem: "Não temos nada a ver com o que acontece entre quatro paredes e essa mulher madura deveria ser capaz de fazer as próprias escolhas." Você conhece o procedimento. Sabem qual é a idade de consentimento em Nova York?

Lia digitou alguma coisa no seu iPad.

– É 17.

– Na Califórnia?

– É 18.

Ele pensou nisso.

– Também temos um escritório em Toronto. E lá?

Lia digitou mais um pouco.

– Era 14. Agora é 16.

– Certo, legal. Vamos espalhar outro boato dizendo que isso aconteceu no nosso escritório de Toronto. Também vamos colocar outro grupo de perfis falsos levantando a desculpa do "machão".

Jan franziu a testa.

– Do machão?

– Você sabe, tipo "Que americano com sangue nas veias não daria em cima de uma gata gostosa como Kandi Pate?" e "Esse pessoal cheio de mi-mi-mi na internet só está com inveja de um homem de verdade". Todos devem ficar repetindo que Kandi tinha maioridade legal.

Lia e Jan assentiram, ligeiramente empolgadas com a tarefa. Gavin apenas observava em silêncio.

– Por fim, vamos fazer os grupos de fake news dizerem que a gravação foi obviamente manipulada. De novo, temos aquelas contas nas redes sociais com vários níveis de... – Rusty fez sinal de aspas com os dedos – "expertise", certo? Vamos fazer com que atiçem os loucos das teorias da conspiração. Fazer com que eles notem, sei lá, algum tipo de sombras irregulares no filme, dizendo que é obviamente um trabalho de Photoshop ou que o som não se encaixa direito. Fazer com que produzam aqueles vídeos do YouTube em que eles desenham um círculo em volta de algumas coisas e dizem: "Ei, olhem esta sombra ou sei lá o que é isso, alguém certamente manipulou a imagem, blá-blá-blá..." Ou conseguir alguns especialistas em voz afirmando que a voz não é minha, que é alguém fazendo uma imitação ruim. Fazer com que alguns robôs digam que parece que a voz foi tirada de alguma gravação antiga ou algo assim. Estão me acompanhando?

– Estamos – respondeu Lia.

Jan acrescentou:

– Isso é perfeito.

Nenhuma das duas continuava pálida. Na verdade, ambas sorriam.

– Depois, quero que nossos robôs briguem uns com os outros. "Quem se importa se é Photoshop? É totalmente dentro da lei, de qualquer modo!" Ou: "Parem de se preocupar com a ética: a gravação é fake news, isso nunca aconteceu."

Lia perguntou:

– Você quer fazer tudo isso?

– Tudo isso, e ainda vamos bolar mais algumas coisas. Tipo por que as redes não mostram o que aconteceu *antes* disso, tipo quando Kandi Pate estava dando em cima do Rusty? Ah, essa é boa. Vamos colocar um grupo postando: "Aqui está um link para a gravação COMPLETA, em que você pode ver que a Kandi está dando em cima do Rusty agressivamente e ele está tentando recuar. Por que eles não mostram isso?" Mas aí... ah, estou adorando isso!... o link vai dar numa mensagem de erro e os robôs vão dizer que a imprensa ou o governo o tiraram. Eles vão gritar: é tudo uma farsa! Ataque total de robôs; coloque os de direita e os de esquerda nisso. Quero as pessoas brigando para decidir como *não* podem me culpar por nada disso.

– Adorei – disse Lia.

– E depois vamos partir para o negócio do "ataque o processo". Vocês sabem. O verdadeiro crime não está na gravação. O verdadeiro crime é: quem nos gravou ilegalmente? Que sujeito maldoso, com ressentimento óbvio, invadiu meu escritório e me espionou ilegalmente? Esses são os verdadeiros criminosos. Por que pessoas poderosas estão dispostas a violar as leis para impedir que minha mensagem chegue ao povo?

– Ah, isso é bom – declarou Jan.

– Certo? Além disso, Lia, mande um dos nossos advogados procurar a Kandi. Lembrar a ela o contrato de confidencialidade que ela assinou. Ela não pode falar nada. Se falar, iremos destruí-la de mil maneiras diferentes. Se ela nos apoiar, digam que vamos financiar um filme novo que achamos que terá um ótimo papel para ela recuperar a fama.

– Beleza! – exclamou Lia.

– Uma pergunta – disse Jan.

– Manda ver.

– A mídia está pirando, doida por algum comentário. O que vamos colocar na nossa nota oficial para a imprensa?

– Por enquanto, nada. Vamos esperar e ver como ficam as redes sociais nas próximas horas. Até lá, saberemos melhor o que fazer. Imagino que nossa declaração será bastante vaga. Algo como "Não comentaremos porque não queremos prejudicar a reputação da Srta. Pate, que é uma pessoa ótima e vulnerável, e achamos repulsivo que a mídia a arraste pela lama desse jeito só para conseguir alguns cliques a mais, e não vamos participar desse tipo de boataria imunda com o que obviamente não é o que parece". Esse tipo de coisa. Mas, por enquanto, não. Quero ver qual história vai pegar. Vamos levar os argumentos para o nosso pessoal para que eles possam entrar no ar quanto antes. Precisamos continuar criando confusão, gente.

– Já estou trabalhando nisso – disse Lia.

As duas pegaram seus telefones e tablets.

Rusty puxou Gavin de lado.

– Sabe de onde a gravação veio, não é?

– Presumo que seja dos Maynards.

– Você deveria ter impedido isso.

– Eu disse a você. Eles me dispensaram. – Depois, baixando a voz, Gavin acrescentou: – E você me disse que as gravações não tinham nada prejudicial.

– Se essa é a pior, vamos ficar bem.

– Se?

– O quê?

– Você disse "se". O que mais tem nas gravações?

– Pegue o carro – disse Rusty Eggers. – Quero ir à casa dos Maynards.

Wilde estava na biblioteca com Delia e Dash Maynard quando começou o noticiário. Assistiram à "notícia de última hora" em silêncio.

No primeiro intervalo comercial, Wilde observou:

– Suponho que esse seja o vídeo "mais prejudicial".

– Nós não queríamos liberá-lo – disse Delia.

Ela se levantou e seguiu para a porta. Dash pareceu surpreso.

– Não quer assistir...?

– Já vi o suficiente. Preciso de um pouco de ar.

Delia saiu. Wilde olhou para as vidraças na torre da biblioteca. Estava escuro lá fora, mas, de algum modo, as janelas ainda reluziam como se o sol as estivesse atravessando. A sala, como antes, parecia estranha para Wilde. Uma biblioteca grandiosa como aquela deveria cheirar a antiguidade: couro dos livros, pinho da madeira, mofo do tempo.

– Isso deve servir, não acha?

Não havia mais ninguém na sala, de modo que Dash estava falando com Wilde ou consigo mesmo.

– Servir para quê?

– Satisfazer os sequestradores. Acabar com a campanha do Rusty.

Wilde não tinha ideia. Também não sabia se Dash tinha dito isso com pesar ou alegria. Havia medo na voz dele. Isso era óbvio.

– E o que você acha que está acontecendo? – perguntou Wilde.

– Como?

– Com seu filho. Acha que ele foi sequestrado?

Dash cruzou as mãos e se recostou.

– No fim das contas, a Delia e eu achamos que era melhor garantir.

– Isso não responde a minha pergunta.

– É o melhor que posso fazer.

– Havia mais um motivo para sua decisão de liberar o vídeo, não é?

– Não estou entendendo.

– Agora a pressão acabou.

Dash pareceu irritado.

– De que você está falando?

– A mídia exigindo que você liberasse as gravações do Rusty Eggers, todo mundo gritando sem parar para você fazer a coisa certa, ser patriota. Você seria perseguido para sempre. Sem privacidade. Sem liberdade verdadeira. Uma pressão implacável sobre você, sobre seus negócios, sua família. Mas, agora que essa gravação foi finalmente liberada, tudo acabou. Tem que haver algum alívio nisso.

Dash se virou para o aparelho de TV.

– Não quero ser grosseiro, mas será que você poderia ir para outra sala por um momento? Eu gostaria de ficar sozinho um pouco.

Wilde se levantou a foi para a porta. Tinha acabado de sair para o corredor quando seu telefone tocou.

O identificador de chamadas dizia NAOMI PINE.

Ele levou o aparelho ao ouvido.

– Alô?

– Oi, Wilde.

Sua pulsação se acelerou.

– Naomi?

– Pare de procurar a gente, tá bem?

– Naomi, onde você está?

– Nós estamos bem. Em segurança.

– O Crash está com você?

– Preciso desligar.

– Espere...

– Por favor. Você vai estragar tudo. Não queremos que ninguém nos encontre.

– Você já tentou isso, Naomi.

– O quê?

– Quando você fez o Desafio. Lembra o que me disse?

– Você quer dizer no porão?

– É.

– Eu disse que queria fazer uma mudança.

– Disse mais do que isso.

– Disse que queria fazer uma mudança total. Queria fazer uma coisa tão grande que apagaria meu passado e eu poderia recomeçar.

– É isso que está fazendo agora?

– Você vai dizer que eu fracassei antes e que por isso vou fracassar agora.

– Não, Naomi, não vou dizer. Acredito em você.

– Wilde?

– O quê?

– Por favor, se quer me ajudar, me deixe em paz.

Rusty Eggers estava sentado no banco de trás do carro com Gavin. Ficava esticando e dobrando a perna ruim. Gavin o viu enfiar a mão no bolso, pegar uma latinha e abri-la. Rusty tirou dois comprimidos, jogou-os na boca e engoliu. Seus olhos vítreos se viraram para Gavin.

– Tylenol – disse Rusty.

Gavin não respondeu.

Rusty pegou seu telefone, digitou um número e disse:

– Oi, sou eu. Não explique. Estou indo à sua casa. Ouvi dizer que há segurança. Só me encontre do lado de fora... É, exato. Obrigado.

Gavin Chambers perguntou:

– Vai me contar que negócio é esse?

– Você se lembra de quando falamos da teoria da ferradura em política?

– Lembro, claro.

– Nós falamos sobre como a maioria dos americanos costumava estar no centro, relativamente. Foi assim que os Estados Unidos mantiveram o equilíbrio durante todos esses anos. A esquerda e a direita estavam perto o suficiente para ter discordâncias, mas não ódio.

– Certo.

– Esse mundo acabou, Gavin, de modo que agora vai ser fácil destruir a ordem social. O centro ficou complacente. São pessoas inteligentes porém preguiçosas. Enxergam os tons de cinza. Entendem o lado oposto. Os extremistas, por outro lado, só enxergam em preto e branco. Não somente têm certeza de que seu ponto de vista é correto como são incapazes de entender o lado oposto. Quem não acredita no mesmo que eles é inferior em todos os sentidos, por isso são capazes de matar por essa visão. Eu atraio essas pessoas, Gavin. E quero criar um número maior delas forçando quem está no centro a escolher um lado. Quero torná-las extremistas também.

– Por quê?

– Os extremistas são implacáveis. Não enxergam o certo e o errado, enxergam nós e eles. Você gosta de beisebol, não é, Gavin?

– Sim.

– Torce pelos Yankees, certo?

– E daí?

– Se você descobrisse que o dirigente dos Yankees trapaceou ou que todos os seus jogadores prediletos tomavam anabolizantes, iria virar torcedor dos Red Sox?

Gavin não disse nada.

– E então?

– Provavelmente não.

– Exato. Os Yankees jamais poderiam fazer alguma coisa que transformasse você em torcedor dos Red Sox. Esse é o poder que eu quero explorar. Recentemente li uma citação de Werner Herzog. Sabe quem ele é?

– O diretor de cinema alemão.

– Isso. Ele disse que os Estados Unidos estavam acordando, como aconteceu uma vez com a Alemanha, para a percepção de que um terço do povo matará um terço do povo enquanto o outro terço assiste. – Rusty pôs a mão no ombro de Gavin. – Você e eu vamos mudar o mundo, meu amigo. – Ele se inclinou para a frente. – Me deixe ali adiante, na próxima esquina.

– Achei que estivéssemos indo à casa dos Maynards.

– Mudança de planos.

– Não estou entendendo.

Desceram na esquina. Havia uma mulher perto de um ponto de ônibus. Estava de cabeça baixa.

– Há uma lanchonete a 5 quilômetros na Rota 17.

– Eu sei.

– Espere por mim lá. Não devo demorar muito.

Partiram. Gavin tentou identificar a mulher. Não podia ter certeza – jamais juraria –, mas achou que ela se parecia muito com Delia Maynard.

capítulo trinta e dois

QUANDO ACORDOU NA MANHÃ SEGUINTE, Hester demorou um ou dois minutos para entender onde estava. Sua cabeça latejava. A garganta estava seca. O raio de luz da manhã entrando no quarto doía nos olhos. A distância, escutou vozes vindas do andar de baixo.

Tentou juntar as peças. Não demorou muito. Depois de sair do Tony's Pizza and Sub, tinha ido para sua antiga casa. Ninguém havia chegado ainda. Matthew estava fora com uns amigos. Laila... bem, pelo que Hester deduziu, Laila estava tendo um encontro, o que explicava a fala de Wilde dizendo que não dormiria ali. Sozinha na casa que já abrigara sua família – Ira, Jeff, Eric, David, todos os seus garotos, era assim que ela sempre dizia: seus garotos, seus garotos lindos e maravilhosos –, Hester sabia que o único modo de aquietar os fantasmas despertados era através de algum tipo de intervenção química.

Encontrou uma garrafa de uísque Writers' Tears no armário de bebidas e serviu um pouco num copo com gelo. Foi um começo, um bom começo, aplacando os fantasmas, deixando-os se sentarem ao seu lado e segurar sua mão, mas sem fazer com que ela se livrasse deles, por isso enfiou a mão na bolsa e encontrou os comprimidos. Hester raramente os tomava, só quando sentia uma necessidade intensa, e, se essa noite não fosse a própria definição de "necessidade intensa", não sabia o que poderia ser. No instante em que os jogou na boca, percebeu que não era uma atitude inteligente da sua parte, que jamais devemos misturar bebida com medicamentos, que deveria estar consciente e atenta para o caso de sua família ou Wilde precisarem dela.

Na maioria das noites isso iria impedi-la, mas, de novo, essa noite não era como a maioria.

Franziu os olhos e pegou o telefone. Como tinha chegado ao quarto?, pensou. Não lembrava. Será que Laila teria encontrado a ex-sogra apagada no sofá? Teria sido Matthew? Achava que não. Conjurou uma vaga lembrança de ter tido consciência do próprio estado e se preparado para deitar antes que o inevitável a dominasse. Mas não tinha certeza.

Ainda podia escutar vozes vindas do andar de baixo. Por um momento se preocupou achando que talvez Laila tivesse esquecido que ela havia dormido ali; que, na verdade, estava escutando Laila preparar o café da manhã para algum homem que teria passado a noite com ela. Prendeu a respiração e se esforçou para ouvir.

Duas vozes. Ambas femininas. Uma era de Laila, a outra...?

A bateria do celular de Hester estava com apenas quatro por cento de carga. O relógio na tela marcava 6h11. Viu as notificações de Oren. Ele tinha ligado várias vezes. Havia um recado na caixa postal. Era de Oren também:

"Oi, sou eu. Eu... sinto muito. Não acredito em como fui insensível. Recebi aquele telefonema e saí correndo, sem pensar, mas isso não é desculpa. Sinto muito mesmo. Só para você saber, o acidente não foi nada grave. Não sei se isso importa ou não. Ligue para mim, certo? Quero saber se você está bem."

Mas ela não estava bem.

Podia ouvir a preocupação na voz dele. Oren era um homem bom demais, mas era como num daqueles filmes em que uma bruxa lança uma maldição sobre você. Oren estivera lá na noite em que David morreu. Tinha sido chamado para um local de acidente naquela noite também e não havia como ela descartar isso e considerar normal. Nem agora nem nunca. A maldição condenava qualquer chance, por mais que provavelmente já fosse remota, de eles serem felizes.

Não queria deixar Oren chateado. Não era culpa dele e ele não era mais um garoto. Ela não precisava causar mais ansiedade. Digitou uma mensagem para Oren:

Tudo bem. Estou superocupada. Ligo depois.

Mas não ligaria. Nem atenderia se ele telefonasse. Então ele entenderia e todo mundo sairia ganhando.

As vozes lá embaixo estavam ficando mais altas. É engraçado do que a gente se lembra. Esse cômodo, que Laila e David haviam transformado num quarto de hóspedes, tinha sido o escritório de Hester muito tempo atrás. Pelo volume e pelos ecos, ainda dava para perceber que as duas mulheres tinham estado conversando na cozinha e agora iam para a porta de entrada. Provavelmente se despedindo. Hester olhou pela janela enquanto, sim, uma moça descia pelo caminho de paralelepípedos até um carro azul-escuro parado em frente à casa.

Hester vestiu um roupão que Laila mantinha para os hóspedes e foi para o corredor. Laila estava ao pé da escada.

– Bom dia – disse Laila.

– Bom dia.

– Você estava na cama quando cheguei ontem à noite. Tudo bem?

– Tudo – disse Hester através do latejar na cabeça. – Tudo ótimo.

– Desculpe se acordei você. Uma cliente que mora aqui perto precisava conversar.

– Ah, sem problema.

– Tem café pronto na cozinha, se quiser.

– Você é uma deusa.

Laila sorriu e pegou sua bolsa.

– Tenho que correr antes que o trânsito piore. Precisa de alguma coisa?

– Não, Laila. Obrigada.

– O Matthew deve acordar logo. Se você ainda estiver na cidade esta noite, quer jantar?

– Mais tarde a gente vê.

– Claro.

Com isso, Laila deu um sorriso, abriu a porta e saiu. Hester abandonou o próprio sorriso e levou as mãos à cabeça latejante, apertando dos dois lados para impedir que o crânio se abrisse. Começou a descer a escada porque, sem dúvida, o café ajudaria.

Pela janela perto da porta dava para ver que a mulher jovem no carro azul ainda não tinha ido embora. Laila foi até ela. Hester olhou as duas se falarem por um ou dois segundos. Laila pôs a mão no ombro da mulher, reconfortando-a. A mulher pareceu ganhar forças com isso. Assentiu e entrou no carro.

– Oi, Vó.

Era Matthew no topo da escada.

– Oi. – Ainda olhando pela janela, Hester perguntou: – Você conhece aquela mulher que está com a sua mãe?

– Quem?

– A que está entrando no carro azul.

Matthew desceu a escada como só um adolescente é capaz de fazer. Espiou pela janela enquanto a mulher entrava no carro e se afastava.

– Ah, é a Srta. O'Brien. Acho que a mamãe está ajudando com um processo dela.

Por que aquele nome lembrava alguma coisa?, pensou Hester.

– Srta. O'Brien?

– É. Ela dá aula de artes na minha escola.

O motorista do Uber, que, segundo o aplicativo, se chamava Mike e tinha nota 4,78, não gostou da aparência das pessoas diante do portão da Mansão Maynard.

– Que bagunça é essa? – perguntou a Hester.

Um punhado de manifestantes, não mais do que dez, estava do lado de fora com cartazes que diziam FAKE NEWS! e LUGAR DE ESPIÃO É NA CADEIA POR TRAIÇÃO, entoando palavras de ordem. Um número igual de policiais da cidade os mantinha longe da passagem. E, quando Mike 4,78 do Honda Accord prata parou, Oren, uniformizado – logo ele –, se aproximou, inclinou a cabeça junto ao banco do carona e perguntou a Mike 4,78:

– Estão esperando você?

No banco de trás, Hester respondeu:

– Estão.

Oren se virou para ela.

– Ah. Oi.

E com apenas essas duas palavras o fantasma de David se materializou e se sentou ao lado dela.

– Oi.

Por um instante nenhum dos dois se mexeu nem disse nada. Então Mike 4,78 rompeu o silêncio:

– Podemos entrar ou não?

– O segurança vai permitir que você deixe a Sra. Crimstein do lado de dentro do portão – disse Oren. – Tenha um bom dia.

O fantasma de David se esvaiu enquanto Oren recuava e Mike 4,78 engrenava o carro e passava pelo portão. Wilde estava esperando Hester com o carrinho de golfe. Quando Hester embarcou, Wilde disse:

– A Naomi ligou para o meu telefone.

– O quê? Quando?

– Ontem à noite.

– Por que você não me telefonou?

– Você estava num encontro.

– E mais tarde?

Wilde tentou não sorrir.

– Eu não sabia até que ponto o encontro tinha dado certo.

– Não seja abusado.

– Desculpe.

– E o que a Naomi disse?

– Para parar de procurá-los.

– Procurá-los? Como se ela não estivesse sozinha?

– É.

– Ela pareceu angustiada?

– Não como se tivesse sofrido um sequestro. Na verdade, pareceu bem empolgada.

– Como se o garoto mais popular da escola tivesse acabado de fugir com ela?

– Pode ser.

Seguiram pela entrada de veículos.

– Eu também tenho algo – disse Hester.

– Diga.

– Hoje de manhã Ava O'Brien esteve na casa da Laila.

Isso pegou Wilde desprevenido.

– Por quê?

– A Laila disse que ela era uma cliente.

– Em que sentido?

Hester fez uma careta.

– Não podemos perguntar. E ela não pode dizer. Sigilo entre advogado e cliente, lembra?

Wilde verificou as horas.

– Ava vai chegar logo à escola. Se eu me apressar, poderei alcançá-la no caminho.

– E perguntar o quê? Andei pensando nisso. O que uma questão jurídica com a Laila teria a ver com isso?

Wilde não fazia ideia, mas, faltando ainda cinco horas para o prazo final, ele estava agitado.

– Volto logo – disse.

– Onde os Maynards estão?

– Na biblioteca. Deixo você lá antes de sair.

A noite havia sido longa. Wilde não tinha dormido; em vez disso, dera uma corrida pela mata tarde da noite. Gostava de correr à noite entre as árvores, vendo com que rapidez seus olhos se ajustavam à escuridão, os cinco sentidos – é, você usava todos os cinco – se fundindo, fazendo com que o todo parecesse maior do que a soma das partes. Verificou sua ecocápsula. Não tinha voltado lá desde que os homens de Gavin Chambers a haviam cercado. Queria se certificar de que nenhum deles tinha voltado e mexido nela. Não tinham. Além disso, fazia um tempo que ele não tomava banho nem trocava de roupa, de modo que cuidou disso também.

Quando estava na ecocápsula, Wilde pensou na ideia do ardil: o Exército Fantasma, a ilusão tática. O objetivo militar por trás de tudo aquilo havia sido simples: gerar caos e confusão. A julgar pelo que tinha visto no noticiário, era isso que Rusty Eggers e seu pessoal também estavam fazendo.

Estava funcionando. De certo modo, quando a gente pensa em termos de história, isso sempre funcionou.

Foi no Lexus dos Maynards até a escola, esperando alcançar Ava. Hester estava certa. Provavelmente não descobriria nada ali. Mas Wilde gostava de Ava. Parte dele não queria aceitar, mas alguma coisa fazia com que quisesse vê-la de novo. Ava estivera no fundo da sua mente desde o dia anterior no 7-Eleven, quando ele se surpreendeu sugerindo que ficassem juntos de novo. Nada sério. Sabia disso. Parte do motivo pelo qual raramente voltava era que, apesar de ele não estabelecer uma ligação, a parceira de curto prazo poderia fazer isso. Não parecia certo ou justo. Então nada de repetecos.

Só que, se ele pudesse ser honesto consigo mesmo, queria repetir com Ava.

Então ir à escola era só uma desculpa para vê-la?

Parou diante do estacionamento dos professores, saiu do carro e se apoiou nele. Alguns minutos depois, viu o carro de Ava entrar e parar. Quando ela saiu, ele ficou olhando-a por um momento. Ava O'Brien era linda, pensou. Forte. Passional. Independente. Sensível.

Assim que deu um passo na direção dela, um carro parou à sua frente, cortando seu caminho.

O motorista pôs a cabeça para fora da janela.

– Entre.

Era Saul Strauss.

– Por que diabos de repente todo mundo está me procurando, Wilde?

– Diga você.

– Eu não tive nada a ver com o vazamento daquela gravação.

– Eu sei – disse Wilde.

– Então por que o Gavin está me procurando? Por que você ligou para mim?

– É uma longa história.

– Entre no carro – disse Strauss, olhando de relance para a esquerda e a direita. – Preciso lhe mostrar uma coisa.

Wilde olhou na direção de Ava. Ela estava passando pela entrada.

– É importante – insistiu Strauss –, mas não vou falar num espaço aberto, com Gavin Chambers querendo me pegar. Entre logo ou eu vou embora.

Wilde hesitou por tempo suficiente para Ava desaparecer. Agora não havia opção melhor. Entrou no carro de Strauss e se acomodou no banco do carona. Strauss pisou no acelerador.

– Aonde a gente vai? – perguntou Wilde.

– Seria melodramático demais se eu respondesse "encontrar a verdade"?

– Sem dúvida.

– Então a resposta é: vamos para a prisão.

capítulo trinta e três

— COMO ASSIM, PRISÃO?

Saul Strauss mantinha as duas mãos no volante.

– Por que todo mundo está tão ansioso para me encontrar?

– Uma pergunta melhor poderia ser: onde você esteve?

– Eu tenho inimigos, Wilde. Tenho certeza de que isso não surpreende você. Então, quando um fascista calculista como Gavin Chambers, que está trabalhando para um niilista viciado em comprimidos como Rusty Eggers, vem me procurar, não fico dando bobeira, sabe como é?

– Sei que você não está dizendo onde esteve.

– Por que você se importa? Por que o Gavin se importa?

Wilde não viu motivo para não contar.

– O Crash Maynard desapareceu.

– Como assim, desapareceu? Espere aí, foi por isso que vazaram a tal gravação?

Wilde não disse nada.

– O quê? Vocês acham que eu tenho alguma coisa a ver com isso?

– E tem?

– É, certo, estou escondendo o Crash Maynard. Quantos homens armados o Gavin tem vigiando aquela família, afinal?

Era um bom argumento, pensou Wilde.

– Como você me encontrou?

– Agora? Eu tenho um cara vigiando a casa dos Maynards. Por sinal, quem chama a própria casa de Mansão Maynard? Não é a coisa mais ostentadora, exagerada, obscena... Quero dizer, se você precisasse de provas de que os ricos estão ricos demais, eu indicaria aquele lugar como a evidência número um. Enfim, meu cara seguiu você até aqui.

– E você estava na área?

– Precisava falar com você.

– Para me levar à prisão?

– É.

– Preciso estar de volta à casa dos Maynards às onze e meia.

– Isso não vai demorar. Ouvi dizer que a Hester entrevistou Arnie Poplin.

– Você ouve muitas coisas, Saul.

– É mesmo. Presumo que agora a Hester acredite nele.

Wilde mudou de assunto.

– Na outra noite, no bar do hotel, por que você estava tão interessado na Naomi Pine?

– Não estava. Estava interessado no Crash Maynard.

– Que agora está desaparecido.

– Você não acreditou em mim, mas eu disse: os Maynards têm gravações prejudiciais.

– E elas foram vazadas.

– É, eu assisti ao noticiário – disse Strauss. – E à reação. Ninguém se incomoda com o fato de Eggers beijar uma adolescente, a não ser os que não votariam nele de jeito nenhum.

Atravessaram a ponte Tappan Zee e foram para o norte ao longo do rio Hudson. Se Strauss estava sendo sincero em relação a irem para a "prisão", Wilde tinha uma boa ideia de para onde se dirigiam.

– Sing Sing? – perguntou.

– É.

– Por quê?

– Preciso que você veja pessoalmente, Wilde. Preciso que entenda.

A menos de uma hora de Manhattan, o Centro Correcional de Sing Sing era uma das prisões mais famosas do mundo. Construída no início do século XIX, Sing Sing se escondia à vista de todos. Se você fosse uma das muitas pessoas que pegam o trem Metro-North todos os dias para a estação Grand Central, sua viagem atravessaria Sing Sing. Se pegasse um barco subindo o Hudson, veria Sing Sing empoleirada em cima de um terreno (que de outro modo seria invejável) dando para o rio. A famosa cadeira elétrica "Old Sparky" tinha executado mais de seiscentas pessoas dentro dos muros de Sing Sing, inclusive os supostos espiões a serviço da União Soviética Julius e Ethel Rosenberg, em 1953. Reza a lenda que Julius foi amarrado primeiro à Old Sparky e morreu rapidamente. Então Ethel foi levada à mesma cadeira onde seu marido tinha falecido pouco tempo antes – como deve ter sido isso? –, mas sua execução apresentou complicações. Segundo testemunhas, foram necessárias várias tentativas para matá-la – o coração continuava batendo apesar dos repetidos choques elétricos – e começou a subir fumaça do topo da sua cabeça.

Wilde não fazia ideia do motivo para Saul Strauss o estar levando para lá.

Strauss parou o carro no estacionamento de visitantes de Sing Sing.

– Venha. Isso não vai demorar.

Obviamente Strauss tinha bons contatos ali, pois conseguiram furar a fila. Esvaziaram os bolsos e passaram pelo detector de metais. A sala de visitas parecia um refeitório escolar aumentado. Havia mesas e cadeiras – nada daquele negócio de ficar atrás do vidro como a gente vê na televisão. Os prisioneiros estavam sendo abraçados por entes queridos. Seria de esperar cônjuges adultos, parceiros, pais, irmãos, mas a maioria dos visitantes era de familiares com crianças pequenas. Um monte de crianças. Algumas ficavam no multicolorido "centro familiar", que parecia uma sala de creche ou de jardim de infância. Havia jogos de tabuleiro e livros ilustrados, material de desenho e brinquedos. Outras saíam para brincar no parquinho.

Os guardas designaram para eles uma mesa na quarta fileira, perto da entrada dos prisioneiros. Foi dito que se sentassem e permanecessem assim até que o interno se juntasse a eles. Wilde queria perguntar detalhes, mas tinha chegado até ali e pensou em deixar que Strauss comandasse o jogo. Houve um zumbido e a porta da prisão propriamente dita deslizou, abrindo-se. Os internos saíram e foram rapidamente na direção das famílias. Wilde olhou para Strauss.

– O nosso cara vai ser o último – disse Strauss.

Wilde não sabia o que isso queria dizer, mas logo ficaria sabendo. Quando a fila de homens (a penitenciária de Sing Sing era uma instalação apenas masculina) diminuiu, o último entrou – de cadeira de rodas. Wilde entendeu por que estavam sentados perto da entrada.

Era uma área acessível a deficientes.

O homem na cadeira de rodas era negro. Seu cabelo era grisalho e cortado curto, a pele parecendo couro velho, os olhos amarelados. Wilde achou que ele teria 50 e poucos anos, talvez 60. Seria um clichê dizer que a prisão envelhece a pessoa, mas às vezes o clichê é pertinente.

Saul Strauss ficou de pé e depois inclinou o corpo alto para abraçar o homem.

– Oi, Raymond.

– Oi, Saul.

– Quero que conheça o Wilde. Wilde, este é Raymond Stark.

Wilde apertou a mão do homem. O aperto de Raymond Stark era firme.

– É um prazer conhecê-lo, Wilde.

– Igualmente – disse Wilde, porque não tinha ideia do que falar.

Raymond Stark sorriu para ele. O sorriso iluminou aquele rosto castigado.

– Eles encontraram você no bosque quando eu estava preso em Red Onion – comentou Raymond. – É uma prisão de segurança máxima na Virgínia. Eu havia acabado de ir para lá e ainda tinha esperança, sabe? Como se eles fossem perceber que tinham errado e me libertar a qualquer segundo.

Wilde se deu conta de que o homem estava na prisão há mais de três décadas.

– Na época, eu li todas as matérias sobre você. A ideia toda... quero dizer, você não tinha conhecidos, não tinha família. Não tinha passado, certo?

– Certo.

– Não sei se isso é uma bênção ou uma maldição.

Saul sentou-se e sinalizou para Wilde fazer o mesmo.

– Obrigado por ter vindo – disse Raymond a Wilde.

Wilde olhou para Raymond, depois para Strauss.

– Quer dizer por que estou aqui?

– Em 1986 Raymond foi preso pelo assassinato de um rapaz chamado Christopher Anson. Anson foi esfaqueado no bairro de Deanwood, em Washington. Disseram que Anson tinha ido ao bairro errado comprar drogas, mas essa parte não foi divulgada, para proteger a reputação da vítima. De qualquer modo, ele foi esfaqueado uma vez, no coração, e roubado. Você devia ser novo demais para lembrar, mas foi um caso importante. Anson era rico, branco, universitário. Pediram a pena de morte para o assassino.

Raymond pôs a mão no braço de Wilde. Wilde se virou para fitar os olhos amarelados.

– Não fui eu que fiz aquilo.

– Você pode imaginar como foi: a mídia, o prefeito, a pressão para solucionar o caso. Os policiais supostamente receberam a informação de que Anson estivera comprando drogas de um garoto negro em Deanwood, por isso pegaram todos os garotos negros que puderam encontrar, ameaçaram-nos, mantiveram-nos acordados, começaram com os interrogatórios duros. Você sabe como funciona.

– Sei – disse Wilde. – O que não sei é por que estou aqui.

Strauss foi em frente:

– Depois de um tempo, um garoto disse que Raymond vendia drogas para caras brancos e ricos.

– Maconha – disse Raymond. – Essa parte é verdade. Na maioria das vezes, eu só entregava.

– Um juiz emitiu um mandado de busca e um detetive da polícia metropolitana de Washington chamado Shawn Kindler encontrou uma faca embaixo do colchão de Raymond. Exames mostraram que era a arma do crime. Você pode imaginar com que rapidez a coisa degringolou a partir daí.

– A faca não era minha – explicou Raymond. De novo ele encarou Wilde. – Eu não fiz aquilo.

– Sr. Stark? – disse Wilde.

– Me chame de Raymond.

– Raymond, já vi os maiores sociopatas me olharem nos olhos desse jeito e mentirem na minha cara.

– É, eu sei. Eu também. Todo dia da minha vida. Estou cercado deles. Mas não sei o que mais dizer, Wilde. Passei 34 anos preso por uma coisa que não fiz. Me esforcei ao máximo. Estudei, consegui me formar no ensino médio, tirar diploma de faculdade, até um doutorado em direito. Escrevi cartas e petições a favor de outros internos e em meu favor. Mas nada aconteceu. Nada *jamais* acontece.

Raymond cruzou as mãos sobre a mesa e olhou para longe.

– Imagine estar num lugar como este todo dia, gritando a verdade de todas as formas possíveis, sem ninguém escutá-lo. Quer ouvir uma coisa esquisita?

Wilde esperou.

– Eu tenho um sonho recorrente em que estou saindo – disse Raymond, com um esboço de sorriso. – Sonho que alguém finalmente acredita em mim e que sou libertado. Então acordo na mesma cela. Imagine isso por um segundo. Imagine o momento em que percebo que é só um sonho e tento continuar nele mas é como segurar fumaça. Minha mãe me visitava duas vezes por semana. Fez isso por mais de vinte anos. Então encontraram um tumor no fígado dela. Câncer. Aquilo consumiu minha mãe por dentro. E fico pensando todo dia, toda hora, se foi o estresse de ver o filho trancafiado por uma coisa que ele não fez que enfraqueceu o sistema imunológico dela e a matou.

– Raymond – disse Strauss –, conte ao Wilde como você acabou nessa cadeira de rodas.

Raymond balançou a cabeça lentamente.

– Se dá na mesma, Saul, vou deixar passar. Uma história triste como essa não vai fazer você acreditar em mim, estou certo?

Wilde não disse nada.

– Então, não estou aqui para implorar por piedade nem para que acredite no meu rosto ou nos meus olhos. Em vez disso, só vou pedir alguns minutos da sua atenção. Só isso. Não vou ficar dizendo que sou inocente. Nada de emoção. Só deixe o Saul terminar o que ele quer contar.

Wilde ia dizer que agora não tinha tempo, que estava no meio de um problema gigantesco, que, mesmo se estivesse convencido de que Raymond Stark tinha sido injustiçado, isso não faria diferença. Wilde não poderia fazer nada que Saul Strauss e sua organização não pudessem fazer melhor.

O que o impediu de dizer isso foi perceber que devia haver um motivo, um bom motivo, para Strauss tê-lo levado ali. Strauss tinha alguma ideia do que estava acontecendo com Crash Maynard e Naomi Pine, e ainda assim havia insistido em fazer essa viagem. Então, em vez de perder tempo reclamando por estar ali, não viu mal algum em demonstrar algum respeito e lhes dar mais alguns minutos. Isso não mudaria nada na Mansão Maynard, que, mais do que nunca, parecia estar a um mundo de distância de Sing Sing.

Raymond Stark assentiu para que Strauss fosse em frente.

– Há dois anos – disse Strauss –, nós, do Programa da Verdade, descobrimos que o detetive Kindler plantou provas em pelo menos três casos para alcançar sua quota de prisões e melhorar sua ficha como paladino contra o crime. A promotoria de Washington está sendo obrigada a reexaminar várias prisões feitas por Kindler. Já anularam uma condenação. Mas estão indo devagar e ninguém quer tocar no assassinato de Christopher Anson.

– Por quê? – perguntou Wilde.

– Porque o caso teve muita visibilidade. Todo mundo achava que Raymond era culpado: outros policiais, promotores, a mídia, a família e os amigos de Anson. Seria mais do que embaraçoso se ficasse evidente agora que a faca foi colocada lá. E, mesmo que pudéssemos provar, muitas pessoas ainda diriam que Raymond era o assassino. É como OJ. Um monte de gente acha que Mark Fuhrman plantou a luva ensanguentada, mas também acha que OJ cometeu o crime.

Strauss lhe entregou uma foto granulada de um rapaz branco com um grande sorriso e cabelo ondulado. Usava blazer azul e gravata vermelha.

– Este é Christopher Anson, a vítima de assassinato. A foto foi tirada duas semanas antes do crime. Ele tinha 20 anos quando foi morto, estava no primeiro ano na Swarthmore College. Christopher era o jovem americano exemplar: capitão do time de basquete, membro da equipe de debates, notas altas em todas as matérias. Os Ansons são uma importante família de sangue azul em Massachusetts. Passavam o verão numa propriedade enorme em Newport. Você sabe como é.

Wilde não disse nada.

– Tentei entrar em contato com a família Anson para falar a respeito do que tínhamos ficado sabendo sobre o detetive Kindler. Eles não quiseram ouvir. Na mente deles, o assassino foi apanhado e recebeu o que merecia. Não é uma reação incomum. A pessoa acredita em uma coisa por mais de trinta anos. Fica convencida e cega.

– Saul? – interveio Raymond. – Wilde está sendo muito paciente conosco. Mostre a outra foto agora.

Strauss hesitou.

– Antes eu gostaria de apresentar melhor o contexto.

– Ele vai entender o contexto. Mostre logo.

Strauss enfiou a mão no envelope pardo e pegou outra foto.

– A princípio, isso não significou muita coisa para nós. Mas então Arnie Poplin fez aquele comentário.

Ele entregou a Wilde a foto de um grupo com uns trinta ou quarenta jovens, todos bem-vestidos, de aparência saudável e vibrantes. A foto tinha sido tirada ao ar livre, numa escadaria de concreto branco. Alguns jovens estavam sentados; outros, de pé. O primeiro rosto que Wilde reconheceu foi o de Christopher Anson, o segundo a partir da esquerda no alto, de pé. Wilde percebeu rapidamente que o outro retrato de Christopher Anson que Strauss havia mostrado era essa mesma foto, apenas recortada e ampliada.

Ao fundo, acima dos rostos sorridentes, Wilde viu a cúpula familiar do prédio do Capitólio em Washington.

Sentiu um arrepio na espinha.

– Christopher Anson trabalhou naquele verão como estagiário de um senador de Massachusetts.

O olhar de Wilde viajou pela foto. Agora entendia – via tudo –, mas esperou que Strauss falasse. Strauss apontou para um rosto, separado de Christopher Anson por outros dois.

– Este é Dash Maynard.

Seu dedo foi até a jovem que não tinha mudado muito com o passar dos anos.

– Esta é Delia Maynard, nome de solteira Reese. – Em seguida o dedo deslizou até o rosto perto dela. – E este, meu amigo, é o atual senador pelo grande estado de Nova Jersey Rusty Eggers.

capítulo trinta e quatro

DE VOLTA AO ESTACIONAMENTO de Sing Sing, Wilde ligou para os Maynards a fim de ver se havia alguma novidade. Não havia. Faltavam duas horas para os sequestradores soltarem Crash conforme prometeram.

Quando entraram de novo no carro de Saul Strauss, Wilde disse:

– Então deixe-me ver se entendi direito sua teoria.

– Vá em frente.

– Arnie Poplin diz que ouviu o Rusty admitindo que havia matado alguém e que o Dash tinha algum tipo de confissão gravada. Você acha que eles estavam falando de Christopher Anson.

– Resumindo, sim. Só que tem mais aí.

– Tipo o quê?

– Eles saíram naquela noite.

– Quem?

– Christopher Anson e Rusty Eggers. Demoramos um tempo para descobrir isso. Aqueles estagiários eram todos filhos de famílias bem ricas, de modo que o nome deles não estava no relatório divulgado.

– Num processo com tanta visibilidade assim?

– Justamente por isso. "Só vamos cooperar se tivermos certeza de que o nome do nosso filho precioso não será enlameado." Eles fizeram acordos de confidencialidade antes de testemunhar. Por acaso, o promotor não precisou deles para o tribunal. A descoberta da faca bastou. Mas, de qualquer modo, um barman de um lugar chamado Lockwood viu um grupo de estagiários naquela noite. Olhe, nós demoramos um bocado. Colocamos nosso melhor pessoal nisso. A maioria dos estagiários não queria falar. Poxa, já faz mais de trinta anos. Mas, pelo que ficamos sabendo, Rusty Eggers e Christopher Anson não se davam bem. Os dois se consideravam alfas naquele grupo de estagiários. Viviam competindo. Segundo o barman, naquela noite eles discutiram. Um dos colegas precisou separá-los.

– Rusty e a vítima de assassinato?

– É.

– Você sabe quem separou os dois?

– Ah, você vai adorar isso. Nós mostramos ao barman aquela foto dos estagiários na escadaria do Capitólio. Adivinhe quem ele apontou.

Agora Wilde entendeu.

– Dash Maynard.

– Interessante, não é?

– Então, depois que o Dash separou os dois, o que aconteceu?

– Pelo que pudemos deduzir, Christopher Anson saiu intempestivamente. Foi o primeiro a ir embora. E mais tarde, ninguém sabe dizer se foi meia hora, uma hora depois, a próxima pessoa a sair foi Rusty Eggers.

– A polícia sabia disso?

Strauss assentiu.

– A teoria deles foi que Anson saiu cedo para comprar drogas. Ele tinha feito isso antes. Anson era uma espécie de... "traficante" é uma palavra forte demais. Fornecedor do grupo, talvez. Então a polícia pensou que Anson estava bêbado. Ele saiu para comprar drogas num bairro violento. Estava bem-vestido... eles todos ainda usavam o terno e a gravata do trabalho. Raymond Stark o viu ou talvez Anson tenha ido até ele para comprar drogas. De qualquer modo, o garoto branco era um alvo fácil. Raymond sacou a faca para assaltá-lo. Talvez Anson tenha resistido, talvez não.

– Raymond Stark o esfaqueou.

– É. Mas há um monte de furos nessa teoria.

– Por exemplo?

– O corpo de Anson foi encontrado num beco. Nosso perito no Programa da Verdade examinou as fotos do local do crime. Está convencido de que o corpo foi desovado lá.

– Então Christopher Anson foi morto em outro lugar?

– É o que nosso perito acha.

– O advogado do Raymond levantou esse fato no julgamento?

Strauss balançou a cabeça.

– Era um caso *pro bono*. Ele não podia pagar por um perito.

– E presumo que a promotoria não tenha deixado que alguém soubesse disso.

– Há uma chance de que o perito deles não tenha chegado à mesma conclusão, mas provavelmente é uma clássica falha de conduta acusatória do tipo "deixa quieto". Não creio que isso teria feito diferença para o júri, de qualquer modo. Se a questão tivesse sido levantada, a acusação simplesmente diria que o Raymond esfaqueou Anson em outro lugar e o arrastou para um beco, de modo que ninguém visse.

Wilde se recostou no banco. Pegaram a nova ponte Tappan Zee e atravessaram o Hudson de volta para Nova Jersey. Uma mensagem de Hester chegou:

Lola pode ter uma pista sobre a mãe da Naomi.

Wilde digitou uma resposta:

Volto em meia hora.

– Então você acha que Rusty Eggers matou Christopher Anson? – perguntou Wilde.

– Ele estava lá naquela noite – começou Strauss. – Os dois discutiram.

– Isso é irrelevante.

– Por si só, sim. Mas, anos depois, Arnie Poplin ouve o Rusty admitir a Dash Maynard que matou alguém e que está preocupado com uma gravação.

Strauss tirou uma das mãos do volante e a estendeu na direção de Wilde.

– É, eu sei que Arnie Poplin não bate bem das ideias, mas pense no comportamento de Rusty Eggers. Ele força os Maynards a contratar Gavin Chambers, talvez o melhor especialista em segurança do país. Por quê?

– Porque existem mesmo gravações. Como a que acabou de ser divulgada.

– Você acha que Eggers contratou Chambers por causa daquela gravação dele com Kandi Pate?

– Poderia ser.

– Poderia ser – repetiu Strauss. – Mas não é. Porque há outra coisa que estamos deixando de fora.

– O quê?

– Rusty Eggers é um sociopata frio. Não sei se nasceu assim ou se aquele acidente de caminhão que matou os pais dele fez o cara surtar. Mas não poderia ser mais óbvio. Ele é charmoso e absurdamente inteligente, mas tem sérios problemas mentais. Se você examinar o passado do sujeito, verá que muitas pessoas que entraram no caminho dele acabaram mortas.

Wilde fez uma careta. Strauss viu com o canto do olho.

– O que foi?

– Não sou muito fã de teorias da conspiração – disse Wilde.

– Não importa. O que importa é: se Rusty Eggers for eleito, milhões de pessoas podem morrer. É assim que acontece com líderes carismáticos como ele. Você é um estudioso de história. Não finja que não enxerga o perigo.

Seguiram por mais um tempo.

– Você parece um sujeito com um bocado de motivos – comentou Wilde.

– Para fazer o quê? – Strauss sorriu. – Sequestrar dois adolescentes?

Wilde se virou para ele.

– Eu falei que tenho fontes – disse Strauss.

– É o que parece.

– E você não está entendendo meu argumento, cara. Alguém quer *muito* aquela gravação. E parece que fará praticamente qualquer coisa para consegui--la. Inclusive sequestrar adolescentes. E os motivos podem não ser altruístas. É isso que estou tentando explicar. Se eles conseguirem a gravação antes de nós, poderão destruí-la. Ou escondê-la. E, se isso acontecer, Raymond Stark continuará na cadeia por um crime que não cometeu. Esse é o nível micro. No nível macro, talvez Rusty Eggers seja eleito. Você não é tão cego ou blasé quanto finge ser. Sabe que tipo de destruição Rusty Eggers é capaz de provocar.

Wilde pensou na gravação. Pensou em Rusty Eggers. Mas, acima de tudo, pensou no sonho de Raymond Stark de ficar livre. Como devia ser devastador, pouco antes de acordar, quando você percebe que a libertação foi apenas um sonho, quando sabe que os fiapos de esperança irão logo embora e você estará de volta àquela cela.

– Como o Raymond foi parar na cadeira de rodas? – perguntou Wilde.

Strauss era um homem grande com mãos grandes e nodosas. Ele apertou o volante com mais força.

– Em certo sentido, é parte do motivo pelo qual a família de Anson nunca irá aceitar que o Raymond não cometeu o assassinato, mesmo se provarmos que a faca foi colocada lá.

Wilde esperou.

– Os Ansons queriam a pena de morte. Uma citação do pai da vítima saiu no noticiário depois do veredito. Um repórter perguntou ao pai de Anson se ele achava que a justiça tinha sido feita. Ele disse que não. Disse que Raymond Stark receberia moradia grátis, roupas grátis e três refeições por dia, enquanto o corpo do seu filho lindo seria devorado pelos vermes.

Strauss tirou a mão trêmula do volante e coçou o queixo. Seus olhos começaram a piscar.

– Fazia quatro meses que o Raymond estava preso quando uns caras o pegaram no chuveiro. Jogaram-no de barriga para baixo nos ladrilhos. Dois seguraram os braços dele e puxaram. Dois seguraram as pernas e puxaram.

Como se ele estivesse num instrumento de tortura medieval. Outro segurou o rosto de Raymond virado para baixo de modo que o nariz dele ficasse comprimido contra a cerâmica. Seguraram-no e puxaram os membros. Com força. E então outro sujeito, um grandalhão, segundo o Raymond, que pesava mais de 130 quilos, veio e disse: "Isso é por conta da família Anson."

Agora a respiração de Strauss estava entrecortada. Wilde permaneceu sentado ao lado dele, quase com medo de se mexer.

– O grandalhão, ainda de pé, montou no corpo estendido de Raymond. Depois pulou, como se viesse da corda de cima de um ringue de luta livre. Foi assim que o Raymond descreveu. Os outros puxaram os braços e as pernas com mais força ainda, totalmente esticados, uma coisa dolorosa, e todo o peso do grandalhão bateu na base da coluna do Raymond como uma marreta. O Raymond ouviu a coluna estalar. Ele disse que foi como um vendaval arrancando um galho seco de um carvalho antigo.

Silêncio. Um silêncio tão profundo que pressionava as janelas do carro. Um silêncio esmagador, que não permitia respirar. Um silêncio que parecia um grito.

– Saul?

– Sim?

– Duzentos metros à sua direita há um lugar para parar. Eu vou descer lá.

Wilde precisava de um tempo na floresta.

Não demoraria. Precisava voltar à casa dos Maynards. Mas aquela visita a Sing Sing e a história sinistra de como a coluna de Raymond se partiu deixaram Wilde com a sensação de que paredes literais e figurativas começavam a se fechar sobre ele. Não tinha ideia se sofria de algum tipo de claustrofobia – duvidava que fosse algo suficientemente grave para ser rotulado de distúrbio –, mas tinha certeza de que precisava da mata. Quando ficava muito tempo longe das árvores sentia como se estivesse sufocando, como se seus pulmões se preparassem para se fechar completamente.

"Imagine estar num lugar como este todo dia gritando a verdade de todas as formas possíveis sem que ninguém o escute."

Wilde fechou os olhos e respirou fundo várias vezes.

Quando chegou à Mansão Maynard, sentia-se mais forte, mais ele próprio. O Escalade de Hester estava parado perto do portão. Tim, o motorista, abriu a porta de trás e Hester saiu.

Ela apontou para ele.

– O que foi que aconteceu com você?

– Oi?

– Você parece um gatinho que alguém deixou dentro de uma secadora. Isso é que era estar mais forte, mais ele próprio.

– Estou bem.

– Tem certeza?

– Tenho.

– A Lola encontrou a mãe da Naomi. Ela aceitou se encontrar comigo.

– Quando?

– Se eu quiser falar com ela hoje, preciso ir agora. Ela está de volta a Nova York.

– Vá. Eu cuido das coisas aqui.

– Primeiro diga onde você esteve. Para eu saber por que está com essa cara péssima.

Ele deu uma versão altamente resumida da ida a Sing Sing com Saul Strauss. Acabou que o resumo foi mais do que suficiente. O rosto de Hester ficou de um escarlate profundo. Seus punhos se fecharam com força. Com toda a distração provocada por Crash e Naomi, Wilde quase havia esquecido que Hester Crimstein era uma das advogadas de defesa mais famosas e obstinadas do país. Nada a incomodava mais do que os exageros por parte da promotoria.

– Desgraçados – disse.

– Quem?

– Policiais, promotores, juízes, pode escolher. Condenar injustamente uma pessoa assim. E agora eles sabem que esse tal de Kindler era corrupto e ainda mantêm esse homem trancafiado? É deplorável. Você tem o número do telefone do Saul?

– Tenho.

– Diga a ele que vou pegar o caso do Raymond sem cobrar, *pro bono*.

– Você nem sabe de todos os detalhes.

– Está vendo isto?

Hester bateu com o dedo.

– O seu nariz?

– Exato. O nariz sabe. Esse caso fede como o lixo de trinta anos que ele é. Diga ao Strauss que vou dar alguns telefonemas e botar pra quebrar. Diga a ele.

– Mais uma coisa. Você conhece alguém em Sing Sing?

– Tipo?

– Tipo alguém que possa me deixar ver o registro de visitantes.

Ela começou a voltar para o carro.

– Mande uma mensagem com os detalhes para mim, gato. Eu dou uma olhada.

Tim já estava com a porta aberta. Hester entrou de novo. Tim assentiu ligeiramente para Wilde, entrou no carro e partiu.

Wilde subiu a colina. Lola estava com a equipe inteira lá: todas eram mulheres de olhos frios.

– Os Maynards sabem que eu voltei? – perguntou ele.

Lola fez que sim com a cabeça.

Ainda faltava meia hora para o meio-dia. Por enquanto não havia motivo para entrar. Se os Maynards precisassem dele, saberiam onde procurá-lo. Voltou para a trilha no bosque, o caminho que levava ao lugar onde Matthew havia ficado com Naomi. Não sabia dizer por que estava indo lá. Supôs que era porque ansiava por paz, silêncio e espaço aberto. Acima de tudo, pelo espaço aberto. Não queria ficar dentro daquela maldita biblioteca por mais tempo que o necessário.

Verificou o telefone e ficou surpreso ao ver uma mensagem do site de genealogia. Vinha de "PB", a pessoa listada como seu parente "mais próximo". Pensou em simplesmente apagá-la ou pelo menos deixar lá sem ler por enquanto. Provavelmente não era nada. Genealogia era um grande passatempo para muitas pessoas, conectando-as "de modo divertido para socializar", como dizia o site, talvez fazendo perguntas para que você pudesse preencher galhos vazios em sua árvore genealógica.

Wilde não tinha interesse em fazer isso. Porém a grosseria e a ignorância voluntária também não eram do seu estilo. Nem a procrastinação.

Clicou no link e leu a mensagem de PB:

> Oi. Desculpe não dar meu nome, mas há motivos pelos quais não me sinto confortável em revelar minha verdadeira identidade às pessoas. Meu passado tem muitas lacunas e muita turbulência. Você é o parente mais próximo que encontrei neste site e me pergunto se também tem lacunas e turbulências. Se for esse o caso, talvez eu tenha algumas respostas.

Wilde leu a mensagem duas vezes e depois uma terceira.

Lacunas e turbulências. Também não precisava disso agora.

Guardou o telefone. Em seguida levantou o olhar para além dos galhos, estendendo-o até o azul profundo do céu. Seus pensamentos voltaram para Raymond Stark. Quando Raymond teria estado assim, ao ar livre, pela última vez? Quando estivera cercado pela última vez por verde e azul, não pelo cinza institucional? Enfiou a mão no bolso de trás. Desdobrou a foto dos estagiários do Capitólio que Saul Strauss tinha lhe dado. Examinou os rostos de novo, encontrando Rusty Eggers, depois Dash, depois Delia.

Que se dane!

Voltou rapidamente para o pátio lateral dos Maynards. Subiu a escada de dois em dois degraus e entrou intempestivamente na biblioteca. Dash Maynard estava olhando para a tela do computador como se fosse alguma bola de cristal que pudesse lhe contar o futuro. Delia andava de um lado para outro.

– Que bom que você voltou – declarou ela.

Ele atravessou a sala.

– Vocês reconhecem esta fotografia?

Wilde a ergueu para que os dois vissem. Queria ver se iriam reagir. Reagiram – encolhendo-se como vampiros diante de uma cruz.

Dash disse rispidamente:

– Por que você está com isso?

Wilde apontou para Christopher Anson.

– Você o reconhece?

– O que está acontecendo aqui?

– O nome dele era Christopher Anson.

– Nós sabemos – disse Delia. – Mas que droga, Wilde. Estamos esperando uma notícia do sequestrador do nosso filho. Não entende?

Wilde não viu motivo para responder.

– Por que está falando disso agora?

– Porque quem está com seu filho obviamente quer uma gravação muito prejudicial.

– E nós a entregamos – disse Dash.

– O Arnie Poplin disse que ouviu você e Rusty Eggers falando sobre um assassinato.

– O Arnie Poplin é um lunático – afirmou Dash e balançou a mão, descartando a ideia.

Delia acrescentou:

– Você não pode achar que nós tivemos alguma coisa a ver com o que aconteceu com o Christopher.

– Talvez não vocês dois.

– O Rusty? – Delia balançou a cabeça. – Não.

– Você não sabe como o Arnie Poplin é indigno de confiança – disse Dash. – Quando nós o demitimos do programa, ele ficou ressentido. Misture a loucura dele com as drogas e a amargura...

– Não entendo – interrompeu Delia. – Quem lhe deu essa foto?

– Raymond Stark.

Silêncio.

Wilde esperou. Queria ver se algum deles chegaria ao ponto de fingir que não reconhecia o nome. Não fizeram isso.

Depois de um tempo, Dash falou:

– Ah, meu Deus.

– O quê?

– É isso que Raymond Stark está dizendo? É isso que ele está tentando inventar agora para sair da cadeia?

Delia olhou para o marido.

– Ele poderia estar por trás de tudo isso?

– O quê?

– Raymond Stark – disse Dash, virando-se de volta para Wilde. – Talvez algum ex-presidiário que ele conheceu na penitenciária esteja fazendo um favor para ele. Eles sequestram o nosso filho e dizem que isso tem a ver com o assassinato do Christopher. Exigem uma gravação que provaria a inocência dele.

– Talvez Raymond Stark tenha contado a história a alguém que esteja agindo por conta própria – completou Delia.

– Como Raymond Stark fez contato com você, Wilde? – perguntou Dash.

Foi então que ouviram um som de alarme no computador.

Era meio-dia.

Delia atualizou a página e uma mensagem surgiu:

Vocês podem encontrar o Crash em 41°07'17.5" N 74°12'35.0" O.

Wilde sentiu a boca ficar seca.

Delia apontou para a tela.

– Isso são...

– Coordenadas – confirmou Wilde.

Mas não eram quaisquer coordenadas.

Alguém estava ferrando seriamente com ele.

– Não entendo – disse Delia. – Onde é isso?

Wilde nem precisava abrir o aplicativo de mapas em seu telefone. Sabia qual era o lugar indicado pelas coordenadas.

– É na mata, a uns 5 quilômetros daqui, perto das montanhas Ramapough. Vai ser mais rápido se eu for correndo. Dê as coordenadas à Lola. Diga para ela pegar um carro e me encontrar lá.

Não explicou mais nada. Simplesmente saiu, desceu a escada e passou pela porta, alcançando o ar pegajoso. O suor brotou primeiro no rosto. Será que Crash estaria mesmo lá? Em muitos sentidos, era um ótimo local de entrega – remoto, longe de qualquer estrada ou câmera, no fundo da mata.

Mas por que aquelas coordenadas específicas?

Porque alguém queria mexer de verdade com a cabeça de Wilde.

Sem diminuir o passo, enfiou um AirPod no ouvido e ligou para Hester. Quando ela atendeu, ele disse:

– Os sequestradores mandaram coordenadas de 41 graus, zero sete...

– Fale inglês, Wilde.

– É um lugar remoto nas montanhas Ramapough. Perto do antigo cemitério.

– Espere aí. Você está dizendo...?

– É o lugar exato onde a polícia me encontrou quando eu era criança.

– Minha nossa! – exclamou Hester. – Quem poderia saber disso?

– Das coordenadas específicas? Os policiais, talvez a imprensa, não sei. Não é segredo.

– Mas também não é coincidência.

– Não, não é coincidência.

– Onde você está? – perguntou Hester. – Você parece sem fôlego.

– Estou correndo para lá. Ligo para você depois.

Wilde conhecia o caminho, claro. Sabia que Lola e quem ela levasse demorariam mais porque não havia uma estrada de acesso direto. Era preciso caminhar mais de 1,5 quilômetro fora da estrada para encontrar o local.

Então por que lá?

Wilde estava começando a perceber, talvez começando a montar as peças do quebra-cabeça. Eles tinham desejado semear a confusão e o caos. Mas, talvez pela primeira vez, Wilde estivesse enxergando as coisas com clareza.

Desviou-se para a esquerda, enfiou-se por baixo dos galhos, tentou não diminuir o ritmo. Décadas antes, quando os guardas-florestais e a polícia da cidade o haviam cercado, ele estava usando uma barraca e um saco de dormir que tinha roubado de uma casa em Ringwood. Não lembrava por quanto tempo aquele local de acampamento específico, longe de qualquer trilha de caminhada, tinha sido seu lar, mas, quando os viu chegando, o garoto Wilde – como ele chamava a si mesmo naquela época? Nem sabia a porcaria do próprio nome – sentiu-se tentado a fugir. Tinha feito isso antes, claro, sempre que alguém o via ou chegava perto.

Por quê?

Por que ele sempre fugia? Seria algum tipo de instinto de sobrevivência primitivo? Será que a natureza básica do homem era fugir em vez de se relacionar com outros seres humanos? Costumava pensar nisso. Por que, quando criança, seu instinto era fugir? Seria algo genético, da natureza humana – ou havia acontecido alguma coisa que o tinha deixado assim?

Mas naquele início de manhã fria o pequeno Wilde em sua barraca, com quatro policiais e guardas-florestais o cercando, optou por não fugir. Talvez porque percebesse que seria inútil. Talvez porque um deles fosse Oren Carmichael e mesmo naquela época Oren tivesse uma aura tranquilizadora, confiável, segura.

Passaram-se três, talvez quatro minutos, até Wilde chegar às coordenadas.

Estava ao norte da área florestal chamada de Bowl, a cerca de 1,5 quilômetro da divisa entre os estados de Nova Jersey e Nova York. Superficialmente, esse ponto de encontro tinha todas as características de uma emboscada. Wilde pensou em diminuir a velocidade e tomar algumas precauções extras agora que estava se aproximando. A não ser que eles fossem muito bons, iria vê-los com um reconhecimento bastante rápido. Mas, se fossem profissionais ou atiradores de elite em árvores, seu reconhecimento avançado não adiantaria. Eles poderiam simplesmente acertá-lo quando quisessem.

Não existia motivo para essa dramaticidade.

Portanto, não, isso não era uma emboscada. Era uma distração.

A mata ficou mais densa, prejudicando a visibilidade. Mesmo quando era criança, Wilde sabia que não deveria acampar em clareiras porque seria visto muito facilmente. Na maioria das noites cercava a barraca com gravetos ou mesmo jornais velhos. Se alguém (ou, mais provavelmente, algum animal) chegasse perto, os sons daqueles gravetos e papéis iriam alertá-lo. Wilde tinha sono leve, provavelmente porque passara a maioria das noites na infância atento a predadores. Mesmo hoje, enquanto a maioria das pessoas mergulhava fundo no sono, Wilde mal roçava a superfície.

Cem metros agora.

Viu uma coisa vermelha.

Não era uma pessoa. Alguns segundos depois, enquanto chegava mais perto, viu que a coisa vermelha era bem pequena – talvez 30 por 30 centímetros.

Então percebeu que era uma caixa térmica, do tipo com capacidade para seis latas de bebida e uns dois sanduíches.

Wilde sentiu os pelos da nuca se eriçando.

Não sabia por quê. Era só uma caixa térmica. Mas o instinto é uma coisa curiosa.

Correu até lá e baixou a alça da caixa. Depois abriu a tampa e olhou dentro.

Tinha se preparado. Mas não o bastante. Mesmo assim, não gritou.

Só ficou olhando o dedo decepado com o anel da caveira sorridente.

capítulo trinta e cinco

A MÃE DE NAOMI, Pia, morava num ornamentado prédio de quatro andares, no estilo neorrenascentista, perto da Park Avenue, em Manhattan. Uma mulher com uniforme preto de empregada abriu a porta e levou Hester pelo piso de parquê espinha de peixe, passando pelas paredes com lambris de carvalho e pela escadaria esculpida de modo intricado, saindo num jardim luxuriante nos fundos.

Pia estava sentada numa espreguiçadeira. Usava óculos escuros, um chapéu de praia bege e uma camisa azul-piscina com os botões de cima abertos. Não se levantou quando Hester saiu da casa. Nem se virou para olhá-la.

– Não entendo por que a senhora fica me perseguindo.

A voz era aguda e trêmula. Hester não esperou o convite: puxou uma cadeira e se sentou o mais perto possível de Pia. Queria invadir um pouco o espaço dela.

– Belo lugar – disse.

– Obrigada. O que deseja, Sra. Crimstein?

– Estou tentando localizar sua filha.

– Sua assistente mencionou isso.

– E você se recusou a falar com ela a respeito.

– Era a segunda vez que a senhora ligava.

– Correto. Na primeira vez você cooperou. Disse que não sabia de nada. Então por que a mudança?

– Achei que já bastava.

– É, Pia, só que não estou engolindo isso.

Com os óculos escuros era impossível saber para onde a mulher olhava, mas ela não estava virada para Hester. Sem dúvida a ex-Sra. Pine era uma mulher belíssima. Hester sabia que Pia tinha sido modelo de roupas de banho um tempo atrás, mas esse tempo nem parecia tão distante assim, pelo que via.

– Ela não é minha filha, a senhora sabe.

– Ahã.

– Eu abri mão de todos os direitos como mãe. A senhora é advogada. Sabe o que isso significa.

– Por quê?

– Por que o quê?

– Por que você abriu mão de todos os direitos como mãe?

– A senhora sabe que ela foi adotada.

– Naomi – disse Hester.

– O quê?

– Você fica dizendo "ela". Sua filha tem nome. É Naomi. E quem se importa se ela foi adotada ou não? O que isso tem a ver?

– Realmente não posso ajudá-la, Sra. Crimstein.

– A Naomi esteve em contato com você?

– Prefiro não dizer.

– Você abriu mão dos direitos como mãe voluntariamente ou esses direitos foram retirados?

Pia ainda parecia distante, mas um pequeno sorriso surgiu em seu rosto.

– Foi voluntário.

– Porque você sofreria acusações?

– Ah – disse Pia, assentindo levemente. – A senhora falou com Bernard.

– Você deveria estar na cadeia.

Por trás delas, chegou uma voz:

– Sra. Goldman?

Era uma jovem com um carrinho de bebê.

– Está na hora do passeio do Nathan no parque.

Pia se virou para a mulher. Seu rosto se abriu num largo sorriso.

– Vá indo, Angie. Encontro vocês perto do Conservatory Water.

A jovem saiu empurrando o carrinho.

Hester tentou afastar o horror do rosto.

– Você tem um filho?

– Nathan. Está com 10 meses. E, sim, ele é biologicamente meu e do meu marido.

– Achei que você não pudesse ter filhos.

– Era o que eu pensava. Mas, claro, foi o que o Bernard me disse. Acontece que o problema era dele. – Ela inclinou a cabeça. – Sra. Crimstein?

Hester esperou.

– Eu jamais abusei dela.

– Naomi – disse Hester. – O nome dela é Naomi.

– O Bernard inventou aquilo tudo. Ele é mentiroso e coisa pior. Eu deveria saber de cara como ele era. Não é o que dizem? Mas não soube. Ou talvez eu seja fraca. O Bernard abusava de mim: verbalmente, emocionalmente, fisicamente.

– Você contou a alguém?

– A senhora parece cética.

– Não se preocupe com o que eu penso – disse Hester, um pouco mais incisiva do que pretendia. – Você contou a alguém?

– Não.

– Por quê?

– A senhora quer mesmo ouvir mais uma história de uma mulher que sofreu abuso, Sra. Crimstein? – Pia sorriu e inclinou a cabeça, e Hester se perguntou quantos homens teriam se apaixonado por aquele simples gesto. – O Bernard pode ser muito charmoso, muito convincente. Além disso, é extremamente manipulador. Ele contou a história da água quente? É a predileta dele. Claro, se fosse verdade, ela... – dessa vez Pia se interrompeu – ... quero dizer, Naomi teria ido para o hospital, não é?

Ótimo argumento, pensou Hester.

– Não quero contar toda a minha história de vida. Eu vim de uma cidade pequena. Fui... acho que a palavra é "abençoada" com uma aparência que atraía muita atenção. Todo mundo dizia que eu deveria ser modelo. Então tentei ser. Na verdade, eu era baixa demais para ir longe. Também não era suficientemente anoréxica. Mas consegui alguns trabalhos, principalmente em anúncios de lingerie. E então me apaixonei pelo homem errado. No início, o Bernard foi bom para mim, mas então começou a ser devorado pela própria insegurança. Ele tinha certeza de que eu o traía. Eu chegava de uma sessão de fotos e ele fazia um milhão de perguntas: algum homem falou com você, alguém flertou com você, qual é, alguém deve ter flertado com você, você sorriu para ele antes, você deu mole, por que chegou tarde?

Pia parou, tirou os óculos escuros e enxugou os olhos.

– Então você foi embora? – indagou Hester.

– É, fui embora. Não tinha escolha. Consegui ajuda. Muita. Quando voltei a me estabilizar um pouco, conheci o Harry, meu marido. O resto da história a senhora conhece.

Hester falou do modo mais gentil que pôde:

– A Naomi tem feito contato com você?

– Por que se importa?

– É uma longa história, mas nunca vou trair a Naomi. Está ouvindo? Não importa o que você me conte, pode confiar que vou fazer todo o possível para ajudar.

– Mas, se eu contar – disse Pia –, também estarei traindo a Naomi.

– Pode confiar em mim.

– A senhora trabalha para o Bernard?

– Não.

– Jura?

– Eu me importo com sua filha, não com seu ex-marido. Sim, juro.

Pia colocou os óculos escuros de volta no rosto.

– A Naomi ligou para mim.

– Quando?

– Há alguns dias.

– O que ela disse?

– Que alguém que trabalhava para o Bernard poderia me ligar perguntando por ela. Como a senhora fez da outra vez. Ela pediu que eu não dissesse nada.

– Por que ela falaria isso?

– Acho... acho que ela planejava fugir do pai. Ela imaginou que, se as pessoas achassem que ela estava comigo, isso iria despistá-lo.

– Você concordou? Com a fuga dela?

– Fiquei feliz. Ela precisava fugir dele.

– Não entendo. Você diz que o seu ex é abusivo.

– A senhora não faz ideia.

– E mesmo assim – disse Hester, tentando manter a voz calma – deixou sua filha com ele?

Ela tirou os óculos de novo.

– Eu fiz muita terapia. A senhora não faz ideia de como eu era fraca, de como era perturbada. Eu não poderia ter feito nada. E havia uma verdade difícil que eu precisava enfrentar, Sra. Crimstein, para me recuperar, me curar e ir em frente.

– Que verdade difícil é essa?

– O Bernard estava certo em relação a uma coisa. Eu não queria adotá-la, para começo de conversa. A verdade difícil, e eu demorei muito tempo para me perdoar por isso, é que não consegui me conectar com a Naomi. Talvez porque ela não fosse minha filha legítima. Talvez na ocasião eu simplesmente não levasse jeito para ser mãe. Talvez fosse minha química reagindo fisicamente à dela ou à situação ruim com o pai dela. Não sei. Mas nunca consegui me conectar realmente com aquela menina.

A bile subiu à garganta de Hester. Ela a engoliu de volta.

– Então você simplesmente deixou a Naomi com ele.

– Não tive escolha. A senhora precisa entender.

Hester empurrou a cadeira para trás e se levantou.

– Se tiver notícias da Naomi, peça que ela ligue para mim imediatamente.

– Sra. Crimstein?

Hester olhou para ela.

– Em quem a senhora acredita?

– Quer dizer, em você ou no Bernard?

– É.

– Isso faz diferença?

– Acho que faz, sim.

– Eu não acho – retrucou Hester. – Ou você abusou da sua filha, ou a deixou para trás, numa atitude egoísta. De qualquer jeito, você abandonou uma menina com um homem que acabou de descrever como um monstro. Mesmo quando se "recuperou" ou se "curou", mesmo quando se casou e se mudou para esta casa chique, deixou a pobre garota sozinha com um homem problemático. Não a protegeu. Não pensou nela. Simplesmente fugiu, Pia. E deixou a Naomi para trás.

Pia ficou de cabeça baixa, o olhar na mesa.

– Então, no fim das contas, não me importa se é você ou ele que está mentindo. Você é um lixo, e espero que nunca tenha um momento de paz.

Quando Dash e Delia Maynard viram o dedo decepado do filho, reagiram cada um de um jeito.

Dash desmoronou no chão, totalmente frouxo, como uma marionete cujos fios tivessem sido cortados todos ao mesmo tempo. A queda foi tão súbita que Wilde saltou para trás, com cuidado para não causar nenhum dano no dedo sacudindo-o em cima do pacote de gelo. Não que a sacudidela fosse causar qualquer efeito. Se isso acontecesse, o fato de Wilde ter vindo correndo daquele local na mata a toda a velocidade certamente seria a causa.

Delia ficou paralisada. Durante um instante não se mexeu nem reagiu à queda do marido. Só olhou para o dedo. Devagar, quase imperceptivelmente, seu rosto começou a ceder. A cabeça tombou de lado. Os lábios tremeram, os olhos piscaram. Ela estendeu a mão para o dedo, uma mãe querendo oferecer algum tipo de conforto. Wilde puxou a caixa térmica de volta, não querendo que o toque dela a contaminasse.

– O pessoal da emergência médica vai chegar logo – disse Wilde a ela com

o máximo de delicadeza possível. Em seguida olhou para o portão atrás. –
Eles vão fazer o máximo para preservá-lo.

Quando ele fechou a caixa térmica, Delia soltou um gemido. Wilde entregou a caixa a Lola e assentiu. Ela a levou para fora do portão a fim de
esperar a ambulância. Lola aprendera que havia uma boa chance de o dedo
poder ser reimplantado se eles seguissem os devidos protocolos médicos.

No gramado, Dash se apoiou nas mãos e se ajoelhou.

Delia finalmente falou:

– O que eles querem? O que eles querem? – Sua voz começou monótona,
mas aos poucos ficou mais alta, mais frenética: – Nós demos as gravações.
O que eles querem de nós? O que eles querem?

Houve um som de notificação.

Todos demoraram um segundo para reagir, mas então Dash, com o olhar
distante, enfiou a mão no bolso e pegou seu celular. A mão tremia.

– O que é? – perguntou Delia.

Dash leu, ficou de pé e entregou o telefone à esposa. Wilde chegou mais
perto para ler por cima do ombro dela.

> Mande a gravação que nós queremos nos próximos trinta minutos ou
> vamos enviar as coordenadas para o braço inteiro do seu filho. Se
> chamarem a polícia, ele morrerá sofrendo dores terríveis.

– Que gravação? – gritou Delia. – Não existe gravação. Nós não temos...
Dash começou a correr em direção à casa.

– Dash? – gritou ela.

Ele não respondeu.

– Dash?

Ela correu atrás dele.

– Ah, meu Deus, o que você fez?

Dash continuou sem falar, mas lágrimas escorriam pelo seu rosto.

– Dash?

– Sinto muito – disse ele.

– O que você fez, Dash?

– Não achei que ele estivesse realmente em perigo. Eu não...

Ele começou a correr a toda a velocidade. Delia o chamou, mas ele não
respondeu. Ela continuou indo atrás. Wilde, com a camisa já coberta de
suor, seguiu os dois enquanto entravam pela porta lateral e subiam a torre

até a biblioteca. Dash acelerou escada acima. Foi para trás da sua mesa e começou a digitar no laptop.

– Fale comigo – disse Delia.

Dash levantou os olhos. Viu Wilde e disse:

– Saia daqui.

– Não.

– Eu mandei.

– Eu ouvi. Mas isso não vai acontecer.

– Você está demitido.

– Legal.

Wilde não se mexeu.

– Não tem direito de estar aqui.

– Então me expulse.

– Dash – pediu Delia –, me conte. Por favor?

– Não na frente dele.

– Sim, Dash – disse Wilde. – Na minha frente. Pare de perder tempo.

Delia chegou mais perto do marido e pôs as mãos no rosto dele.

– Querido, olhe para mim – disse, virando o rosto dele. O gesto foi surpreendentemente terno. – Me conte, Dash. Por favor. Me conte agora.

Dash engoliu em seco, as lágrimas voltando a rolar.

– Foi ele. Ele o matou.

– Do que você está falando...?

– O Rusty matou o Christopher.

As mãos de Delia deslizaram, afastando-se do rosto dele enquanto ela balançava a cabeça.

– Não entendo.

– Naquela noite – disse Dash – todos fomos beber no Lockwood. Rusty e Christopher... você sabe como eles eram. Os dois quase trocaram socos. Eu apartei a briga. O Christopher saiu furioso. Depois recebi um telefonema, sei lá, à uma da manhã. Era o Rusty, em pânico. Implorou que eu fosse encontrá-lo. Pela voz, dava para ver que a coisa tinha sido ruim. Por isso fui e... bem... você me conhece.

A voz de Delia soou distante:

– Você gravou.

– É o que eu faço. Você sabe.

– Com que câmera?

– Por que você...?

– Com que câmera, Dash?

– A que ficava escondida no bolso.

Delia fechou os olhos.

Wilde pegou seu telefone e verificou o aplicativo. Agora tudo começava a se encaixar.

– Naquela noite você estava na Filadélfia – disse Dash a ela –, fazendo pesquisa para um projeto daquela subcomissão do Congresso. Quando cheguei lá...

Ele parou.

– O quê? – perguntou Delia.

Dash parecia incapaz de falar. Girou a tela do computador até ela ficar virada para Delia e Wilde. Apertou o play e desmoronou na cadeira.

Durante alguns segundos a tela permaneceu escura. Então uma porta se abriu e lá estava o jovem Rusty Eggers. A julgar pela altura, a câmera devia estar em algum lugar perto do bolso da camisa de Dash. A imagem era granulosa e meio distorcida, como de uma lente olho de peixe, como se estivesse espiando através de um olho mágico de porta.

Wilde percebeu várias coisas ao mesmo tempo. Primeiro o óbvio: Rusty parecia jovem demais. Provavelmente teria uns 20 anos, e, por algum motivo, mesmo não tendo envelhecido mal nem nada, o efeito de ver Rusty Eggers naquela idade era estranho, como uma espécie de imagem do tipo "antes de tudo dar errado".

A segunda coisa era que ele parecia extraordinariamente calmo e controlado. Por um instante seu olhar se virou direto para a lente, quase como se soubesse que ela estava ali.

Terceiro: seu sorriso era largo. Largo demais.

– Obrigado por ter vindo – disse Rusty.

– Você disse que era urgente.

A voz do jovem Dash.

– É, entre.

Rusty ficou de lado, fora do campo de visão. A câmera avançou dois passos enquanto Dash entrava. Houve o som de uma fechadura. Wilde achou que Rusty tinha acabado de trancar a porta.

– O que está acontecendo? – perguntou Dash.

Rusty voltou a aparecer.

– Realmente agradeço por ter vindo.

– Que porcaria... – De repente Dash pareceu aterrorizado. – Isso na sua mão é sangue?

Com o sorriso largo ainda grudado no rosto, Rusty estendeu a mão aberta coberta de sangue na direção da lente.

– Rusty?

A mão se moveu acima da lente, agarrou o que devia ser o ombro de Dash e o puxou.

– Que droga, Rusty! Me solta!

Ele não soltou. Rusty arrastou Dash para a frente. A imagem na tela tremeu. O ponto de vista do bolso da camisa combinado com a qualidade de olho de peixe da lente tornava difícil acompanhar o que estava acontecendo quando havia movimento. Muitas coisas viraram um borrão nos segundos seguintes. Wilde viu uma estante de livros, talvez. Um tapete. Algumas coisas penduradas na parede.

O movimento desacelerou um pouco. Um ladrilho de piso. Um fogão, geladeira.

A cozinha.

Wilde arriscou um olhar na direção de Delia. Ela fitava a tela hipnotizada.

Então, na tela, Wilde ouviu Dash soltar um som ofegante.

Rusty chegou perto dele, bloqueando a câmera por um momento. Ele sussurrou, provavelmente no ouvido de Dash:

– Não grite.

Então Rusty soltou Dash e deu um passo para trás. A câmera girou na direção do piso, virou um pouco à direita e parou.

Deitado de costas numa poça de sangue, com os olhos abertos e sem piscar, estava Christopher Anson. Durante alguns segundos a câmera não se mexeu, não sacudiu, não tremeu. Era quase como se Dash nem conseguisse respirar.

Então Dash disse em voz baixa, horrorizado:

– Ah, meu Deus.

– Foi legítima defesa, Dash.

– Ah, meu Deus.

– O Christopher entrou aqui. – A voz de Rusty estava grave e serena, de um jeito que gelava mais a sala do que o faria o berro mais apavorante. – Eu não tive escolha, Dash. Dash? Está ouvindo?

A câmera se afastou do cadáver e voltou para Rusty, a lente olho de peixe fazendo seu rosto parecer enorme. Ainda havia uma sugestão de sorriso, mas os olhos distorcidos de Rusty estavam negros e frios.

– O Christopher entrou aqui – repetiu Rusty, como se estivesse explicando a situação a uma criança pequena. Não havia nada de maníaco no tom. Nem emoção, nem pânico, nem loucura. – Acho que ele estava drogado, Dash. É o que eu acho. Ele provavelmente comprou a droga depois de sair do bar. Você viu como o Christopher estava furioso, não viu?

Dash não respondeu ou talvez não tenha conseguido responder. Rusty chegou mais perto. Quando falou de novo, sua voz – ainda calma, ainda no controle total – era só um pouquinho mais cortante:

– Você viu aquilo, certo?

– Ah, é, acho que vi.

– Acha?

– Quero dizer, é... vi, claro. – E depois: – Precisamos ligar para a polícia, Rusty.

– Ah, não, isso não vai acontecer.

– O quê?

– Eu matei ele.

– Você... você disse que foi...

– Em legítima defesa, sim. Mas quem vai acreditar, Dash? Eu contra a família Anson e todas as conexões deles? – O rosto de Rusty ficou maior enquanto ele se aproximava do peito de Dash. Sua voz era de novo um sussurro: – Ninguém.

– Mas a gente precisa chamar a polícia.

– Não precisa, não.

– Não entendo.

Rusty deu um passo para trás.

– Dash, escute.

A câmera se moveu um pouco para a esquerda. De modo casual, quase despreocupado, Rusty começou a levantar a mão. Dash gritou. Começou a recuar, de modo que tudo ficou turvo. Alguns segundos depois a lente recuperou o foco.

Agora Wilde podia ver o que havia na mão de Rusty.

Uma faca ainda molhada de sangue.

Dash:

– Rusty...

– Preciso da sua ajuda, amigo.

– Eu... acho que devo ir embora.

– Não, Dash, você não pode fazer isso.

– Por favor...

– Você é meu amigo. – Rusty sorriu de novo. – Você é o único em quem eu posso confiar. Mas, se não quiser me ajudar – Rusty virou o olhar para a faca na mão, sem ameaçar explicitamente nem apontá-la para Dash –, não sei o que fazer.

Silêncio.

Rusty baixou a mão com a faca ao lado do corpo.

– Dash?

– O quê?

– Você vai me ajudar?

– Vou – disse Dash. – Vou ajudar.

Nesse ponto a gravação foi encerrada.

Por um instante Delia e Wilde ficaram simplesmente parados, olhando a tela vazia. Ninguém se mexeu. À distância, Wilde ouviu um relógio badalar. Olhou a opulência da grande biblioteca ao redor, mas a opulência é uma fachada falsa. Não protege realmente, nem mesmo engrandece. Só induz a pessoa a se sentir segura.

Dash mantinha a cabeça entre as mãos. Esfregou o rosto.

– Então me digam – começou Dash. – E se eu tivesse dito não a ele?

Delia pôs a mão trêmula na boca, como se quisesse abafar um grito.

– Delia?

Ela balançou a cabeça.

– Ouça, por favor. Você conhece o Rusty. Sabe o que ele teria feito comigo se eu tentasse ir embora.

Delia fechou os olhos, desejando se afastar de tudo aquilo.

– E o que você fez? – perguntou Wilde.

Dash olhou para ele.

– Eu tinha um carro, o Rusty não. Acho que foi por isso que ele me escolheu. Colocamos o corpo do Christopher no meu porta-malas e o largamos naquele beco. Então o Rusty limpou as digitais da faca e a jogou na lixeira. Achamos que a polícia concluiria que tinha sido uma venda de drogas ou um assalto que deu errado. Eu esperava que mais tarde, não sei, me sentisse seguro e talvez pudesse mandar a gravação para a polícia. Mas, claro, minha voz também está nela. E, pelo que se vê no vídeo, na verdade o Rusty não me ameaçou, não é?

Finalmente Delia encontrou a própria voz:

– O Rusty escolheu você porque você é fraco.

Dash piscou os olhos molhados.

Delia olhou para ele.

– Então você simplesmente guardou a gravação?

– Sim.

– E em algum momento você contou ao Rusty sobre ela?

Dash assentiu.

– Como uma apólice de seguro. Eu era o único que sabia o que ele tinha feito. Mas deixei claro que se alguma coisa acontecesse comigo...

– A gravação seria divulgada.

– É. Isso uniu a gente de um modo estranho.

– E você nunca me contou. Todos esses anos juntos. Tudo que compartilhamos, e você nunca me contou.

– Fazia parte do acordo.

– O Rusty e eu rompemos logo depois daquilo – disse Delia.

Dash não disse nada.

– Isso também fazia parte do acordo, Dash?

– Ele é um homem terrível. Eu só queria que você ficasse segura.

Ela o encarou, furiosa.

– Delia?

A voz dela era gelo puro:

– Mande a gravação para eles, Dash. A vida do meu filho está correndo perigo. Mande a porcaria da gravação agora mesmo.

Wilde esperou até Dash apertar o botão. Depois Dash se recostou na cadeira, exaurido. Delia ficou parada. Não se mexeu. Não pôs a mão no ombro dele. Não olhou para ele. Alguém tinha acabado de detonar uma bomba na sala, deixando aquelas duas pessoas no meio do entulho e das ruínas que seriam impossíveis de reconstruir.

Estavam despedaçados e jamais ficariam inteiros de novo.

Não havia motivo para assistir.

Wilde se virou e saiu. Os dois não perguntaram aonde ele ia ou talvez não conseguissem falar. Não importava. Ele não responderia. Pelo menos por enquanto. Tinha ouvido tudo que precisava ouvir.

Achou que agora talvez tivesse as respostas.

capítulo trinta e seis

LOLA O LEVOU NO Honda Odyssey. Havia três bancos atrás. Cinco canecas rosa com canudinho na tampa e alças laterais estavam no chão, junto aos pés dele. Havia restos de cereais e biscoitos espalhados por toda parte. O tecido dos bancos parecia estar melado de calda de panqueca.

Lola sorriu.

– A bagunça está enlouquecendo você, não é?

Wilde conseguiu responder:

– Estou bem.

– Claro que está. Quer dizer aonde a gente vai?

– Só continue indo para o norte pela 87.

Wilde tinha pensado em ele próprio dirigir, mas poderia precisar de alguém por vários motivos, e um deles era por não ser um motorista muito bom. Era capaz de se virar nas estradas locais, mas as grandes interestaduais cheias de caminhões e carros trocando de faixa não eram o seu forte. Além disso, estava com o telefone na mão, seguindo os dois localizadores por GPS, e não queria fazer tudo isso ao mesmo tempo que enfrentava uma rodovia movimentada.

Precisava de tempo para pensar no próximo passo.

– Pegue a saída 16 – disse.

– A que vai para Harriman?

– É.

– Nós vamos para o Woodbury Commons?

– O quê?

– É um outlet gigantesco logo depois da praça de pedágio. Nike, Ralph Lauren, Tory Burch, OshKosh B'gosh, várias outras. Lojas de fábrica. As crianças adoram o Children's Place. Já esteve lá? Dizem que os descontos são enormes, mas minha amiga Jane, que sabe mais sobre compras no varejo que qualquer um, diz que quando a gente acrescenta a viagem e a qualidade inferior...

– Não, não vamos fazer compras.

– Eu sei, Wilde. Só estou puxando assunto. Você sabe que quando banca o homem silencioso da montanha eu começo a falar.

– E mesmo quando não faço isso – retrucou ele.

– Engraçadinho.

– Pegue a direita. Rota 32 norte.

– Quanto tempo faz que você não telefona para mamãe e papai?

Ela estava falando dos Brewers.

– Eu não chamo eles assim.

– Você me chama de irmã?

Wilde não disse nada.

– Os Brewers foram bons para a gente, Wilde.

– Muito.

– Eles sentem sua falta, sabe? Eu sinto sua falta. É claro que, sentada com você aqui agora, eu nem lembro *por que* sinto sua falta. Com certeza não é por esses nossos diálogos emocionantes.

– Você está com sua arma?

– Eu disse antes de sairmos. Estou. Aonde a gente vai?

– Acho que tenho uma ideia de onde o garoto está sendo mantido em cativeiro.

– Sério?

– Não, estou brincando, Lola. Sempre fui um tremendo brincalhão.

Ela riu.

– Assim está melhor, irmão. E eu chamo você assim, por sinal. Meu irmão.

– Há um posto de gasolina uns 3 quilômetros adiante na estrada. Quero que você entre e estacione onde a gente possa ver tudo mas ninguém possa ver a gente.

– Saquei.

Wilde planejou os próximos passos. Iriam parar. Iriam esperar. Não demoraria. No máximo vinte minutos. E então...

– Olhe – disse Lola.

Droga, pensou Wilde.

A placa azul dizia:

POSTO DE SERVIÇO – 1,5 KM

... em letras brancas e familiares. Mas ali, atravessando aquelas palavras, havia um letreiro laranja com letras pretas:

FECHADO.

Fechado? Wilde não tinha previsto isso.

– E agora? – perguntou Lola.

– Continue dirigindo. Tente diminuir um pouco a velocidade, mas nada que chame atenção.

Sem dúvida fazia um bom tempo que o posto tinha sido fechado. Estava com uma cerca temporária e um portão com cadeado na rampa de entrada. O mato brotava no pavimento rachado. As janelas de vidro da pequena loja de conveniência estavam cobertas com compensado. Um toldo plano ia do escritório do posto de gasolina até três bombas que não funcionavam. Havia uma oficina mecânica para dois carros. Uma construção parecida com um quiosque tinha uma placa da Dunkin' Donuts desbotada quase despencando.

Wilde procurou veículos. Não havia nenhum visível.

Não fazia sentido.

– E agora?

Wilde abriu um aplicativo de navegação padrão e usou os dedos para dar zoom no mapa.

– Pegue a próxima saída.

– Ok.

Quando chegaram ao fim da rampa, Wilde mandou que ela virasse à direita e depois pegasse a primeira saída à direita. Olhou pela janela e pediu que ela diminuísse a velocidade.

– Está vendo aquele Dairy Queen à direita?

– Vamos parar para tomar um sorvete? – perguntou Lola.

– Seu tempo de comédia geralmente é uma bosta.

– Ainda bem que eu sou bonitinha.

– Ahã. Vá para a parte de trás. O estacionamento deve fazer divisa com aquele posto.

Lola fez a curva. Não havia nenhum carro estacionado atrás do Dairy Queen. Wilde apertou o botão para baixar a janela. Olhou morro acima e... bingo! – viu a parte de trás do posto de gasolina fechado.

– Fique aqui – disse ele, estendendo a mão para a maçaneta.

– De jeito nenhum.

– Ótimo. Pegue um sorvete.

Lola franziu a testa.

– O *meu* tempo de comédia é uma bosta?

– Se eu não fizer contato a cada dez minutos, chame a polícia.

– Eu vou junto.

– Preciso que você...

– ... ligue para a polícia se você não fizer contato a cada dez minutos. Ouvi muito bem. Vou mandar Zelda fazer isso pelo telefone. Não sei o que está acontecendo, mas não quero que entre aí desarmado.

– Ótimo, então me dê sua arma.

– Sem ofensas, Wilde, mas você é péssimo com uma arma.

E era verdade.

– Pode ser perigoso.

– Adoro perigo.

– Você tem fi...

– Pare com isso – disse Lola, levantando a mão para dar ênfase. – Se vai dizer que eu tenho filhos, família ou alguma outra babaquice machista, eu mesma atiro em você.

Ele não disse nada.

– Eu vou, Wilde. Isso não é negociável, portanto pare de perder tempo.

Lola saiu do carro. Wilde a acompanhou rapidamente e pôs a mão no ombro dela. Ela entendeu. Dirigir podia não ser o forte dele, mas se aproximar em silêncio era. Ele deveria ir na frente. Ela iria atrás.

Começaram a subir o morro abaixados. Lola sacou a arma e a manteve na mão direita, só para garantir. Quando chegaram ao topo do morro, estavam a uns 30, 40 metros do posto de gasolina fechado. A parede dos fundos era de blocos de concreto cobertos por pichações, boa parte delas formada pelas palavras SPOON e ABEONA em grandes letras parecendo bolhas.

Wilde se esgueirou mais para perto, o olhar se movendo constantemente. Nenhum sinal de vida. Nenhum sinal de qualquer carro. Deu uma olhada no localizador por GPS na tela do telefone. Não havia dúvida. O carro estava por perto.

Foi para os fundos do posto. Quando chegaram à área aberta, correu mais depressa, esperando que ninguém os visse. Lola o acompanhou. Chegaram à parede de blocos de concreto e colaram as costas nela.

Lola dirigiu-lhe um olhar que dizia: *E agora?*

Ele respondeu sem som: *Espere aqui.* E deslizou para a lateral. O capim estava suficientemente crescido para engolir uma criança pequena. Wilde podia ver pneus espalhados, alguns pés de cabra, uma variedade de peças de motor enferrujadas. Na parede de concreto alguém tinha pintado muito tempo atrás a palavra BORRACHARIA em vermelho e azul. As letras tinham desbotado, castigadas por anos de exposição ao sol.

Wilde ficou abaixado e seguiu em frente. As baias da oficina estavam fechadas. Olhou para a parte de baixo das portas. O vento havia coberto uma, lacrando a parte de baixo. Mas a outra tinha uma fresta nítida.

Alguém não tinha fechado a porta completamente.

Havia marcas de pneu no chão, indo até ela.

Wilde tinha ficado confuso ao ver que o posto de serviço estava fechado. Imaginara que esse teria sido um ponto de encontro, um local aonde os sequestradores poderiam ter vindo e bolado o plano sem atrair atenção. Achou que talvez ele e Lola parariam, esperariam e iriam atrás – e que o carro iria levá-lo até Crash.

O que via agora, claro, era melhor.

Wilde se deitou de barriga para baixo e chegou mais perto da abertura na porta da oficina. Olhou para dentro. Sim. Exatamente como esperava.

O carro.

Ele estava ali.

Voltou para a lateral da oficina. Olhou para além do canto da parede, absorvendo tudo antes de ver algo que o fez parar. O antigo quiosque da Dunkin' Donuts. À primeira vista, não havia nada de notável nele. As janelas estavam cobertas por compensado. A placa estava pendurada por um prego. Era um lugar em ruínas, e um dia uma bola de demolição acabaria misericordiosamente e sem esforço com sua existência. Só havia uma coisa estranha.

O aparelho de ar condicionado na janela perto dos fundos.

Parecia novo.

O coração de Wilde começou a bater com força. Voltou para perto de Lola. Ela deu de ombros como se perguntasse: *E agora?* Ele sinalizou para que ela o acompanhasse. Os dois deslizaram junto à parede dos fundos. Quando a Dunkin' Donuts surgiu, Wilde apontou para o aparelho de ar condicionado. Lola demorou um segundo para perceber e então ergueu o polegar.

Wilde verificou de novo o aplicativo do localizador. Ainda tinham dez minutos. Quando ele pôs o telefone de volta no bolso, Lola o encarou de novo como se perguntasse: *O que foi isso?* Ele não explicou. Não tinha tempo.

Estariam em campo aberto. Não havia como evitar. Lola estava com a arma na mão. Wilde fez um gesto indicando que iria primeiro. Se alguém atirasse nele, Lola deveria estar preparada. Ela concordou, relutante. Wilde correu e logo depois ouviu um som que fez seu sangue gelar nas veias. Acima do som dos carros passando a toda a velocidade na rodovia próxima dava para escutar o aparelho de ar condicionado.

Estava ligado.

Alguém estava naquele cômodo dos fundos da Dunkin' Donuts.

Quando chegou à parede do quiosque, Wilde olhou para Lola por cima do ombro. Ficou tentado a sinalizar para ela esperar onde estava, mas e se a pessoa no cômodo dos fundos da Dunkin' Donuts – presumindo que havia alguém lá e que não tivessem simplesmente deixado o ar-condicionado ligado – estivesse armada?

Lola estava com a arma.

Wilde sinalizou para que ela avançasse. Lola manteve a arma junto ao corpo, apontada para baixo. Ela era ágil e rápida, a eterna atleta. Quando chegou perto dele, ambos se abaixaram. Nenhum dos dois se moveu por um momento, esperando para saber se alguém os tinha ouvido ou visto.

Nada.

Wilde se arrastou em direção ao ar-condicionado. Gesticulou para que ela ficasse abaixada. Ela assentiu. Ele se levantou. Podia sentir o ar sendo soprado pela parte de trás do aparelho.

A cortina da janela estava fechada.

Não podia enxergar nada lá dentro.

E agora?

O tempo estava passando. Wilde voltou para perto dela.

– Tem alguém naquele cômodo dos fundos – sussurrou –, mas também pode haver alguém no escritório do posto de gasolina. Preciso que você saque a arma e fique de prontidão. Vou abrir uma fresta na janela e puxar o ar-condicionado para fora. Em silêncio, se puder. Esteja preparada.

Lola assentiu.

– Entendi.

Ele se levantou e inspecionou a janela. O aparelho de ar condicionado não parecia aparafusado nem nada assim. Ele só precisaria levantar a janela um centímetro e puxar o aparelho, tudo isso num movimento rápido. Ensaiou a ação na mente enquanto colocava as mãos na parte de baixo da janela.

Lola se levantou com as costas na parede. A arma estava a postos.

Então Wilde fez a contagem para ela, sem som.

Um, dois...

No três, ele empurrou a janela para cima e puxou o aparelho de ar condicionado. Ao mesmo tempo, Lola entrou em ação. Girou para a abertura com a arma levantada e pronta.

Quando Lola viu quem estava dentro, baixou a arma ao lado do corpo. Wilde largou o ar-condicionado e olhou também.

Crash Maynard estava acorrentado a uma cama.

Sua mão estava enrolada numa grossa camada de gaze branca. Crash olhou de volta para eles, perplexo. Wilde se moveu rapidamente. Levou o indicador aos lábios enquanto entrava pela janela. Foi rapidamente até o adolescente e sussurrou:

– Fique quieto, Crash. Nós viemos ajudar.

Lágrimas rolaram pelo rosto de Crash.

– Quero ir para casa.

Parecia um menininho.

– Você irá – sussurrou Wilde. – Prometo. Tem quantos deles aqui?

Crash levantou a mão envolta em gaze.

– Olhe o que fizeram comigo.

– Eu sei. Vamos levar você a um médico. Concentre-se, Crash. Eles são quantos?

– Não sei. Eles não falam. Usam toucas ninja. Por favor. Por favor. Só quero ir para casa. Por favor.

Começou a soluçar. Wilde olhou a corrente que prendia o garoto. Ela ia do tornozelo até uma placa na parede. Olhou para Lola pela janela. Ficou surpreso quando não a viu.

Dois segundos depois Lola apareceu trazendo um dos pés de cabra abandonados. Entregou-o a ele.

Crash chorou:

– Por favor...

– Tudo bem, Crash. Aguente firme.

Wilde usou o pé de cabra contra a placa na parede. Não demorou muito. Bastaram dois puxões e a placa se soltou.

Com 16 anos, Crash estava quase totalmente crescido. Wilde poderia carregá-lo se fosse necessário, mas o adolescente saiu rapidamente de cima da cama e ficou de pé.

– Você sabe onde eles ficam? – perguntou Wilde.

Crash balançou a cabeça.

– Quero ir para casa. Por favor!

– E a Naomi?

Wilde tinha quase certeza de que sabia a resposta. Mas a expressão perplexa de Crash confirmou.

– Naomi Pine?

– Deixa pra lá.

Foram para a janela. Crash passou primeiro. Lola o ajudou. Wilde foi atrás. Do lado de fora, abaixaram-se junto à parede e ficaram o mais agachados possível.

– Leve-o para o carro – disse Wilde a Lola.

– Você vem com a gente – respondeu ela.

– Não. Tenho mais trabalho a fazer.

– Você acha que a Naomi pode...?

– Vá. Tire ele daqui.

O olhar de Lola se cravou nos olhos dele.

– Podemos chamar a polícia, Wilde. Eles podem colocar cem policiais cercando este lugar em dez minutos.

– Não – repetiu Wilde.

– Não entendo...

– Não tenho tempo para explicar. Leve-o. Eu vou ficar bem.

Lola examinou o rosto dele. Wilde não gostava da situação, mas não revelou nada. Ela franziu a testa e lhe entregou a arma.

– Caso você precise.

– Obrigado.

– Vou lhe dar quinze minutos. Se não tiver notícias suas, chamarei a polícia.

– Não espere por mim. Quando voltar ao carro, leve-o imediatamente para o hospital Valley. O dedo está lá. Cada segundo conta.

– Não gosto disso, Wilde.

– Confie em mim, irmã.

Os olhos de Lola se encheram de lágrimas quando ele a chamou assim. Ela se virou para Crash.

– Você acha que consegue correr?

Crash tinha parado de chorar.

– Estou pronto.

Lola partiu primeiro. Crash foi atrás, segurando a mão ferida. Wilde ficou olhando até eles sumirem de vista. Verificou de novo o aplicativo do localizador.

Não restava muito tempo.

capítulo trinta e sete

WILDE VOLTOU PARA os fundos do posto de gasolina, depois foi até a parede do desbotado letreiro da borracharia. Alguns segundos depois, se agachou na frente da baia da oficina cuja porta estava com uma fresta aberta. Deitou-se no chão de barriga para baixo, ficando o mais achatado possível.

Precisava se apressar.

Ainda deitado, olhou pela abertura. Dava para ver que a porta subia e descia por um trilho com rodinhas. Era manual. Não elétrica. Isso era bom. Então ele se ajoelhou e segurou a parte de baixo da porta. Usando um movimento dos bíceps, levantou-a uns 2 centímetros.

A porta guinchou.

Suficientemente alto para alguém escutar? Não sabia. Presumiu que não havia ninguém na oficina. O lugar mais provável para o sequestrador estar – o único que realmente restava – era o escritório do posto de gasolina.

Ficou imóvel, tentando ouvir se vinha alguém. Ninguém. Só escutava a cacofonia agora familiar dos carros passando rapidamente. Esperava que ninguém o visse da estrada. Não queria que chamassem a polícia para informar sobre um invasor.

Pelo menos por enquanto.

Empurrou a porta mais 2 centímetros. E mais 2.

Mais dois guinchos altos.

Chega. Forçou-a mais uns 15 centímetros para cima. Só precisava disso. Voltou a se deitar de barriga no chão e se enfiou na oficina. Estava escuro. A poeira subiu e entrou no seu nariz, mas isso não iria incomodá-lo. A oficina fedia a gasolina e mofo. Wilde se levantou até ficar agachado e foi para a lateral do carro do lado oposto ao escritório adjacente.

Ouviu o som de alguém digitando num teclado.

Wilde não tinha mentido para Lola, mas também não tinha contado toda a verdade. Não disse que havia descoberto sobre esse posto de serviço do modo mais simples possível – com os localizadores por GPS que a própria Lola dera a ele. Não disse a ela que o carro que ele tinha visto na baia da oficina – o carro atrás do qual estava escondido agora – era o mesmo Chevrolet Cruze que Gavin Chambers havia usado para encontrá-lo naquele 7-Eleven.

301

Esse tinha sido um erro da parte de Gavin.

As suspeitas de Wilde, que já haviam se enraizado, cresceram no momento em que Gavin entrou naquele 7-Eleven sem seu motorista usual e sem o SUV. Por que de repente vinha sozinho? Por que um sujeito com tanto dinheiro, que normalmente andava num Cadillac Escalade com chofer, agora estava dirigindo um Chevrolet Cruze, um modelo de carro amplamente usado por locadoras de automóveis?

Por si só isso não significava nada. Mas era suficiente.

Ainda abaixado atrás do carro – ouvindo os sons de alguém digitando –, Wilde verificou o aplicativo do localizador no seu telefone.

Faltavam dois minutos para a chegada do outro carro.

Precisava se preparar.

Foi agachado desde o pneu de trás até o da frente, depois até o para-choque dianteiro. Olhou à esquerda, em direção à porta que dava no escritório.

Estava aberta.

Viu as costas de um homem, mas precisaria chegar mais perto para ter certeza. Avançou mais um pouco na direção das prateleiras. Ficou abaixado. Assim que chegou a pouco mais de meio metro da parede dos fundos, pôde identificar o perfil do homem que digitava.

Gavin Chambers.

Sem aviso, Gavin virou a cabeça na sua direção.

Wilde se deitou de novo. A arma estava enfiada na cintura, às costas. Pegou-a agora. Sem dúvida Gavin Chambers estava armado. Se ele o tivesse visto, se estivesse vindo na sua direção...

Mas não.

O outro carro tinha chegado. Ao passar pelo portão trancado, havia acionado um sensor. Foi isso que alertou Gavin. Foi por isso que ele virou a cabeça.

Wilde se arrastou de volta até ficar escondido entre o Chevrolet Cruze e a parede mais distante. Um minuto depois ouviu o movimento da porta da outra baia. Gavin Chambers se levantou. Por baixo do Cruze, Wilde viu os pés de Gavin passando. Gavin abriu totalmente a porta da baia. Um carro entrou. Gavin fechou a porta imediatamente.

O motorista abriu a porta e saiu.

– O Maynard mandou a gravação? Você já assistiu?

Era Saul Strauss.

Gavin disse:

– Estou assistindo agora mesmo.

– E?

– É ouro puro. Rusty admite que matou Anson, mas afirma que foi em legítima defesa.

– Meu Deus.

– É.

– Precisamos enviá-la agora. Não podemos nos arriscar.

– Concordo – disse Gavin.

Os dois entraram no escritório. Wilde ficou onde estava.

– Eu sabia – disse Strauss com voz animada. – Eu sabia que a gravação existia. Não queria chegar tão longe, mas...

– Deu para entender por que o Dash hesitou em entregá-la. Ela acaba com o Rusty, sem dúvida, mas o prejudica também. Não sei se o Maynard pode ser acusado por ajudar a transportar o corpo. Esse crime provavelmente já prescreveu. Mas qualquer um que assistir ao vídeo saberá o que ele fez.

– E ele deixou o Raymond Stark levar a culpa.

– Eu sei.

– Uma coisa é ajudar um amigo. Mas ficar quieto enquanto outro homem pega prisão perpétua...

– Canalha – concordou Gavin. – Vamos preparar a gravação.

Wilde não se mexeu. Claro que poderia impedi-los agora. Poderia se levantar, apontar a arma e não deixar que voltassem ao computador.

Mas não fez isso.

Esperou.

– Está tudo preparado – disse Gavin.

– Para as principais redes de notícias?

– Além de alguns blogueiros e contas no Twitter.

– É isso aí, meu amigo. Aperte o enter.

Uma última chance para Wilde agir.

Ouviu o estalo da tecla.

– Feito – disse Gavin.

O alívio em sua voz era palpável.

– Precisamos libertar o garoto – disse Strauss. – Você tem as coordenadas para mandar aos Maynards?

– Não acha que deveríamos esperar?

– Por quê?

– Não sei. Eles podem ter mais.

– Mais?

– Mais gravações – disse Gavin Chambers. – Eles podem estar segurando alguma coisa.

– Não podemos. Isso... já foi longe demais, Gavin. Aquele garoto...

– É. – Agora Wilde podia ouvir o sofrimento na voz de Gavin. – É, você está certo.

– Me dê a touca ninja. Vamos acabar com isso.

Wilde saiu do esconderijo e apontou a arma para eles.

– Não precisam.

Gavin Chambers e Saul Strauss giraram para ele. Wilde levantou a arma.

– Se respirarem errado – disse Wilde –, eu atiro nos dois. Gavin, suponho que você esteja armado.

– Estou.

– Coldre na axila esquerda?

– É.

– Você sabe como fazer. Polegar e indicador. Jogue para cá. Devagar. Saul?

– Estou desarmado.

Saul levantou as mãos e girou lentamente.

– Mantenha as mãos na mesa onde eu possa ver. Gavin, jogue a arma.

Gavin Chambers tirou a arma do coldre e a jogou no chão, na direção de Wilde. Wilde a pegou e enfiou na cintura.

– Como você descobriu? – perguntou Gavin.

– Foram várias coisas. Mas a principal foi a mais básica. Fiquei imaginando como o Crash podia ser sequestrado tão perto de casa tendo alguém bom como você na vigilância. A resposta mais simples? Não podia. Portanto você devia estar envolvido. – Wilde olhou para Gavin, depois para Saul. – Presumo que tenham tido essa ideia depois que a Naomi Pile fugiu, não foi?

– Foi – respondeu Gavin.

– Fazia sentido. A Naomi desaparece. Ela tem uma leve ligação com o Crash. Portanto, vocês sabiam que, se o Crash sumisse, todo mundo iria associar os dois. Isso deu tempo a vocês. Deu a distração definitiva. Você até me contou, Gavin.

– Contei o quê?

– Na minha cápsula. Sobre o Exército Fantasma. Tudo que você fez tinha a ver com ilusão tática.

– E, no entanto, cá estamos.

– Cá estamos.

Gavin sorriu.

– Nós passamos do ponto, não é?

– Com certeza.

– Eu não esperava que os Maynards trouxessem você e Hester.

– Certo, isso desequilibrou você. Era por isso que ficava me induzindo a me concentrar na Naomi. Você sabia que, mesmo que eu tivesse sucesso em encontrá-la, não estaria mais perto da verdade em relação ao Crash. O problema é que vocês dois enfeitaram demais o pavão. Saul, você apareceu no bar do hotel para me perguntar sobre a Naomi na noite em que o Crash sumiu. Por quê? Na hora não percebi, mas, mesmo que você achasse que o Crash e a Naomi eram chegados, por que pediria minha ajuda? Você só estava plantando a semente para eu ir na direção errada. Depois, você – Wilde olhou de volta para Gavin – apareceu no 7-Eleven com uma mensagem secreta descoberta de repente que, de novo, deveria me levar a pensar que a Naomi estaria ligada ao que tinha acontecido com o Crash.

Gavin assentiu, agora percebendo.

– Você me pediu uma carona até a casa dos Maynards.

– Isso.

– Foi quando colocou o rastreador por GPS no carro.

– Você é um homem rico e bem-sucedido. Sempre anda com um motorista ou pelo menos com um carro caro. De repente está num Cruze. Achei que era alugado.

– Mas não tinha certeza.

– Eu só estava cobrindo todas as possibilidades. E hoje Saul aparece convenientemente perto da escola. Diz que mandou homens me seguirem, que tem uma fonte interna na casa dos Maynards. Mas quem seria essa fonte? Hester não iria falar. Meu pessoal também não. Os Maynards? Sem chance. Portanto, devia ser o sequestrador. Você, Gavin.

– Elimine o possível e o que restar – disse Saul, citando Arthur Conan Doyle –, por mais improvável que seja, é a verdade.

– Exato. Então, quando Saul me levou a Sing Sing, eu coloquei outro localizador por GPS no carro dele. Depois de me deixar perto da casa dos Maynards, você veio até este posto de serviço. Não ficou muito tempo. Só para alimentar o garoto, eu acho. Dar uma olhada nele. Mas no dia anterior, segundo o localizador no Cruze de Gavin, ele também tinha parado aqui. Por que vocês dois viriam a este posto relativamente remoto? Os dois tinham que estar juntos nisso. Ah, e as coordenadas do dedo serem o lugar onde eu fui encontrado quando era criança? De novo, passaram do ponto. O único motivo para alguém fazer isso seria mexer com a minha cabeça. Mas é claro que entendi as coisas errado também. Por exemplo, deduzi que vocês apenas se encontravam neste posto de serviço. Que se reuniam, discutiam os planos, sei lá. Mas, quando cheguei aqui, fiquei surpreso ao ver o lugar fechado.

– E como você entrou, afinal? Nós temos sensores em todas as entradas.

– Mas não nos fundos. Existe um Dairy Queen do outro lado.

– Então você encontrou o Crash no quiosque da Dunkin' Donuts.

– É.

– Onde ele está agora?

– Provavelmente no hospital. A Lola o levou.

– Então a Lola sabe sobre isso?

Wilde optou por não responder.

– Você entende por que nós fizemos – disse Saul. – Você enxerga o perigo, não é?

– Eu demorei um tempo para enxergar além dos meus interesses – explicou Gavin. – A gente fica tão envolvido com um líder carismático, seduzido por tudo que ele pode proporcionar, que não consegue se libertar do papo-furado. Então Saul começou a me apresentar o seu ponto de vista.

– Você não precisou de muita persuasão – comentou Saul. – Já estava começando a enxergar.

– Talvez estivesse. O vício em comprimidos, o comportamento instável, a facilidade com que ele era capaz de manipular. Eu gostava da ideia de derrubar a ordem social para reconstruir outra, mas, à medida que passava mais tempo com ele, ficou claro que o Rusty não quer reconstruir. O Rusty quer destruir este país.

– Estes dois velhos aqui... nós não concordamos em muita coisa – disse Saul. – Eu estou de um lado do espectro político. Gavin está do outro. Mas nós dois somos americanos.

– Nossas visões de mundo, por mais opostas que pareçam, estão no âmbito da normalidade.

– Não é isso que o Rusty quer. O Rusty quer fazer todo mundo escolher um lado, transformar todo mundo em extremista.

– Parece que deu certo – afirmou Wilde, ainda segurando a arma apontada para eles.

– Como assim?

– Vocês sequestraram um adolescente. Deceparam o dedo dele. Se isso não é ser extremista...

Os dois ficaram consternados. Gavin disse:

– Você acha que a gente queria fazer isso?

– Não importa o que queriam.

– Diga – pediu Strauss. – O Dash Maynard entregaria a gravação de outro modo?

– De novo: não importa. Vocês fizeram uma escolha. – Wilde então disse lentamente e com ênfase: – Vocês deceparam o dedo de um garoto.

Gavin Chambers baixou a cabeça. Saul Strauss tentou manter a dele erguida, mas sua boca estava tremendo.

– Quando fizemos isso, o Crash estava drogado, inconsciente – explicou Saul. – Nós mantivemos a dor e o trauma num nível mínimo.

– Vocês o mutilaram. Depois ameaçaram cortar o braço dele. E se os Maynards não tivessem mandado a gravação? Vocês teriam ido em frente? Teriam mandado o braço dele?

Gavin Chambers finalmente levantou a cabeça.

– Até onde você iria para salvar milhões de vidas, Wilde?

– Não estamos falando de mim.

– Todos aqui somos soldados, portanto estamos falando de você, sim – disse Gavin. – Esse campo de batalha pode não ser tão óbvio, mas vidas estão em jogo. Milhões. Assim, se mutilar ou matar uma pessoa, até mesmo um garoto inocente, pudesse salvar milhões de vidas, você faria isso?

– Você está numa encosta muito escorregadia, capitão.

– As tropas da vanguarda estão sempre numa encosta escorregadia. Você sabe disso. Será que preferiríamos cortar nossos dedos para salvar aquelas vidas? Claro. Mas essa opção não existia. A vida não é vivida em preto e branco, Wilde. Hoje em dia as pessoas gostam de pensar assim. Toda essa indignação nas redes sociais, como se as coisas fossem ou totalmente boas ou totalmente más... Mas a vida é vivida no cinza. É vivida nas nuances.

– Agora mesmo – acrescentou Saul – você está aí apontando uma arma para nós. Gavin e eu estamos dispostos a pagar o preço pelo que fizemos. Achamos que não tínhamos escolha. Mas agora salvamos o Raymond...

– Consertando um erro imenso – completou Gavin. – Não há nada de hipotético nisso.

– ... e, numa escala muito maior, talvez tenhamos salvado este país. A gravação que acabamos de divulgar pode mudar o rumo da história.

Os dois esperaram Wilde dizer alguma coisa.

Depois de um instante, Gavin pôs a mão no braço de Saul Strauss.

– Ah, cara.

– O quê? – perguntou Saul.

– O Wilde entende.

Strauss franziu a testa.

– Entende o quê?

Gavin encarou Wilde.

– O Wilde estava escondido nesta oficina desde antes de você chegar.

– E?

– E ele *esperou,* Saul. Ele esperou você chegar. Esperou até a gente mandar a gravação.

Silêncio.

Agora Strauss entendeu. Virou-se para Wilde também.

– Você poderia ter nos impedido. Poderia ter aparecido com essa arma dois minutos antes.

– E a gravação jamais seria divulgada – acrescentou Gavin.

– Mas você não fez isso, Wilde. – Agora os dois estavam assentindo. – Você subiu conosco na tal encosta escorregadia.

Wilde não disse nada.

– No fim das contas – disse Gavin –, somos apenas três soldados.

– Uma última missão. Você deixou que a gente a completasse.

– No meu caso – Gavin deu um passo adiante de Saul –, é uma missão suicida.

Finalmente Wilde falou:

– Espere aí. O quê?

– Eu vou ficar bem na prisão – explicou Saul. – Ainda poderei falar. Ainda posso ser uma voz.

– Mas eu estou velho e não quero enfrentar isso – disse Gavin. Em seguida levantou a mão. – Devolva minha arma, Wilde. De guerreiro para guerreiro. Me deixe terminar com isto nos meus termos.

Suicídio.

– Não – respondeu Wilde.

– Então vou para cima de você. Vou obrigá-lo a atirar em mim.

– Também não é isso que vai acontecer – rebateu Wilde. – Escutem com atenção. Vocês tinham a sua missão, eu tinha a minha. A minha era encontrar dois adolescentes desaparecidos. Eu salvei um. Depois fiquei para procurar a outra neste lugar. É o que vou contar à Lola. A Naomi não está aqui, está?

– Não – respondeu Saul, confuso. – Não sabemos nada sobre isso.

– Então minha missão aqui terminou.

– Não entendo – disse Saul.

– Entende, acho que entende, sim.

Wilde não disse mais nada. Apenas baixou a arma e saiu andando.

Terceira parte

capítulo trinta e oito

Três semanas depois

HESTER ESTAVA TERMINANDO UMA reunião com Simon Greene, o rico consultor financeiro que tinha sido capturado num vídeo viral dando um soco no que parecia um morador de rua no Central Park. Ela gostava de Greene, achava que ele vinha ganhando uma reputação negativa, porém, mais importante, o telefonema da promotoria de Manhattan tinha indicado que a acusação não seria levada adiante, em parte porque ninguém podia localizar a suposta vítima.

Hester foi com Greene até o corredor.

Simon Greene agradeceu. Hester lhe deu um beijo no rosto. Foi então que Hester a viu sentada na sala de espera. Andou intempestivamente até sua secretária executiva, Sarah McLynn, e perguntou:

– Por que Delia Maynard está aqui?

– Ela pediu quinze minutos. Disse que era importante.

– Você deveria me avisar dessas coisas.

– Eu avisei.

– Quando?

– Você verificou suas mensagens?

– Mandar uma mensagem não é o mesmo que me avisar.

– Quantas vezes já discutimos isso? Você disse para não interromper e para informar as mudanças na agenda por mensagens de texto.

– Disse?

– Disse. Agora você tem quinze minutos antes do próximo cliente. São quinze minutos passíveis de cobrança, e Delia Maynard é cliente. Devo mandá-la para casa ou...

– Pare com isso. Você é mais chata do que eu. Mande-a entrar.

Hester não tinha visto Delia desde aquele dia terrível na mansão, três semanas atrás – pouco antes de o dedo ser encontrado. Sarah levou Delia para a sala e fechou a porta. As duas mulheres ficaram de pé, encarando-se, por um longo momento.

– Como está o seu filho? – perguntou Hester.

– Melhor. Conseguiram reimplantar o dedo.

– Que bom.

– Fisicamente ele está bem.

– E psicologicamente?

– Tem pesadelos. Parece que os sequestradores, quem quer que fossem, o trataram bem, mas...

– Entendo. E vocês decidiram não envolver a polícia?

– É.

– Ninguém perguntou como o dedo foi decepado?

– A médica perguntou, claro. Dissemos que foi um acidente de pescaria. Não creio que ela tenha engolido, especialmente porque se passaram horas entre o momento em que o dedo chegou ao hospital e o momento em que Crash deu entrada lá, mas não há nada que possa ser provado.

– Então ninguém mais sabe do sequestro.

– Ninguém.

Delia não fazia ideia de que Gavin Chambers e Saul Strauss tinham sequestrado seu filho. Hester sabia, claro. Três semanas antes, Wilde tinha contado a ela, e somente a ela. Ela não gostou do que Wilde havia feito. Não se deve operar fora do sistema. O sistema pode ser falho, mas ninguém pode cortar dedos de adolescentes, nem para salvar um homem condenado erroneamente nem mesmo para salvar – argh, que dramático – o mundo.

Também fazia três semanas que ela não via Wilde.

– Então por que você está aqui, Delia?

– Para me despedir.

– É?

– Vamos nos mudar para fora do país por um tempo.

– Sei.

– Você não imagina como tem sido desde que aquela gravação veio a público.

– Acho que imagino, sim.

– Os apoiadores do Rusty fazem ameaças de morte constantemente. Acham que o Dash inventou ou manipulou a gravação para destruir o herói deles.

– Fake news.

– É. Como nossa advogada, você sabe que o Dash não pode comentar nem autenticar a gravação.

Hester engoliu em seco.

– É. Seria autoincriminação.

Dash Maynard tinha cometido delitos naquela noite ao transportar um cadáver. Hester quisera trabalhar de graça no caso de Raymond Stark, mas infelizmente não pôde, por causa do conflito de interesses, já que representava os Maynards. Suas mãos também estavam atadas. Acima de tudo, queria que Dash confessasse, mas, como sua advogada, precisava aconselhá-lo a não fazer isso.

O sistema era falho, mas ainda era o sistema.

Não achava que Dash fosse confessar, de qualquer modo. Também não achava que isso ajudaria. Essa era a pior parte. A princípio, a divulgação da gravação pareceu destruir Rusty Eggers de uma vez por todas.

A princípio.

Mas as criaturas míticas não morrem, não é? Quando você tenta matá-las, elas voltam mais fortes. Portanto, a gravação era falsa. Se não era uma falsidade completa, foi manipulada. Se não foi manipulada, tudo aquilo tinha acontecido trinta anos antes, portanto não importava. Se importava, Rusty Eggers dizia na gravação que tinha matado o homem em legítima defesa, e isso não é crime. Se é crime, há trinta anos Rusty Eggers era só um jovem universitário. E, bem, alguém tentou matá-lo, por isso ele não teve escolha senão se defender. E, se mais tarde a culpa foi posta num negro, a responsabilidade era da polícia, não de Rusty Eggers. Culpem aquele policial corrupto, o Kindler. Culpem o sistema racista. E, se não for racismo, Raymond Stark tinha ficha criminal já aos 17 anos, de modo que provavelmente iria para a cadeia sob outra acusação. Talvez Stark tivesse cometido outros crimes naquela noite, quem sabe? Talvez Raymond Stark estivesse envolvido na morte de Christopher Anson, de qualquer maneira. Se era legítima defesa, talvez Raymond Stark tivesse juntado forças com Christopher Anson para atacar Rusty Eggers. Talvez Raymond Stark e Christopher Anson juntos tivessem tentado roubar Rusty Eggers e Raymond Stark tivesse fugido com a faca. Talvez por isso a faca estivesse com ele.

Desse jeito.

A maior parte da mídia zombava dessas teorias, o que só fazia os apoiadores de Eggers, tanto da extrema-direita quanto da extrema-esquerda, firmar os calcanhares e apoiá-lo ainda mais.

– Você disse que jamais contaria – falou Delia.

– Como assim?

– Independentemente de qualquer coisa. Nem se fosse para impedir Hitler. Se alguma coisa fosse dita a você sob o sigilo entre advogado e cliente, você jamais contaria.

– Isso mesmo. – Hester não estava gostando daquela conversa. – Mas você também disse que não havia nada naquelas gravações.

– Eu não sabia sobre aquela gravação. Não tinha ideia de que ela existia nem de que o Dash ajudou o Rusty a abandonar o corpo num beco.

– Certo.

– Porque naquela hora eu já tinha saído.

Hester sentiu uma mão gelada descer pelas costas.

– Como assim?

– Os dois brigavam bastante. Rusty e Christopher. Boa parte das brigas era por minha causa. Há trinta anos. Você sabe como era. As mulheres eram coisas. Objetos reluzentes. Acho que eles tiveram uma briga feia no bar naquela noite. Na época eu namorava o Rusty. O namoro estava ficando sério. O Rusty tinha conseguido uma ótima proposta de trabalho com o senador. O Christopher tinha sido posto de lado. Não sei. Quem ainda se importa? Então o Christopher bateu à porta. Eu deixei que ele entrasse. Estava bêbado. Tentou me beijar. Eu disse que não. Ele não parou. Nenhuma garota diria isso a Christopher Anson, especialmente a namorada do rival dele. Você pode adivinhar o que aconteceu em seguida. Há trinta anos isso era considerado, pateticamente, "coisa de homem". Quando gritei pedindo que parasse, ele me deu um soco na boca. Corri para a cozinha. Ele me estuprou ali mesmo, no chão. Ia me estuprar de novo. Quer a verdade? Não me lembro de ter enfiado a mão na gaveta nem de ter pegado a faca.

Hester ficou parada.

– Você o matou?

Delia foi até a janela.

– Eu estava sentada no piso da cozinha com ele. A faca ainda estava no peito dele. Acho que ainda não estava morto, mas eu não conseguia me mexer. Durante um tempo, ele ficou gorgolejando. Então parou. Mas continuei sentada ali. Não sei quanto tempo passou. Foi assim que o Rusty me encontrou. No chão da cozinha. Perto do corpo. O Rusty assumiu o controle. Me limpou. Me vestiu. Me levou de carro até a Union Station. Havia um trem noturno da Amtrak indo de Washington para a Filadélfia. Ele me colocou no trem e disse para não voltar até que ele ligasse. Fiquei três dias num hotel Marriott. Pedia comida no quarto. O Rusty me disse que tinha transportado o corpo, de modo que ninguém iria saber. Quando voltei a Washington, as coisas não eram as mesmas entre nós. Você consegue imaginar, não é?

Hester podia sentir o coração martelando as costelas.

– Nós terminamos. E eu comecei a namorar o Dash.

Será que isso tinha sido um arranjo entre os dois homens?, pensou Hester. Será que Delia ainda era só uma coisa, um objeto reluzente, sendo trocada por um favor? Ou será que Rusty realmente a amava? Será que Rusty a amara tanto a ponto de o político que tantos acreditavam que destruiria o país ter sacrificado a própria felicidade para protegê-la?

Ou a coisa teria ido mais fundo que isso?

Será que as ações de Rusty naquela noite – livrando-se de um cadáver ensanguentado, tendo que viver depois com aquelas mentiras terríveis, perdendo o amor da sua vida e em seguida os pais –, será que tudo isso teria corrompido Rusty Eggers? Será que tudo isso havia empurrado o jovem universitário para fora do caminho reto e estreito, levando-o a se tornar o homem irrecuperavelmente doente de agora?

Delia levantou as mãos. Seu sorriso era triste.

– O resto é história.

– Depois de tudo isso, você vai ficar com ele?

– Com o Dash? Nós temos uma vida juntos. Uma família, filhos, especialmente um garoto que sofreu um trauma enorme e vai precisar de estabilidade. Nós dois guardamos segredos um do outro. Pelo menos agora eu sei o dele.

– Você não vai contar o seu?

– Que fui eu que matei Christopher? – Delia balançou a cabeça. – Não. Nunca.

– É uma coisa infernal com a qual viver.

– Vivo com ela há mais de trinta anos. – Delia olhou o relógio num movimento forçado. – É melhor eu ir.

– As pessoas não culpariam você – disse Hester, tentando manter o desespero longe da voz. – Você estava sendo estuprada. Ainda pode sair dessa fazendo a coisa certa.

– Estou fazendo a coisa certa. Por mim. Pela minha família.

Ela se virou para ir embora.

– Há um segredo que você e o Dash guardaram – declarou Hester.

– Qual?

– O que você pensou quando soube que Raymond Stark tinha sido preso pelo assassinato do Christopher?

Delia não respondeu.

– Vocês dois sabiam a verdade, não é? Você e o Dash. Não falaram sobre isso um com o outro, mas os dois sabiam que um inocente tinha sido preso. Mas você nunca se apresentou.

– Para dizer o quê?

– Que fez aquilo em legítima defesa.

– Acha que alguém iria acreditar em mim?

– Então você simplesmente deixou Raymond Stark ficar com a culpa.

– Eu esperava que ele se livrasse.

– E quando não se livrou? – Hester atravessou a sala e ficou cara a cara com ela. – Quando ele foi condenado à prisão perpétua por uma coisa que não fez? Quando foi espancado e sofreu abuso?

– Não fui eu que o condenei. Eu não bati nele nem cometi nenhum abuso. A gravação não vai libertá-lo agora?

– Não, Delia. A gravação não basta. Raymond Stark vai continuar na prisão. – Hester respirou fundo e tentou parecer razoável: – Mas, por favor, escute...

– Não. Estou indo embora.

– Você ajudou a prendê-lo. Não pode simplesmente...

– Adeus, Hester.

– Eu poderia contar.

Delia sorriu e balançou a cabeça.

– Não. Não poderia, Hester.

Hester ficou parada, os punhos fechados junto ao corpo trêmulo.

– Em primeiro lugar – disse Delia –, não existe prova. Eu simplesmente vou negar. Porém, mais do que isso, você não violaria o sigilo entre advogado e cliente. Nem se isso significasse salvar o mundo de Hitler. Nem se isso significar que um homem inocente permanecerá na cadeia.

O sistema era falho, mas ainda era o sistema.

Então Delia Maynard saiu da sala. Durante um bom tempo, Hester não se mexeu. Sarah McLynn entrou e disse:

– Seu próximo compromisso...

– Cancele.

– Não posso simplesmente cancelar. Ele...

– Cancele.

O tom não deixava espaço para questionamentos. Hester voltou para a mesa. Com a mão trêmula, pegou o telefone e digitou o número.

A voz que atendeu soou hesitante:

– Alô?

– Oren?

Fazia três semanas que não falava com ele, desde o encontro na pizzaria. Não tinha retornado os telefonemas dele nem respondido às mensagens de texto.

– Você está bem, Hester?

– Preciso que você me leve a um lugar. Agora.

capítulo trinta e nove

Duas horas depois, Oren parou sua viatura no acostamento da Mountain Road. Desligou o motor. Por um instante, os dois simplesmente ficaram sentados em silêncio.

– Tem certeza de que quer fazer isso?

Como Hester assentiu, Oren saiu do carro e abriu a porta para ela. Adiante ela viu a velha cruz improvisada. Era estranho vê-la ali – seu filho tinha sido criado como algo entre agnóstico e judeu –, mas, por algum motivo, Hester não se incomodava. Alguém tinha se importado. Alguém tinha tentado.

Foi até a beira da estrada e olhou o barranco íngreme.

– Então foi aqui que...?

– Foi.

Hester nunca tivera coragem – se é que "coragem" era a palavra certa – de ir até ali. Ira tivera. Muitas vezes. Não contava a ela. Dizia que ia dar uma volta de carro ou comprar leite no 7-Eleven, mas ela sabia que ele parava o carro no acostamento, talvez naquele exato lugar, e saía para olhar a cruz improvisada e chorar.

Ira nunca contara a ela. Hester desejava que ele tivesse contado.

– Onde o carro foi parar?

– Lá embaixo – respondeu Oren, apontando para um local no pé da encosta.

– Você foi um dos primeiros policiais a chegar.

Oren não sabia se era uma pergunta ou uma afirmação.

– Fui.

– O Wilde já havia tirado o David de dentro.

Dessa vez, Oren apenas fez que sim com a cabeça.

– O Wilde contou que era ele que estava dirigindo – disse Hester.

– Ele nos contou isso também. Mas não o acusamos. Ele não tinha álcool no organismo. A estrada estava molhada.

– O Wilde estava dirigindo?

– É o que diz nosso relatório.

Hester se virou para ele.

– Não estou perguntando o que o seu relatório diz.

O olhar de Oren permaneceu no barranco.

– Quando o único sobrevivente de um acidente de carro diz que ele estava dirigindo, é difícil provar o contrário.

– O Wilde mentiu, não foi?

Oren não respondeu.

Hester se moveu de modo a ficarem ombro a ombro.

– O Wilde e o David eram melhores amigos. Você sabe, não é?

Oren assentiu.

– Sei.

– Naquela noite, eles foram ao Miller's Tavern. No carro do David. Meu David não bebia muito nem ia muito a bares. Esse era mais o estilo do Wilde, eu acho. Mas o David estava tendo problemas com a Laila. Nada sério. Nada que eles não pudessem superar. Assim, os dois melhores amigos saíram para espairecer um pouco, ou sei lá o que os homens fazem. O David bebeu demais. O hospital fez um exame toxicológico quando ele foi levado às pressas – quando ainda achavam que meu garoto poderia sobreviver. O Wilde não queria que o David ficasse encrencado. Por isso disse que foi ele. Que ele estava dirigindo.

Oren continuou sem dizer nada.

– Foi isso que aconteceu, Oren?

– Você perguntou ao Wilde?

– Ele afirma que estava dirigindo.

– Mas você não acredita nele.

– Não. Estou certa?

Oren baixou a cabeça. Ela observou os olhos dele. Eram tão límpidos, tão honestos, tão lindos!

– Oren?

Então ele disse algo que a surpreendeu:

– Não acho que você tenha entendido direito.

Por um momento ela não conseguiu encontrar a própria voz. Quando encontrou, perguntou:

– Como assim?

– O Wilde jamais deixaria o David dirigir bêbado.

– Então... – Hester não sabia o que dizer. – Não estou entendendo.

– Nós verificamos no Miller's Tavern. O Wilde era um frequentador assíduo, como você disse. O David, não. Mas naquela noite... é, ele ficou bastante bêbado. De qualquer modo... não podemos provar nada, mas um cliente disse que o Wilde saiu pelo menos meia hora antes do David. Sozinho.

– Por quê?

– Não sei. O Wilde só nos disse que estava dirigindo o carro.

– O David ficou lá sozinho?

– Sozinho e bebendo, é. Isso tudo é só teoria, Hester. Mas naquela época o Wilde morava numa barraca não muito longe daqui. – Ele apontou à esquerda. – Talvez uns 300 metros naquela direção. De novo, não tenho nenhuma prova. O Wilde afirmou que estava dirigindo, mas nunca acreditei. Acho que o Wilde estava por perto. Acho que ele ouviu o estrondo ou viu as chamas. Acho que quis proteger o amigo. E acho que ele sentiu... que ele sente... culpa por não ter ficado no bar naquela noite.

Hester sentiu uma pontada no fundo do peito.

– Então você acha que o David estava sozinho no carro?

Quando Oren assentiu, Hester tombou de joelhos. Tombou de joelhos e chorou.

Oren deixou que ela chorasse. Ficou parado, suficientemente perto para o caso de ela precisar dele. Mas não estendeu a mão. Graças a Deus. Graças a Deus esse homem, esse homem bom e decente, sabia que não deveria abraçá-la nem oferecer palavras de falso consolo.

Simplesmente deixou que ela chorasse.

Demorou algum tempo. Ela não saberia dizer quanto. Cinco minutos, dez ou talvez meia hora. Oren Carmichael apenas ficou parado, vigiando-a como uma sentinela silenciosa. Num determinado momento, ela voltou para a viatura. Começaram a descer a Mountain Road. Em silêncio.

Finalmente:

– Oren?

– Estou aqui.

– Desculpe não ter ligado de volta.

Oren não respondeu.

– Quando você saiu correndo da pizzaria para ir verificar aquela ocorrência, eu percebi que não tínhamos chance. Porque, o que quer que acontecesse, sempre que visse você, eu iria imaginá-lo no local daquele acidente. Sempre que visse você, iria ver meu filho morto. Você sempre iria me lembrar do David, então não tinha como haver algo entre nós.

Ele manteve o olhar na estrada.

– Mas então comecei a sentir muita falta de você. Era como se houvesse um buraco gigante no meu coração. Sei o que isso parece. Comecei a pensar que, mesmo com aquela dor, eu não queria ficar sem você. E não queria parar de pensar no meu David, nunca, porque seria o pior insulto à sua memória. Nunca vou parar de pensar nele, entende?

Oren assentiu.

– Entendo.

Ela pôs a mão em cima da dele.

– Está disposto a nos dar outra chance, Oren?

– Estou – disse ele. – É, eu realmente gostaria disso.

capítulo quarenta

WILDE COMPROU UMA PASSAGEM de ida e volta que partia do aeroporto LaGuardia, em Nova York, para o Logan, em Boston. Não tinha bagagem. Não planejava ficar muito tempo em Boston, no máximo algumas horas. Depois voltaria para casa.

Na verdade, tinha planejado nem sair do aeroporto.

Quando o avião pousou, Wilde foi do Terminal A ao E. Posicionou-se perto do Portão E7, onde assistiria ao embarque dos passageiros no voo 374 da American Airlines para a Costa Rica.

Faltavam duas horas.

Para passar o tempo, abriu o site de genealogia e encontrou a mensagem de "PB". Leu de novo, refletiu e decidiu escrever:

> Gostaria de saber mais, PB. Podemos nos encontrar?

Já ia guardar o telefone quando ele tocou. Wilde verificou o identificador de chamadas e viu que era Matthew. Atendeu imediatamente.

– Tudo bem? – perguntou.

– Não precisa atender desse jeito – disse Matthew. – Pode só dizer "Alô".

– Alô. Tudo bem?

– Tudo, Wilde. Só que faz semanas que não vejo você.

– Desculpe. Como estão as coisas na escola?

– Se acalmando. O Crash já voltou. Ele vive mostrando uma cicatriz e dizendo que uns bandidos deceparam o dedo dele. Mamãe disse que foi um acidente de pescaria... Wilde?

– O quê?

– Todo mundo acha que a Naomi fugiu. Acham que ela está em alguma ilha ou fazendo alguma coisa legal ou exótica. O que é irônico, já que sempre disseram que ela é uma grande fracassada.

– Eu sei.

– Ainda está procurando por ela?

Wilde não sabia como responder, por isso deu a resposta simples:

– Estou.

– Ótimo. – Depois: – Onde você está? Estou ouvindo muito barulho.

– Em Boston.

– Por quê?

– Vim visitar um amigo.

Matthew deve ter percebido alguma coisa em sua voz.

– Certo.

– Como está a sua mãe? – perguntou Wilde.

– Ainda com o Darryl.

Darryl. Agora o Roupa de Grife tinha nome. Darryl.

– Acho que está ficando sério – comentou Matthew.

Wilde fechou os olhos por um momento.

– Você gosta dele?

– Ele é legal – respondeu Matthew, o que em seu dialeto adolescente era um grande elogio.

– Bom. Seja gentil com ele.

– Eca.

– Sua mãe merece isso.

– Tudo bem.

O embarque no voo 374 da American Airlines para a Costa Rica ia começar. A agente da companhia aérea chamou os passageiros que precisavam de ajuda especial, os que viajavam com crianças com menos de 2 anos e os militares da ativa.

– Mais alguma coisa? – perguntou Wilde.

– Não. Tudo certo.

– Me ligue se precisar de qualquer coisa.

– Qualquer coisa?

– É.

– Saiu um jogo novo do *Grand Theft Auto*, mas mamãe não quer comprar para mim porque é violento demais.

– Engraçadinho.

– Tchau, Wilde.

– A gente se fala.

Ele desligou enquanto a agente chamava o Grupo 1 para embarcar. Wilde começou a ver os passageiros se juntando perto da fila.

Nada.

A agente chamou os grupos 2, 3 e 4.

Nada ainda.

Por um instante, Wilde imaginou se teria deduzido errado ou se talvez alguém estivesse tentando usar uma distração tática com ele. Talvez elas nem pretendessem viajar hoje.

Porém, quando a agente chamou o último grupo, Wilde viu uma garota entrar na fila usando... é, um boné de beisebol e óculos escuros.

Naomi Pine.

Parada na frente dela, segurando as passagens das duas, estava Ava O'Brien.

Por alguns segundos Wilde não se mexeu. Não precisava fazer nada. Não precisava abordá-las. Poderia simplesmente ir embora, como tinha feito com Gavin Chambers e Saul Strauss.

Mas não fez isso.

Chega de embromação. Wilde se aproximou e deu um tapinha no ombro de Naomi.

Naomi deu um pulo, espantada. Quando se virou e viu o rosto dele, sua mão subiu até a boca.

– Ah, meu Deus. Wilde?

Ava também girou.

Durante alguns segundos os três ficaram simplesmente parados. Ava perguntou:

– Como foi que você...

– Você se lembra de quando estava saindo do 7-Eleven e eu lhe disse para baixar o vidro?

– O quê? – Ava estava pasma. – O que é que tem?

– Eu me inclinei para dentro e coloquei um rastreador por GPS no seu carro.

O mesmo artifício usado com Gavin e Strauss – Ava também havia passado do ponto nas distrações táticas. Quando ele falou sobre o desaparecimento de Crash, de repente Ava se lembrou de que Naomi havia mencionado um possível romance com Crash, sugerindo intensamente que os dois adolescentes teriam fugido juntos.

Ava também estivera tentando afastá-lo da pista.

A questão era: por quê?

Ela obviamente não tinha nada a ver com Crash Maynard.

– Você é do Maine – disse Wilde.

– É, eu contei isso.

– Por que iria se mudar para Nova Jersey e aceitar um emprego para o qual era superqualificada?

Ava deu de ombros.

– Eu queria uma mudança.

– Nada disso. Além do mais, você voltou ao Maine quatro vezes nas últimas três semanas.

– Tenho família lá.

– De novo, nada disso. Você se hospedou no Howard Johnson's em South Portland, onde tinha escondido a Naomi. Porém, mais do que isso, você visitou duas vezes a agência de adoções Hope Faith em Windham.

Ava fechou os olhos.

– Você não precisava do emprego de professora assistente porque queria morar em Nova Jersey – declarou Wilde. – Fez isso para ficar mais perto da filha que tinha entregado para adoção.

Por um momento pareceu que Ava estava prestes a negar. Mas só por um momento.

– Você precisa entender – disse ela. – Eu nunca quis entregar a Naomi.

Então era isso.

– Eu tinha só 17 anos. Não sabia de nada. Mas tive... não sei, um sentimento, um desejo, uma premonição ou... Por isso voltei à agência. Implorei que dissessem o que tinha acontecido com minha filha. Eles não quiseram contar. Pelo menos a princípio. Acabei subornando uma pessoa. Ela me deu o novo nome e o endereço da Naomi, mas explicou que eu não tinha nenhum direito. Tudo bem. Eu só queria vê-la, sabe? Por isso pensei...

– Em pegar o trabalho de professora para ficar perto dela.

– Isso. Que mal faria?

– Wilde?

Era Naomi.

– Não me obrigue a voltar.

– Eu só queria ver como ela estava – disse Ava. – Só isso. Não queria atrapalhar a vida dela. Mas então vi o inferno que ela estava vivendo. Dia após dia eu tinha que ficar parada olhando minha filha sofrer bullying sem receber nenhum apoio em casa.

– Aí ficou amiga dela. Confidente dela.

– Isso é errado?

Wilde se virou para Naomi.

– Quando Ava contou a verdade?

– Que era minha mãe?

– É.

– Depois que eu voltei do Desafio. No início, achei que ela estivesse inventando ou que era um sonho realizado, sabe? Você se lembra da nossa conversa no porão da minha casa? De como eu queria mudar tudo?

Wilde assentiu.

– Não era só na escola. Era tudo. O meu pai...

Sua voz foi sumindo.

Bernard Pine também não sairia disso incólume. Lola estava pensando em um jeito de fazer com que ele pagasse pelo que tinha feito.

– Então vocês duas decidiram fugir – disse Wilde.

– Eu não queria – insistiu Ava. – Queria que ficasse tudo dentro da lei.

– E para isso procurou a Laila.

– É. Contei a ela como os pais adotivos da Naomi eram horríveis, mas, ainda assim, eu não tinha nenhum direito. A Laila disse que demoraria meses ou anos para provar negligência ou abuso. E mesmo assim era improvável que eu ganhasse.

– Foi então que você bolou esse plano – completou Wilde. – Vocês iriam fugir e se esconder. Você – ele se virou para Ava – conseguiria uma identidade falsa para a Naomi enquanto terminava o ano escolar. Se abandonasse o cargo de professora imediatamente, isso atrairia suspeitas. Por isso vocês esperaram. E agora é hora de fugirem do país juntas.

Ava apenas o encarou com seus grandes olhos castanhos.

A fila de embarque estava livre. A agente da companhia aérea fez mais um anúncio.

Naomi avançou um passo e pôs a mão no braço dele.

– Por favor, Wilde, se nós formos apanhadas, eu terei que voltar para ele. A Ava pode ir para a cadeia.

– Ela é minha filha – disse Ava, num tom mais firme do que nunca. – Eu a amo de todo o coração.

As duas o encaravam.

– Eu sei – disse Wilde.

– Então...?

– Só vim verificar se vocês estavam bem. E me despedir.

Naomi o abraçou com tanta força que quase o derrubou. Normalmente Wilde recuava diante de um abraço assim. Mas não fez isso. Dessa vez, não. Deixou a garota abraçá-lo e a sensação foi boa.

– Obrigada – sussurrou Naomi.

Wilde assentiu.

– Se algum dia precisarem de alguma coisa...

A agente de embarque estava falando de novo pelo alto-falante:

– Última chamada para o voo 374 com destino a Libéria, Costa Rica.

– É melhor vocês embarcarem – disse Wilde.

Naomi olhou para Ava. Ava a olhou de volta. Então Ava se virou, segurou a mão de Wilde e disse uma coisa que o pegou totalmente desprevenido:

– Venha com a gente, Wilde.

– O quê?

Naomi juntou as mãos.

– Por favor?

Wilde balançou a cabeça.

– Não posso.

Ava continuou segurando a mão dele e repetiu:

– Venha com a gente.

– Não.

– Por quê? – perguntou Ava.

– É loucura.

– E daí? – Ava deu um sorriso que ofuscava e atordoava. – Tudo nesta história é loucura.

Wilde balançou a cabeça de novo, mesmo sentindo alguma coisa se abrir no peito.

– Vocês precisam embarcar.

– Venha com a gente, Wilde – repetiu Ava. – A Naomi precisa de você. Talvez eu também precise, não sei. Se não der certo, você volta.

– Não posso.

A agente se aproximou, pigarreou e disse:

– Vou fechar o portão em trinta segundos.

– Elas vão embarcar – declarou Wilde num tom que não deixava espaço para discussão.

Os olhos de Naomi estavam molhados de lágrimas quando ela o abraçou de novo. Então Ava entregou os bilhetes à agente. Wilde viu as duas entrando no corredor para o avião. Naomi se virou e acenou. Wilde acenou de volta.

O olhar de Ava se demorou nele um pouco mais. Quando ela rompeu o contato visual e se virou, Wilde sentiu o peito se abrir mais um pouco.

Observou-as sumir de vista.

A agente da companhia aérea estendeu a mão para a porta. Quando ela já estava para fechá-la, Wilde perguntou:

– Tem algum lugar neste voo?

– O quê? O senhor quer comprar uma passagem?

– Quero.

A agente olhou no computador.

– Ora, veja só – disse. – Temos um bilhete disponível.

CONHEÇA OUTROS LIVROS DO AUTOR

Custe o que custar

Simon Greene tinha uma família perfeita. Até perder a filha mais velha para as drogas. Depois de receber todo o apoio necessário na luta contra o vício, Paige desapareceu com o namorado abusivo, sem deixar vestígio.

Um dia, ele a reencontra no Central Park, em Nova York, tocando violão por uns trocados. Ela parece outra pessoa: está fora de si, assustada e claramente em perigo. Quando Simon vai falar com ela e lhe implorar que volte para casa, Paige foge mais uma vez.

Então ele faz o que qualquer pai faria: vai atrás dela e acaba entrando em um mundo sombrio e perigoso em que gangues de rua ditam as leis, drogas são a moeda corrente e assassinatos são acontecimentos corriqueiros.

Enquanto tenta resgatar a filha, Simon se vê enredado em uma trama de mentiras que abre uma porta sombria para o passado. Em pouco tempo fica claro que não é só a vida de Paige que está em risco, mas a dele próprio também.

Apenas um olhar

Ao buscar um filme que mandou revelar, Grace encontra, no meio das fotos, uma que não pertence ao rolo. É uma imagem de cinco pessoas, tirada no mínimo vinte anos atrás. Quatro delas não lhe são familiares, mas a quinta é muito parecida com seu marido, Jack.

Ao ver a foto, Jack nega ser ele. Só que, mais tarde, ele foge sem nenhuma explicação, levando a fotografia.

Sem saber por que ele se foi, Grace luta para proteger os filhos da ausência do pai. Cada dia que passa traz mais dúvidas sobre si mesma, sobre seu casamento e sobre Jack, assim como a compreensão de que há outras pessoas procurando por ele e pela fotografia – inclusive um violento e silencioso assassino.

Quando entende que não pode contar com a polícia, e que seus vizinhos e amigos têm os próprios objetivos secretos, Grace precisa enfrentar as partes sombrias de seu passado para descobrir a verdade que pode trazer seu marido de volta.

Quando ela se foi

Dez anos atrás, Myron Bolitar e Terese Collins fugiram juntos para uma ilha. Durante três semanas, eles se entregaram um ao outro sem pensar no amanhã. Depois disso, se reencontraram apenas uma vez, antes de ela partir sem deixar vestígio.

Agora, no meio da madrugada, Terese telefona pedindo a ajuda de Myron para localizar o ex-marido, Rick Collins. Em pouco tempo eles descobrem que Rick foi assassinado e que Terese é a principal suspeita.

Porém algo ainda mais atordoante é revelado: perto do corpo havia fios de cabelo e uma mancha de sangue que o exame de DNA revelou pertencer à filha do casal, que morreu muitos anos antes.

Logo Myron se vê numa perseguição pelas ruas de Paris e de Londres, tentando desvendar a morte de Rick e o destino da filha que Terese pensava ter perdido para sempre.

Em *Quando ela se foi*, Harlan Coben cria um mundo de armadilhas imprevisíveis em que conflitos religiosos, política internacional e pesquisas genéticas se mesclam a amizade, perdão e a chance de um novo começo.

Alta tensão

Uma mensagem anônima deixada no Facebook da ex-estrela do tênis Suzze T. põe em dúvida a paternidade de seu filho. Grávida de oito meses, ela pede a ajuda de seu agente e amigo Myron Bolitar para descobrir o responsável por essa intriga e trazer de volta seu marido, o astro do rock Lex Ryder, que saiu de casa depois de ler o texto.

Descobrir o paradeiro de Lex não é tarefa difícil para um ex-agente do FBI. Mas, na mesma boate onde o encontra, Myron é surpreendido ao ver Kitty, a mulher que fugiu com seu irmão, Brad, e o afastou para sempre da família.

Tentando ajudar a amiga e ao mesmo tempo reencontrar o irmão mais novo, Myron se vê preso numa rede de segredos obscuros que põe em risco as pessoas que ele mais ama.

Em *Alta tensão*, Harlan Coben mais uma vez consegue construir uma trama envolvente, que fala de fama, ganância e rivalidade, e surpreende por seu toque humano.

Volta para casa

Dez anos atrás, dois meninos de 6 anos foram sequestrados enquanto brincavam na casa de um deles, uma mansão em um bairro elegante de Nova Jersey. Mas, após o pedido de resgate, as famílias nunca mais tiveram notícias dos sequestradores nem de seus filhos.

Agora, Myron Bolitar e seu amigo Win acreditam ter localizado um deles, o adolescente Patrick, e farão de tudo para resgatá-lo e obter as respostas pelas quais todos anseiam:

O que aconteceu no dia em que foram raptados?

Onde ele esteve durante todo esse tempo?

E, o mais importante, onde está Rhys, seu amigo ainda desaparecido?

Após cinco anos sem escrever nenhum livro da série Myron Bolitar, Harlan Coben brinda os leitores com *Volta para casa*, um suspense explosivo, como só o seu talento pode criar. Um thriller profundamente comovente sobre amizade, família e o verdadeiro significado de lar.

CONHEÇA OS LIVROS DE HARLAN COBEN

Até o fim
A grande ilusão
Não fale com estranhos
Que falta você me faz
O inocente
Fique comigo
Desaparecido para sempre
Cilada
Confie em mim
Seis anos depois
Não conte a ninguém
Apenas um olhar
Não há segunda chance
Custe o que custar
O menino do bosque
Win
Silêncio na floresta
Identidades cruzadas
Eu vou te encontrar

COLEÇÃO MYRON BOLITAR

Quebra de confiança
Jogada mortal
Sem deixar rastros
O preço da vitória
Um passo em falso
Detalhe final
O medo mais profundo
A promessa
Quando ela se foi
Alta tensão
Volta para casa

editoraarqueiro.com.br